ACCESO GRATIS *a la Lectura en la Nube*

Para visualizar el libro electrónico en la nube de lectura envíe junto a su nombre y apellidos una fotografía del código de barras situado en la contraportada del libro y otra del ticket de compra a la dirección:

ebooktirant@tirant.com

En un máximo de 72 horas laborales le enviaremos el código de acceso con sus instrucciones.

CARRERAS POLÍTICAS EN PAÍSES DESCENTRALIZADOS

COMITÉ CIENTÍFICO DE LA EDITORIAL TIRANT LO BLANCH

Procedimiento de selección de originales, ver página web:
www.tirant.net/index.php/editorial/procedimiento-de-seleccion-de-originales

CARRERAS POLÍTICAS EN PAÍSES DESCENTRALIZADOS

MÉLANY BARRAGÁN MANJÓN

tirant lo blanch
Valencia, 2026

En caso de erratas y actualizaciones, la Editorial Tirant lo Blanch publicará la pertinente corrección en la página web www.tirant.com.

EDITA: TIRANT LO BLANCH
C/ Artes Gráficas, 14 - 46010 - Valencia
TELFS.: 96/361 00 48 - 50
FAX: 96/369 41 51
Email: tlb@tirant.com
www.tirant.com
Librería virtual: www.tirant.es
DEPÓSITO LEGAL: V-747-2026
ISBN: 979-13-7021-835-5
MAQUETA: Tink Factoría de Color

Si tiene alguna queja o sugerencia, envíenos un mail a: *atencioncliente@tirant.com*. En caso de no ser atendida su sugerencia, por favor, lea en *www.tirant.net/index.php/empresa/politicas-de-empresa* nuestro procedimiento de quejas.

Responsabilidad Social Corporativa: http://www.tirant.net/Docs/RSCTirant.pdf

Índice

Sección III
PATRONES DE CARRERA EN SISTEMAS MULTINIVEL

Introducción

Si escogiéramos al azar a un ciudadano, es muy probable que en algún momento se haya cuestionado alguna de las siguientas preguntas: ¿Qué condiciones son necesarias para ejercer la actividad política? ¿Realmente se elige a los más capacitados? ¿Qué factores explican que algunas personas accedan con mayor facilidad a posiciones de alto poder?

Estos interrogantes, lejos de ser meras curiosidades, reflejan la complejidad de las dinámicas del poder y la selección de las élites en el ámbito político, pero no son cuestiones nuevas. El estudio de las élites constituye uno de los ámbitos de estudio tradicionales dentro de la Ciencia Política. Desde los primeros trabajos de Mosca (1884), Pareto (1901), Michels (1911), y Weber (1918) hasta nuestros días han sido numerosas las investigaciones que han centrado su interés en aquellas personas que ejercen el poder político.

De hecho, de las élites políticas se ha estudiado casi todo: el perfil sociodemográfico de sus miembros (Mills, 1956), los procesos de socialización política (Hyman, 1959), la profesionalización de los políticos (Schmitter, 2010; Cabezas y Barragán, 2014), el rol ejercido por la ambición (Schlesinger, 1966), la vinculación entre "calidad de los políticos" y "calidad de la democracia" (Morlino, 2014; Alcántara et al, 2016) o la influencia de diferentes variables institucionales tanto en el acceso a los cargos públicos como en el posterior desarrollo de la carrera, entre otros aspectos.

Asimismo, en los últimos años se ha ampliado el espectro de estudio ya que, si bien existe un predominio de las investigaciones centradas en los miembros del Legislativo, cada vez son más los trabajos que profundizan tanto en el perfil de la élite del Ejecutivo como de su trayectoria (Rodríguez Teruel, 2011; Dávila et al., 2013; Rhodes y Thiernan, 2014). Sin embargo, el principal avance en esta línea ha sido la introducción de la variable territorial. En la última década han proliferado los estudios sobre élites en sistemas multinivel y la existencia de diferentes patrones de carrera (Stolz, 2003; Borchert, 2011; Botella et al. 2011; Santana et al, 2015; Coller, 2016). No obstante, la mayoría de estos trabajos adolecen de una visión holística, centrándose en aspectos concretos de las élites y sus carreras políticas.

Ello ha facilitado el desarrollo de teorías y la obtención de evidencia empírica en diferentes dimensiones, pero no ha permitido abordar una lógica global de las carreras políticas. O, dicho en otras palabras, de cómo los individuos que conforman la élite van trazando sus trayectorias a partir de sus motivaciones, de las oportunidades del contexto en el que se desenvuelven y los recursos con los que cuentan. Explicar por qué algunas personas ingresan en partidos políticos, se integran en procesos de decisión política, llegan a ocupar un cargo o reproducen un determinado patrón de carrera, y no otro, requiere poner en interacción variables sociológicas, institucionales y estratégicas.

Al fin y al cabo, una de las características de la democracia desde el punto de vista procedimental es la celebración de elecciones, de tal modo que la representación es ejercida por personas que deben competir en el acceso a cargos públicos bajo las reglas del juego democrático. Ello implica, en primer lugar, que la política es ejercida por individuos que, como tales, cuentan con una identidad, motivaciones y capacidades particulares. En segundo lugar, que actúan dentro de un marco institucional específico que va a condicionar tanto sus límites de acción como sus oportunidades y parte de sus incentivos. Y, en tercer lugar, que los individuos van a invertir recursos materiales e inmateriales a la hora de competir por un cargo.

Cuando se aplica este razonamiento a sistemas multinivel, se producen dos efectos. Por un lado, la cuestión se complica al multiplicarse el número de arenas en las que un individuo puede ejercer un cargo público (Stolz, 2003; Borchert, 2003). Pero, por otro lado, la investigación se enriquece al poder contar con una mayor variabilidad de contextos y, por tanto, de incentivos, oportunidades y obstáculos en el diseño de las carreras por parte de los políticos.

De esta manera, es justo y necesario conocer la lógica de las carreras políticas en países federales tanto desde el punto de vista de las reglas del juego como desde los recursos e incentivos de los individuos. En ese sentido, partiendo de la premisa de que las instituciones formales son las reglas del juego, es necesario comprobar que existen dinámicas que no pueden ser entendidas sólo a partir de estas normas (Helmke y Levitsky, 2006), justificando el estudio acerca de qué otras variables impactan en los patrones de carrera.

Es decir, a pesar de que el diseño y los incentivos institucionales importan a la hora de explicar las carreras políticas, también existen variables informales (ambición, familia, etc.) que inciden directamente tanto en las oportunidades de los actores como en sus decisiones. Por ejemplo, se observará si el tipo de recursos poseídos por los individuos favorecen la profesionalización en una única arena o la movilidad entre niveles. O si existen escenarios que favorecen en mayor medida la materialización de la ambición política.

Además, a todo lo anterior, se le sumará una particularidad. En esta obra, no solo vamos a conocer la aplicación de las variables que más influyen en las carreras políticas, sino que dichos patrones se medirán en sistemas multinivel. Esto es, observaremos y conoceremos como la existencia de diferentes niveles de gobierno influye en la selección y en la circulación de élites, dando lugar a distintos perfiles de carrera política en función de las posibilidades ofrecidas por el entorno institucional específico de cada sistema político, así como de las características personales, los recursos disponibles y el medio en el que se desenvuelven los actores políticos.

Por todo ello, el propósito último que guía este libro es sistematizar y explicar los elementos que permiten entender la lógica que se esconde tras los patrones de carrera para, a partir de su estudio, poder deducir sus repercusiones en el funcionamiento de la democracia. Debido a la centralidad de los representantes dentro de los sistemas políticos, es relevante saber quiénes son y, sobre todo, qué variables explican tanto su llegada a un cargo ejecutivo municipal o regional como el posterior desarrollo de su carrera. En un momento de generalizada desafección política es importante entender las motivaciones y estrategias de los políticos para comprobar hasta qué punto sus trayectorias son consecuencia de ambiciones personales, de sus oportunidades y/o del contexto en el que se desenvuelven. Con ello se someterá a prueba la cada vez más escuchada afirmación de que "los políticos sólo miran por su propio interés". Pero, si así fuera, ¿qué factores explican sus decisiones y hasta qué punto están condicionadas por el sistema en el que operan? A esta cuestión invitamos al presente lector a reflexionar mientras lee estas líneas, al mismo tiempo que, en los siguientes capítulos, se delimitará el estudio de las élites políticas y los patrones de carrera en sistemas multinivel.

Sección I
EL ESTUDIO DE LAS ÉLITES EN SISTEMAS MULTINIVEL

Capítulo 1

Élites y estructura de oportunidades. Una discusión sobre la lógica de las carreras políticas aplicada a sistemas multinivel

Reflexionar sobre la política como profesión, al igual que otras muchas actividades, requiere de una combinación de circunstancias dentro del juego democrático. Por un lado, debe existir la voluntad por parte del individuo para dedicarse de manera temporal o indefinida al ejercicio de la representación. Por otro lado, han de existir también unas normas e instituciones que regulen el acceso a los cargos. Y, por último, la persona que compite por el cargo ha de lograr imponerse al resto de candidatos, lo que hace pensar en la posesión de unos atributos o recursos diferenciados. No obstante, este esquema presenta una realidad muy simplificada y, en particular, no toma en cuenta dos aspectos.

El primero es la existencia de diferentes cargos por los que competir pudiéndose dar, por ejemplo, la disyuntiva entre candidatearse por un cargo en el Ejecutivo o en el Legislativo, hacerlo en comicios uninominales o plurinominales, o decidir entre la arena local o nacional. En ese sentido, el abanico se amplía cuando se trata de sistemas federales que cuentan con niveles intermedios de gobierno al multiplicarse el número de cargos por los que competir, así como cuando existen esquemas supranacionales. En segundo lugar, se encuentra la dimensión tiempo en el desarrollo de la carrera. Así, después de ocupar un cargo público la persona se plantea si continúa teniendo voluntad de ejercer la actividad política o si, por el contrario, decide retirarse. En el caso que quiera continuar, también deberá tomar una decisión sobre si tratar de hacerlo en el mismo cargo o postularse para otro. Luego debe tener en cuenta si el diseño institucional le permite continuar en la contienda o si existen obstáculos como la limitación de mandato o la imposibilidad de reelección inmediata. Y, finalmente, debe volver a imponerse electoralmente a otros candidatos en competencia.

Para poder entender la lógica que se esconde tras estas decisiones, el presente capítulo lleva a cabo una revisión de la principal literatura existente sobre élites y carreras políticas, poniendo el énfasis en las variables que inciden en los patrones de carrera y, en especial, en la lógica seguida en los sistemas multinivel. Al introducir en la discusión aspectos como la toma de decisiones, los cálculos estratégicos y las motivaciones personales se pretende dar un paso más en la literatura sobre élites, la cual tradicionalmente ha sido abordada desde una perspectiva normalmente estática y en ocasiones extremadamente descriptiva e institucionalista.

Asimismo, se pretende contribuir a la generación de conocimiento sobre las carreras en sistemas multinivel, ámbito que hasta hace muy tiempo poco había recibido escasa atención académica. Y, en especial, en las carreras dentro del Ejecutivo. De este modo, a excepción de la literatura sobre presidentes y primeros ministros (Schaller y Williams, 2003; Theakston y Vries, 2012), las carreras políticas dentro del Poder Ejecutivo aún son en gran medida un área inexplorada por la Ciencia Política.

Para estructurar la discusión, se parte de una visión general del estado de la cuestión para, a continuación, focalizar la atención en los ejes centrales de esta investigación: las variables que inciden en los patrones de carrera y la influencia del diseño territorial. Por ello, primero se revisa la literatura sobre élites con el propósito de identificar qué se entiende por tal, quiénes la conforman y desde qué enfoques se puede aproximar a su estudio. Seguidamente, el argumento se centra en la figura del político profesional dado que es el que hoy en día ejerce la representación en las democracias contemporáneas. Una vez discutido el concepto de élite y de profesionalización, se teoriza sobre la influencia de la variable territorial en el diseño de los patrones de carrera, haciendo especial énfasis en el impacto del federalismo y la descentralización. Finalmente, se exponen diferentes variables para explicar el desarrollo de las carreras políticas tratando de presentar una visión compleja que tenga en cuenta tanto factores institucionales como aquellos otros relacionados con las características del individuo, sus recursos, motivaciones y oportunidades.

¿QUIÉNES SON Y POR QUÉ ES IMPORTANTE ESTUDIAR A LAS PERSONAS QUE OCUPAN EL PODER?: CONCEPTO Y ENFOQUES

Desde la teoría elitista de la democracia como desde el marxismo se sostiene que las sociedades son gobernadas por una minoría organizada. En ese sentido, pese a las diferencias de enfoque, ambas perspectivas hacen central el concepto de élite dentro del sistema político, otorgando a sus miembros la capacidad de concentrar y ejercer el poder. Dado que sus decisiones influyen en el ámbito de lo público, de ellos se espera que cuenten con las capacidades y habilidades necesarias para el ejercicio de la función representativa y que respeten las reglas del juego democrático. Es por ello por lo que, desde el punto de vista institucional, se establecen mecanismos tanto de selección como de rendición de cuentas. Y, desde el punto de vista académico, resulta importante estudiar quiénes son, qué atributos poseen, cómo son sus trayectorias y cómo es su proceso de profesionalización. Ahora bien, ¿qué debe entenderse por élite[1]?, ¿quiénes la integran? y, por último,

---

1 Usar el concepto de "élite política" continua siendo complicado debido a las diferentes aproximaciones al término. Por ello, autores como Borchert y Golsch (1995) han desarrollado el concepto de "clase política". La principal diferencia estriba en que mientras que a la élite política se le identifica por su capacidad para ejercer el poder, la clase política es autoreferencial (Beyme, 1966). Ambos conceptos se superponen en diferentes dimensiones, por lo que para este trabajo ambos conceptos se ponen al mismo nivel ya que el término "elite" se utiliza en sentido amplio como "alguien que ocupa un lugar relevante" (Alcántara, 2006: 3).

¿cuáles son las principales líneas de debate en torno a ellas dentro de la Ciencia Política? Para dar respuesta a estas cuestiones, en los siguientes subepígrafes se llevará a cabo una conceptualización del término, así como las principales corrientes de estudio y líneas de investigación.

Concepto de élite

Para Pasquino (2000), élite es un término genérico aplicable a todos los que destacan en sus respectivos sectores de actividad, mientras que sólo una parte de ellos son dirigentes. Desde un enfoque sociológico, Mills (1956) identifica a la élite como grupos relativamente pequeños de personas que ejercen control sobre el ámbito económico, político y militar[2]. En una línea similar, Daloz (2010) define a la élite como un pequeño y selecto grupo de ciudadanos y/u organizaciones que concentran la mayor parte del poder en una sociedad. Por último, desde una perspectiva funcionalista, Bottomore (1967) define a las élites como grupos funcionales que, sea por la razón que fuere, ocupan en la sociedad un rango elevado. Más reciente, y en vinculación con el anterior, Verzichelli et al (2012) sostiene que, en el contexto europeo, las élites son actores centrales en la definición de políticas públicas debido a su acceso privilegiado a recursos, información y redes de poder. Por ello, entiende que las élites no solo están conformadas por políticos electos, sino también por altos funcionarios, líderes de partidos y actores influyentes en la sociedad civil.

En ese sentido, todas estas conceptualizaciones permiten entender a la élite como una minoría selecta situada en la cúspide de la sociedad, destacando en algún ámbito o actividad. Desde

---

2 En, "La élite del poder" (1956), Mills realiza un estudio, dividido en quince secciones, en el que examina los altos círculos, la sociedad local, los 400 de Nueva York, las celebridades, los muy ricos, los altos directivos, los ricos corporativos, los señores de la guerra, la ascendencia militar y el directorio político.

esta perspectiva, pueden distinguirse distintos tipos de élites: académicas, religiosas, económicas, militares o políticas, entre otras. Ahora bien, realizando un ejercicio de simplificación, dentro de las democracias contemporáneas destacan tres categorías debido a su mayor influencia en el devenir de las sociedades: a) la élite económica conformada por empresarios y banqueros, b) la élite social formada por aquellos que se convierten en referentes simbólicos de diferentes demandas o reivindicaciones sociales y c) la élite política a la que pertenecen los dirigentes que ocupan posiciones destacadas dentro de las instituciones del Estado.

Dada la naturaleza de esta investigación, el foco se sitúa sobre la élite política, la cual, utilizando la definición de Higley (2008:3), es entendida como un grupo de personas que, en virtud de su posición estratégica en partidos, movimientos u otras organizaciones son capaces de influir de manera regular y sustantiva en las decisiones políticas. Ello permite hablar de élites tanto en el nivel local como regional, nacional y supraestatal, así como distinguir entre élites legislativas, ejecutivas y judiciales.

Todas ellas poseen algo en común: están vinculadas al poder. Así, describir a la élite implica tomar en cuenta aspectos como el poder, la influencia y la capacidad de tomar decisiones. Estos elementos deben ser leídos desde una doble mirada: por un lado, como recursos que van a contribuir al acceso a un cargo público y, por otro, como elementos de los que harán uso una vez en el ejercicio de la representación. Y es que cabe tener en cuenta que tradicionalmente gran parte de esta élite ha estado conformada por individuos que provienen de familias con tradición política o vinculadas a grupos exclusivos y, a su vez, aspiran a ejercer autoridad sobre grandes grupos. De hecho, Carnes y Lupu (2016) comprueban en su estudio que los políticos electos son casi siempre más ricos, tienen un mayor nivel educativo y, normalmente, es más frecuente que provengan de trabajos de cuello blanco en comparación con los ciudadanos que los eligen.

En consecuencia, esta autoridad es legal cuando ocupan un cargo público, pero a la par estará dotada de elementos morales o simbólicos como líderes de opinión y movilizadores de masas. No obstante, existen diferentes enfoques para aproximase al estudio de las élites, tal como se desarrolla a continuación.

Enfoques para el estudio de las élites

Las investigaciones sobre élites se fundamentan en la constatación de que existe una minoría que gobierna y una mayoría que es gobernada. No obstante, existen diferentes corrientes teóricas para abordar su estudio y cada una de ellas aporta matices específicos tanto sobre la composición y vías de acceso a la élite como de su supervivencia. Conocerlas permite contar con referentes teóricos para entender por qué unos llegan a formar parte de esa minoría, da pistas para entender las lógicas de las carreras políticas y otorga a la élite roles diferenciados dentro de la sociedad. En concreto, se exponen la teoría elitista, la teoría pluralista y el marxismo.

La teoría elitista de la democracia, con autores como Mosca, Pareto y Michels, surge a finales del siglo XIX en un contexto de movimientos revolucionarios y grandes movilizaciones sociales que les hacen alcanzar un protagonismo que nunca habían tenido. En un escenario en el que la participación de las masas es vista como una amenaza para la estabilidad del sistema, este enfoque sostiene que las sociedades son gobernadas por una minoría organizada que posee una estructura, cualidades superiores y control de las fuerzas sociales, además de conexiones y parentescos[3]. De este modo, la lucha por el poder se da dentro de la

---

3 En 1901 Pareto fue el primero en realizar un análisis sociopolítico a este respecto con su Teoría Circular de las Élites. De acuerdo con ella, la evolución de las sociedades se repite en círculos, haciendo que un pequeño y selecto grupo de personas organizadas con atributos diferenciados gobierne sobre una masa a la que él definió como poco inteligente, irracional y desorganizada. En esta línea, Mosca (1884) afirmó que la conformación de la élite venía determinada por la estructura social. Ello se traduce en que los miembros de las clases superiores eran los que concentraban la riqueza y poder política, a la par que el acceso

clase gobernante y la sociedad avanza cada vez que la minoría gobernante mejora o es reemplazada por otra de superior calidad (Mills, 1956).

Como contraposición a esta postura se encuentra la teoría pluralista de la democracia, donde Dahl constituye uno de los principales exponentes. En su ya célebre obra "Who Governs?" (1961), el autor entiende el poder como algo *disposicional* que depende de circunstancias como el acceso a los recursos a la par que, como una propiedad estructural, en el sentido de que su naturaleza depende de las relaciones entre los individuos y el contexto en el que se inserten. Al igual que Lindblom (1977), considera que los actores poseen recursos diferentes y, por tanto, también incentivos diferenciados. Sin embargo, pese a las diferencias en términos de recursos, Dahl (1961) hace una crítica al elitismo al sostener que muy pocos individuos son decisivos en todos los asuntos y el poder no se acumula. Para él, la poliarquía permite la competencia y esta, a su vez, impide el corporativismo y la concentración de poder de los grupos.

Por último, desde el marxismo, la élite se vincula con la existencia de diferencias en las posiciones económicas que ocupan los grupos en la sociedad. En la teoría marxista la historia se explica por la lucha de clases entre opresores y oprimidos. Los primeros están conformados por una burguesía (élite) que posee los medios de producción mientras que los segundos se corresponden con el proletariado. Desde este enfoque, la organización de las sociedades (superestructura) tiene una base económica (económica), por lo que la minoría que logra contar con los medios de producción se convierte no sólo en una élite económica sino también política. Desde una perspectiva similar, Bottomore (1967)

---

a la educación, la información y la movilidad. El resultado es la conformación de un grupo relativamente homogéneo de personas que muestran características diferenciadas a las del resto de la sociedad y que ejercen el poder convirtiéndose en una *ruling elite* (Michels, 1911). La oligarquía, como forma política de conformación, se convierte desde este enfoque en una consecuencia inevitable.

considera que el poder es ejercido por una minoría organizada de individuos que cuentan con un rango elevado en la sociedad, conformando una clase dirigente.

No obstante, aunque ha transcurrido tiempo desde que se formularon estos tres enfoques, en particular la teoría elitista de la democracia y el marxismo, de ellos se extraen ideas que aún permanecen vigentes. En primer lugar, y por ello también más evidente, en todas las sociedades existen élites, independientemente del grado de acumulación del poder que posean. En segundo lugar, el acceso a la élite recae en la posesión por parte de sus miembros de uno o varios tipos de recursos, a los que se llamará capital[4]. Este puede ser de diferente naturaleza como, por ejemplo, familiar, cultural, económico o partidario. Y, en tercer lugar, la configuración de la élite va a ser fruto, por un lado, del contexto y las lógicas que articulen la relación entre gobernantes y gobernados y, por el otro, de las redes y formas de organización desarrolladas entre sus miembros.

LA POLÍTICA COMO PROFESIÓN

Desde el momento en el que un individuo convierte a la política en su profesión, ya sea de manera temporal o indefinida, nuevas variables entran en juego. La atención deja de centrarse ya únicamente en qué individuos componen la élite y qué atributos le caracterizan para tomar en cuenta qué motivaciones, incentivos y oportunidades subyacen bajo la decisión de hacer de la política un oficio. En consecuencia, aunque determinados perfiles puedan favorecer más el ejercicio de la representación, el político ya no se define o identifica por su pertenencia a una familia o grupo social sino por hacer de la política su actividad profesional. Y, por

---

4 Cabe resaltar que se adopta la conceptualización de Bourdieu (1986), quien entiende el capital como aquellos recursos que pueden producir efectos en la competencia social.

tanto, entender el proceso de profesionalización va a contribuir a entender la lógica de los políticos y sus carreras.

Weber (1918), siguiendo a James Bryce, aborda el proceso de profesionalización de la política a partir de la ya clásica distinción entre "vivir para la política" y "vivir de la política". Pese a que no son condiciones incompatibles *per se*, Weber sitúa en el primer grupo a aquellos políticos tradicionales —principalmente notables locales— que concebían la política como el resultado de su voluntad de intervenir en lo público, mientras que en el segundo ubica a un nuevo estilo de político que hace de la política un medio de desempeñarse profesionalmente. La diferencia entre ambas es, por tanto, de base económica: mientras que los que viven de la política buscan hacer de ella una fuente de ingresos, los que viven para la política no buscan tal finalidad.

La aparición del político profesional es, para él, consecuencia de un proceso de modernización que transforma cualitativamente la representación democrática. Aparece entonces una nueva dimensión de la política: la de una empresa que requiere una preparación metódica de los individuos para la lucha por el poder. Las democracias modernas son el resultado de un conjunto de normas institucionales que canalizan la lucha política y seleccionan a las élites más capaces dentro de un mundo racionalizado (Faucci, 2007). Este principio ejercerá posteriormente una notable influencia en el pensamiento de Schumpeter (1942), quien concibe a la política democrática como la lucha entre líderes políticos rivales, organizados en partidos, por el mandato para gobernar.

Aun a riesgo de presentar una realidad muy simplificada, el entender al político como un profesional que compite por cargos de representación a cambio de obtener una remuneración permite abrir nuevas líneas de discusión. Y, en ese sentido, la clave se encuentra en el término "competición". En primer lugar, porque debido a ella se amplía la oferta de candidatos dado que la no pertenencia a determinados clanes o estratos sociales ya no es óbice para entrar en la élite. Sigue siendo importante la posesión de algún tipo de capital, pero también se amplía el número de opciones. Ya no necesariamente tiene que ser familiar, sino que puede ser, por ejemplo, partidario o simbólico. Y ello, a su vez, incrementa el número de estrategias posible para acceder al poder. La búsqueda de apoyos dentro de la misma clase social o élite ya no es la única opción y los políticos sin experiencia o vínculos previos pueden enfocarse en resultar atractivos para la población y así conseguir el apoyo de los electores.

En búsqueda de una definición del político profesional

Desde la literatura existe un acuerdo en considerar la existencia de una remuneración como condición necesaria para hablar de políticos profesionales. Ahora bien, ¿existen otros factores que intervienen en la profesionalización? A este respecto, y de acuerdo con Borchert (1999:15), la profesionalización de la política no debe ser tomada como un elemento aislado, sino que debe ser puesto en contexto con otros procesos. Así, el autor distingue cuatro esferas de profesionalización: el de los políticos de manera individual, el de los cargos, el de las instituciones y el del sistema político en conjunto.

El primero hace referencia a lo ya expuesto hasta el momento: el paso del político *amateur* a aquel que convierte a la política en su oficio y vive de ell (Borchert y Golsch, 1995:625). El segundo hace alusión a la burocratización y continuidad en el tiempo de las actividades desempeñadas, más allá del cambio de titular. La tercera se refiere a la existencia de estructuras y presupuestos propios de cada institución. Por último, la profesionalización del sistema político se centra en la relación y funcionamiento coordinado de las instituciones.

Una vez tomado en cuenta el contexto, la pregunta se puede reformular planteando qué hace de una persona un político profesional. Después de la primera definición planteada por Weber, vinculando la profesionalización con "vivir de la política", dentro de la literatura se han atribuido diferentes características a los profesionales de la política. Algunos como Prinz (1993), en una concepción cercana a la weberiana, conciben a los políticos profesionales como a personas que viven de la política, pero admiten la existencia de amateurs que, pese a no recibir ingresos por esta actividad, se sienten muy atraídos por la política. Guillén (1990) y Alcántara (2012), por su parte, introducen la variable de dedicación exclusiva a la actividad y mantiene el factor de la remuneración económica.

No obstante, junto con la dedicación y los ingresos, desde la literatura se han apuntado otros aspectos más difícilmente medibles u objetivables. Por ejemplo, Wilson (1959) define a los profesionales de la política como aquellos individuos preocupados por conseguir el poder para ellos y sus partidos. Otros como Ehrenhalt (1991:20) y Codato et al (2014) incluyen variables como la motivación, la vocación por el servicio público y la ambición. Por su parte, autores como Kriesi (2011) y Balmas et al. (2014) ponen el foco en la capacidad del político para ser protagonista en los titulares de periódicos, redes sociales y anuncios políticos. Por último, Straus (2002) añade a la definición la posesión de una red de contactos que permitan el ascenso y el desarrollo dentro de la carrera política.De este modo, definir al político profesional conlleva enfrentarse a un puzzle de numerosas piezas: ingresos, poder, motivación...Si se toman todas ellas y se ponen en relación surge una definición del político profesional que los concibe como una persona que hace de la política una actividad de dedicación exclusiva mientras se dedica a ella, recibiendo una remuneración por ello a la vez que acumula un capital inmaterial de redes y contactos. Además, debe estar motivado por una vocación de servicio público y ambición de poder.

La vocación de servicio público y la ambición de poder constituyen dimensiones que, por un lado, son difícilmente medibles. Y, por el otro, pueden ser discutidas como condición necesaria para hablar de profesionalización. Respecto a la primera cuestión, de carácter más metodológico, este trabajo parte de la premisa de que, si bien no son medibles en sí mismas, sí que lo son los escenarios que generan las oportunidades para desarrollarlas. Y, a partir de las acciones de los actores en estos contextos, se pueden inferir algunas conclusiones sobre ellas. En cuanto a la segunda cuestión, existen dos aspectos para considerar la vocación y la ambición en el estudio de la profesionalización. La primera es la naturaleza de la actividad, la cual requiere de entrega y empatía con la realidad social, económica y política[5]. La segunda es la asunción de que aquel que se presenta a un cargo público muestra, al menos, un mínimo de ambición de ocupar un puesto de poder. Ello iría en la línea de Schlesinger (1966), para quien la carrera política no puede ser explicada sin tener en cuenta la ambición, la esperanza de promoción y la motivación en el cargo. Así, la ambición política, lejos de ser un mero impulso personal, representa la fuerza que teje las redes de poder y define, en conclusión, las instituciones y carreras políticas.

El impacto de la profesionalización en los patrones de carrera

A la hora de vincular profesionalización y carreras políticas, la discusión no debe reducirse a una única dimensión como la reelección o la duración de la trayectoria (Borchert, 2003:7-8). Una visión compleja requiere tomar en cuenta condiciones estructurales como los niveles de ingreso, las oportunidades reales de mantenerse en el cargo o las opciones de moverse a otro más atractivo. En ese sentido, hablar de políticos profesionales y no ocasionales permite explicar los patrones de carrera en términos de incentivos y oportunidades.

Desde una perspectiva macro, la profesionalización implica que un número de personas hagan de la política su profesión bajo unas condiciones predefinidas y mantenerse en el ejercicio de la actividad adaptando esas condiciones a sus necesidades (MacKenzie, 2014). Ello, a su vez, requiere la adquisición de capacidades, habilidades y conocimientos sobre el escenario institucional y la

---

5 "Lo que distingue al oficio del político de cualquier otro oficio es la entrega total. Puede que en algunos momentos algunos políticos medren en su dedicación, pero por lo general la entrega es total" (Entrevista a Fernando De la Rua, *Infolatam*, 12 de mayo de 2014)

práctica política. Este último aspecto es importante ya que existen condiciones institucionales, organizativas, sociales e informales que influyen en los tipos de trayectoria política. Asimismo, conocer estas dinámicas es fundamental para identificar la estructura de oportunidades ya que no todos los cargos son accesibles para todas las personas: criterios como la pertenencia partidaria, las competencias personales, la experiencia o el origen deben ser tomadas en cuenta (Burmeister, 1993; Borchert, 1999).

Estos elementos, junto con las variables vinculadas al perfil sociodemográfico de las élites, contribuyen a entender por qué algunas personas entran en política y otras no, o por qué algunas de ellas alcanzan unos u otros cargos, o permanecen más o menos tiempo en la carrera. No obstante, no todos los escenarios generan idénticas estructuras de oportunidades. Esto se hace especialmente evidente al introducir la variable territorial, ya que a medida que se incrementa el número de arenas también aumentan tanto los cargos por los que competir como las variables a tener en cuenta a la hora de diseñar estrategias para tratar de ocuparlos.

Y, hoy en día, la política profesional ya no se restringe al nivel federal, sino que, la profesionalización de la política se ha expandido desde el centro a la periferia (Burmeister, 1993y Stolz, 1999). De hecho, la profesionalización de la política se extendió a todas las arenas en el momento en el que el ejercicio de la representación a nivel subestatal requirió de una dedicación a tiempo completo y eso trajo aparejado el incremento de los honorarios recibidos por dicha actividad (Reiser, 2003).

LA DIMENSIÓN TERRITORIAL EN EL ESTUDIO DE LAS TRAYECTORIAS POLÍTICAS

Durante mucho tiempo, el estudio de la profesionalización y de las carreras políticas estuvo fuertemente ligado al nivel federal. Ello se debía a dos razones principales. En primer lugar, al fuerte sesgo centralista que ha prevalecido durante mucho tiempo en los estudios de Ciencia Política (Jeffery y Wincott, 2010). Y, en segundo lugar, este nacionalismo metodológico tuvo su origen en la realidad empírica de muchas democracias occidentales, caracterizadas por un fuerte centralismo (Fischer y Stolz, 2010). No obstante, esta última asunción ha perdido vigencia debido a los procesos de descentralización política acontecidos en los últimos años y la asignación de competencias a nivel regional.

Con los procesos de descentralización han surgido nuevas instituciones que han generado, en mayor o menor medida, la consolidación de un nivel de autonomía más o menos amplio a nivel subestatal. Por un lado, esto ha repercutido en los partidos y sistemas de partidos (Deschouwer, 2006; De Winter et al 2006, Sweden y Maddens, 2009). Y, por otro, ha transformado el proceso general de gobernanza (Marks et al, 1996; Brzinki et al., 1999). De ese modo, el ejercicio de la representación se articula en diferentes arenas y la competencia para el acceso a los cargos ya no se articula sólo entre poderes sino también entre niveles de gobierno.

Sin embargo, pese a esta realidad y al creciente interés de los académicos por los procesos de descentralización, aún son pocos los trabajos que analizan las oportunidades, estrategias e incentivos de los actores en sistemas multinivel. Se trata, no obstante, de un rico campo de estudio ya que, desde una perspectiva institucional, la existencia de arenas regionales impacta directamente en tres dimensiones de la carrera política: aumenta las oportunidades al incrementarse el número de cargos en competencia, contribuye a generar una regionalización de la política nacional e influye en el reclutamiento de élites, impactando tanto en la arena nacional como en la regional y local.

Si se concibe la relación entra instituciones y carreras desde el sentido inverso, la aparición de élites que pueden transitar por diferentes arenas impacta en sus actitudes, trayectorias y aspiraciones. Ello, por un lado, condiciona la creación, institucionalización y evolución de nuevas instituciones (Westlake, 1994; Deschouwer, 2001; Verzichelli y Edinger, 2005; Coller, 2008; Botella et al, 2011). Y, por el otro, reconfigura las relaciones de poder ya que puede surgir una élite regional distinta que incida en la evolución de los procesos de descentralización, convirtiéndose en fuerza motora de un autogobierno regional (Stolz, 2001, 2003,2005).

Diferencias entre federalismo y descentralización

Antes de abordar el impacto de la dimensión territorial en las carreras políticas, resulta útil distinguir entre el principio formal del federalismo y el concepto funcional de descentralización de competencias en múltiples niveles de gobierno. Diferenciar entre ambos términos es importante ya que cada uno de ellos genera distintas dinámicas, oportunidades e incentivos que pueden repercutir en la conducta de los políticos y el diseño de sus carreras.

En ese sentido, Blume y Voight (2011) conciben el federalismo como una opción constitucional mientras que la descentralización forma parte de una "realidad" del ejercicio del gobierno. De este modo, el federalismo genera un diseño institucional que implica varios niveles de gobierno electo: el central y las subunidades. Cada uno de ellos tiene su orden normativo protegido constitucionalmente, y de ambos emanan poderes originarios, históricos y reconocidos. De esta manera, es imposible que se dé de forma unilateral cualquier cambio en la articulación territorial (Linz, 1999).

No obstante, el federalismo no implica un reparto simétrico de competencias entre el estado federal y las entidades federadas, pudiéndose concentrar una gran cantidad de poder en el centro (Blume y Voight, 2011). Es entonces cuando cabe prestar atención al concepto de descentralización. Esta puede ser administrativa o política. La primera está motivada por una mayor eficacia para la ejecución de las políticas públicas y, si no va acompañada de una descentralización política, las entidades federadas carecen de toda facultad legislativa o cualquier otra competencia que no sea la de la gestión de la administración bajo supervisión vertical del Estado.

Élites regionales, movilidad y "especialización" tesrritorial

La existencia de diferentes niveles de gobierno lleva a hablar de "distintos niveles de juego" (Deschouwer, 2003), tanto en términos de partidos como de élites. Al contrario de lo que ocurre en los Estados unitarios, el federalismo permite que los partidos tengan diferentes escenarios para reclutar candidatos. Para autores como Van Biezen y Hopkin (2006), esto puede dar lugar a un potencial conflicto tanto para líderes como para electores, confusos a la hora de ordenar sus preferencias en relación con el territorio donde deben competir los candidatos. Para otros, sin embargo, la existencia de varios niveles de gobierno puede actuar como elemento cohesionador, reduciendo el conflicto al aumentar las opciones de los partidos de colocar a sus candidatos y de las élites de diseñar sus carreras (Thorlakson, 2006; Van Houten, 2009).

Tanto si se da una relación de conflicto como de cohesión, el hecho es que la existencia de sistemas multinivel favorece la formación de nuevas arenas políticas que entran en interacción con las tradicionales. El resultado es la emergencia de una nueva élite que no siempre comparte características, intereses y funciones con las élites tradicionales. Ello se debe a que el territorio puede impactar en la existencia de conocimientos específicos sobre el nivel de gobierno, la adquisición de determinadas habilidades y el establecimiento de redes con grupos dentro de la entidad subestatal (Squire, 1992; Moncrief y Thompson, 1992; Rosenthal, 1996, Stolz 2003; Borchert and Zeiss, 2003, Oñate, 2010). No obstante, en la relación entre centro y periferia pueden darse diferentes dinámicas en los patrones de carrera, tal como se observa la Figura

Figura 1.1. Patrones de carrera en sistemas multinivel

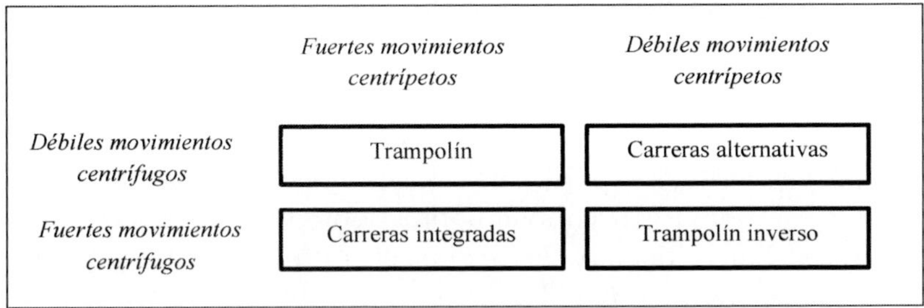

Fuente: Stolz (2010:98-100)

De acuerdo con el autor, las carreras trampolín son aquellas en las que los políticos regionales "suben" a la arena nacional, siendo rara la tendencia contraria, lo que invita a concebir la arena nacional como la cúspide de una carrera. El patrón opuesto es el de las carreras de trampolín inverso, en el que se identifican fuertes tendencias centrífugas desde la arena nacional a la regional. Por otro lado, en las carreras alternativas existe una distinción entre políticos nacionales y regionales, sin que haya movimientos entre arenas. Ello sugiere altos costes de movilidad a la par que una ausencia de jerarquía en el atractivo de los cargos en función del nivel de gobierno. Por el contario, en el patrón de carreras integradas existe movimiento entre niveles, sin que se dé una preferencia clara hacia una dirección específica.

Este modelo resulta especialmente ilustrativo para entender las diferentes dinámicas de reclutamiento y distribución del poder en sistemas multinivel. En primer lugar, porque la cuestión de la diferenciación territorial permite estudiar los efectos de la creación de sistemas políticos multinivel en la integración tanto de las élites políticas como de los partidos y sistemas de partidos (Stolz, 2003 y 2010). En segundo lugar, porque analizar las carreras políticas de los individuos que han ocupado la presidencia regional permite abordar la posible integración o bifurcación entre la élite política regional y la nacional (Botella et al. 2011). Y, por último, porque da muestras de las relaciones que se establecen entre los diferentes niveles políticos y el compromiso de las élites con la descentralización (Scarrow, 1997; Real y Jerez, 2008).

En ese sentido, la discusión se hace especialmente interesante al focalizarse en las diferencias entre las carreras que se concentran en un solo nivel y aquellas que se mueven entre niveles. Por un lado, las primeras permiten a los políticos maximizar su influencia, aumentar sus conocimientos sobre el sistema y consolidar redes (Bale y Taggart, 2005). Por el contrario, el movimiento entre arenas permite que el político acabe ubicándose en el nivel de gobierno para el cual está más preparado, tanto en función de sus intereses como de sus habilidades.

¿QUÉ VARIABLES INCIDEN EN EL DISEÑO DE UNA CARRERA POLÍTICA?

Las carreras políticas pueden ser explicadas por la suma de variables institucionales, personales y contextuales. Así, como señala Samuels (2003), a la hora de tomar decisiones relativas a su trayectoria, el político debe contestarse a sí mismo al menos tres preguntas: a) ¿Qué opción me merece la pena?, b) ¿qué oportunidades tengo? y c) ¿qué costes van asociados a mi decisión? Ello implica prestar atención a sus preferencias, las estructuras de oportunidad política y las posibles situaciones contingentes del momento. Si no se asume la diversidad de variables intervinientes, se pierde capacidad explicativa y se hace más complicado identificar incentivos, estrategias y obstáculos.

Al abandonar la perspectiva individual y pensar en términos agregados, las preguntas siguen una lógica similar. ¿Qué lleva a los candidatos a competir por un cargo de representación?, ¿por qué unos lo logran y otros no?, ¿qué explica que algunos políticos permanezcan en el mismo cargo durante etapas prolongadas y otros, en cambio, van cambiando sucesivamente de cargo a lo largo de su carrera? Y, específicamente en sistemas multinivel, ¿por qué parte de las élites tiende a desarrollar toda su carrera en una misma arena mientras que otra transita entre diferentes niveles? Y, dentro de estos últimos, ¿por qué algunos lo hacen hacia la arena nacional y otros hacia el nivel subestatal?

Para tratar de responder a estas cuestiones, Ehrenhalt (1991) sostiene que las carreras políticas son el resultado de tres ingredientes: ambición, talento y tiempo. Schlesinger (1966) por su parte, enumera tres aspectos que guían las decisiones de los políticos en el desarrollo de sus carreras: a) la estructura de oportunidad asociada al diseño institucional, b) las posibilidades de promocionar en el futuro hacia otros cargos y c) las expectativas de los actores. De ambas propuestas se extrae que las carreras políticas son el resultado de cálculos estratégicos derivados de los recursos y oportunidades disponibles (tiempo, dinero, habilidades, redes, estructuras institucionales), pero que también son fruto de las ambiciones y motivaciones de los individuos. Posteriormente, Norris y Lovenduski (1993) incorporaron al estudio de las careras políticas variables sociológicas como son el género, la raza y la clase social.

Todo ello requiere, por tanto, entender las carreras desde un enfoque multidisciplinar que combine la teoría de juegos con aproximaciones institucionales, sociológicas y de psicología del poder. Por esta razón, en los siguientes epígrafes se discutirán las principales aportaciones teóricas realizadas hasta el momento sobre las razones que subyacen en el diseño de las carreras políticas. Para ordenar la discusión, en primer lugar, se aborda la importancia de las características personales en el estudio de las carreras. En segundo lugar, se discute sobre la ambición y la teoría de la estructura de oportunidades. Finalmente, se atiende a la importancia de los recursos y redes disponibles

La identidad importa: representar, conectar y actuar

Pareto (1901) consideraba que la élite estaba compuesta por un grupo de personas con valores superiores. Pero ¿cuáles son estos valores?, ¿qué buscan los ciudadanos cuándo depositan su confianza en uno u otro candidato?, ¿requiere el ejercicio de la política de competencias o habilidades específicas? Aunque medir estas características resulta complicado debido a su naturaleza subjetiva, la Ciencia Política no ha dejado de lado esta cuestión siendo numerosos los trabajos que versan sobre la misma[6]. Ello se debe a que, junto con la toma de decisiones, el diseño y la ejecución de políticas públicas, los representantes también cuentan con un fuerte componente simbólico (´t Hart y Wille, 2006).

En ese sentido, Pitkin (1967) considera que una de las dimensiones de la representación es la descriptiva. Desde esta óptica, la representación implica reproducir en la medida posible una correspondencia o semejanza con aquello que se representa mediante un reflejo no distorsionado. Así, la representación depende de las características del representante, de lo que es o de lo que parece ser[7]. También Sartori (1999) y Bobbio (1999) otorgan un uso sociológico al término de representación cuando lo ponen en relación con la "representatividad". Es decir, cuando lo vinculan con la idea de identificación y características compartida entre representantes y representados. Ello implica dotar a la democracia de un componente identitario en el que el elector busca sentirse identificado con el que ostenta el poder.

Todo lo cual va a repercutir en las opciones del propio candidato, aunque la influencia de esta variable va a estar condicionada tanto por el contexto institucional como por el escenario sociopolítico en el que se deba desenvolver. Desde el punto de vista formal, pueden existir cuotas —género, etnia, etc.— que regulen el acceso de determinados grupos a cargos de representación. Desde el punto de vista sociopolítico, pueden existir determinados contextos en los que los votantes favorezcan determinados rasgos de sus representantes. Por ejemplo, la demanda de renovación generacional de élites en momentos de crisis o transición o de una mayor presencia de mujeres en política.

---

6 Squire (1992), Moncrief et al. (2001), Squire y Hamm (2005), Hall y Bonneau (2006) y Alcántara (2012).

7 Para Pitkin (1967:67), el hecho de representar desde el punto de vista descriptivo se encuentra en "ser algo antes que el hacer algo".

Pero junto con la posesión de determinadas características demográficas, la representación también requiere de otro tipo de conexiones entre representantes y representados de carácter emocional. Es lo que Pitkin (1967) llama representación simbólica, la cual define como una conexión que no exige razón de semejanza, sino que se fundamenta en las actitudes y creencias de la gente. De este modo, la representación simbólica es el resultado de un proceso de formación de hábitos y relaciones afectivas o emocionales en la que los representantes son capaces de evocar una realidad que conecte con los representados.

En consecuencia, el representante debe ser capaz de asociarse con determinados ideales o creencias. Esto lleva a otorgarle al representante cierta aura que le diferencia del resto de individuos, otorgándole la facultad de generar expectativas e ilusiones por parte de la población a la que representa. No obstante, no siempre se manifiesta de la misma manera o con la misma intensidad. Por ejemplo, este aspecto puede resultar especialmente significativo en momentos de crisis, conflicto o cambio, donde los gobernados proyectan tanto sus críticas como sus esperanzas en sus representantes. También, puede darse con más fuerza en sistemas presidenciales que en los parlamentarios al existir una relación más directa entre representantes y representados (Alcántara, 2014). Por último, adquiere notable relevancia en los territorios en los que existen fuertes sentimientos identitarios, ya sea a nivel nacional o periférico.

Tanto para el caso de la representación descriptiva como simbólica, la variable territorial vuelve a adquirir especial relevancia en el análisis de la lógica de las carreras, ya que aquí la identidad no sólo se asocia con la similitud con los representados sino también con la relación establecida con el territorio. La existencia de arenas regionales permite posiciones más cercanas con los ciudadanos, con élites regionales capaces tanto de identificar demandas territoriales específicas (Coller, 2008; Coller y Santana, 2009) como de mostrar características sociodemográficas o ideas compartidas con los miembros de la comunidad o región. Asimismo, las relaciones entre centro y periferia también pueden influir los procesos de reclutamiento de candidatos y su posterior elección en comicios. Regiones con fuertes sentimientos identitarios pueden favorecer el desarrollo de una élite local con características diferenciadas de las poseídas por las que ejercen cargos en las instituciones nacionales (Camp, 2006; Coller y Santana, 2009).

Por último, junto con las características sociodemográficas cabe tener en cuenta que las habilidades o competencias del candidato pueden influir tanto en el desempeño de su actividad como en la proyección de su carrera. Así, la posesión de determinados atributos puede hacerle más o menos atractivo para el electorado, ampliando o reduciendo sus opciones de ser electo o reelecto; influye en su capacidad para conseguir apoyos o establecer alianzas e incide en la propia percepción del individuo sobre sus opciones de carrera. Algunas características, como las biológicas, le vienen dadas al individuo. Otras, vinculadas a las competencias y personalidad, pueden ser entrenadas. En cualquier caso, todas ellas pueden capitalizarse en mayor o menor medida a la hora de desarrollar una carrera política. Especialmente, las vinculadas con las habilidades del político.

En esta línea, la capacidad de liderazgo y el carisma han sido dos atributos clásicos recogidos por la literatura. El primero puede ser definido como la capacidad de una persona, con ciertas motivaciones y objetivos, para movilizar fuentes institucionales, políticas y psicológicas para atraer o satisfacer las motivaciones de sus seguidores Burns (1978:18). En ese sentido, los ciudadanos esperan que alguien les guíe, siempre y cuando lo haga en la dirección en la que ellos van (Medvic, 2013:8).

Desde una disciplina afín, como es la sociología, Perrewe y Nelson (2004) enumeran las características o competencias de un líder: astucia, poder de influencia, capacidad de relacionarse y sinceridad. La astucia otorga capacidad de observación y de interpretación de los fenómenos sociopolíticos, facilitando la identificación de problemas y anticipándose a su tratamiento. El poder de influencia permite detectar las particularidades de cada contexto y lograr que la conducta de los otros se adapte a un plan dado del que el líder se erige como responsable. La capacidad de relacionarse facilita la creación de alianzas o coaliciones que pueden, a su vez, generar oportunidades. Por último, la sinceridad va a generar confianza en los otros.

Si se trasladan estas características al ámbito de la política, se observa su vigencia o correspondencia. A la hora de tratar de acceder o mantenerse en un cargo, el político va a necesitar ser capaz de analizar el escenario en el que debe desenvolverse e identificar su estructura de oportunidad. Asimismo, debe ser capaz de adaptar la conducta de los otros a sus propósitos para lograr apoyos, y estos a su vez van a depender de su capacidad para crear alianzas. Finalmente, la sinceridad va a ser otro de sus recursos para establecer relaciones de confianza y lealtad. Ahora bien, la posesión de estos atributos resulta insuficiente si no van acompañadas de voluntad de ocupar un cargo y oportunidades políticas para acceder a él.

Respecto al carisma, de acuerdo con Weber (1918), es "una cualidad de la personalidad en virtud de la cual esta persona es considerada extraordinaria y dotada de fuerzas o cualidades supernaturales, superhumanas o excepcionales". Sin embargo, trabajos más recientes como el de Lindholm (1990) o el de Turner (2003) sostienen que el carisma ha pasado a convertirse en una cualidad tecnificada y profesionalizada que ya no es necesariamente inherente a la persona, sino que puede aprenderse.

Liderazgo y carisma, no obstante, tampoco operan en el vacío. Implican una relación con el otro, creándose lazos de naturaleza emocional. O, en otras palabras, estableciendo una conexión que lleve al otro a seguir o admirar a un líder. Ello implica, por una parte, que el líder sea capaz de identificar intereses, valores y demandas dentro de un sistema en el que existen alineamientos políticos y sociales (Snow et al., 1986; Melucci, 1989; Johnston, 1991). Y, a su vez, requiere que sea sensible a ellos y que los ciudadanos le reconozcan esta capacidad.

En ese sentido, los sistemas multinivel vuelven a añadir nuevos desafíos debido a que, en función de los alineamientos que se den en cada entidad subestatal, liderazgo y carisma podrán obtener resultados similares o diferentes en las distintas arenas de gobierno. Así, sociedades con un fuerte clivaje centro-periferia pueden dar lugar a una bifurcación o segregación de las élites regionales, con liderazgos que, o bien no necesitan pasar por el centro o que se construyen por oposición al centro.

Por último, junto con estos dos atributos, existe un amplio cuerpo de literatura que destaca otras cualidades o capacidades. Algunos, como Blondel (1991:42), destacan la habilidad para generar popularidad, haciendo que los ciudadanos consideren exitosas las acciones llevadas a cabo por el político. Otros, como Medvic (2013:11), subrayan la importancia de que sean fieles a sus ideas, pero capaces de adaptarse a las circunstancias y también su capacidad para mostrar habilidades especiales, ya que del político se valora lo ordinario, pero se elige lo excepcional. Asimismo, Greenstein (2000) señala que es importante tener habilidades comunicativas, ya que gran parte de su trabajo, así como la proyección de su carrera dependen de su capacidad para relacionarse con otros políticos, ciudadanos y grupos de interés. En cambio, Norris (2000) enfatiza que los líderes políticos deben dominar las herramientas de comunicación moderna, como los medios digitales, para mantener su relevancia en un entorno político cada vez más mediatizado.

Finalmente, Mumford et al. (1993), Alcántara (2012) y Arana (2015) atienden a rasgos relacionados con la psicología señalando características como la agilidad mental, la capacidad de decisión, el valor, la energía, la tendencia al riesgo, el control del pánico y las emociones o la inteligencia emocional. Cualidades que pueden favorecer la adopción de estrategias más conservadoras, proclives a mantenerse en el cargo, o más arriesgadas lanzándose a la competición por nuevos puestos.

¿Por qué competir por un cargo público?: ambición y estructura de oportunidades

¿Por qué una persona compite por un cargo? Desde la primera mitad del siglo XX, la Ciencia Política ha estado interesada en identificar y explicar los factores que motivan a los individuos a ocupar posiciones de poder. Ello ha llevado a reflexionar tanto sobre la ambición política como sobre la manera en la que los individuos fijan sus estrategias de carrera en función de las oportunidades disponibles. A este respecto, Lasswell (1948:20) fue pionero al estudiar que existen los llamados *power-seekers*. Esto es, personas que buscan ocupar puestos de poder en las instituciones y ejercer el gobierno.

Tras esta primera aportación de Lasswell, Schlesinger (1966) aplica el paradigma de la elección racional para explicar por qué los individuos deciden competir o no por un cargo. De acuerdo con su teoría, la ambición es conceptualizada como una respuesta estratégica a la estructura política. Y esta puede adoptar tres formas, pudiendo ser estática, progresiva o discreta. En el primer caso, los políticos buscan ser reelectos. En el segundo aspiran a dar un salto hacia otro cargo. En la discreta los políticos están interesados en ocupar un cargo en un determinado momento y, después del mandato, retirarse.

Estos tres tipos de ambición sugieren, a la vez, diferentes tipos de estrategias. Así, es de esperar que, si alguien se postula para un nuevo cargo, especialmente si requiere un movimiento entre arenas de gobierno, busque apoyos y alianzas entre las personas que controlan el acceso al puesto. Por el contrario, si el objetivo es mantenerse en el mismo cargo, probablemente la persona busque reforzar relaciones de confianza previamente establecidas para buscar la permanencia. Es este impacto en la toma de decisiones y la fijación de estrategias la que hace importante estudiar el papel de la ambición.

Obviamente, la ambición no puede explicar por sí sola el resultado final de las trayectorias, del mismo modo que es insuficiente para crear una teoría de la lógica de las carreras. Asimismo, cabe tener en cuenta que la ambición puede modificarse o manifestarse de diferentes maneras a lo largo del tiempo (Medvic, 2013:55). Sin embargo, es una variable que va a permitir, por un lado, diferenciar entre diferentes tipos de políticos en función de sus preferencias. Y, por el otro, va a permitir poner con relación al individuo con el contexto. De esta forma, pese a que resulta muy complicado medir la ambición en sí misma, sí que es posible evaluar los escenarios más o menos proclives para su desarrollo y los comportamientos de los actores frente a estos contextos. Es decir, cuáles van a ser sus decisiones a la hora de decidir competir o no por un cargo atendiendo a la estructura de oportunidad.

La ambición en política

Hablar de ambición requiere atender a una parte irracional, vinculada a deseos y aspiraciones, pero también a decisiones racionales asociadas a expectativas fruto de cálculos de probabilidad y a análisis de costes y beneficios. Así, muchos políticos pueden desear convertirse en presidentes de la República o primeros ministros, pero no todos se van a lanzar a competir por el cargo. ¿Qué va a diferenciar a unos de otros?

Figura 1.2. Ambición emergente y manifiesta en el proceso de candidaturas

Candidatos potenciales	*Candidatos*		
Ambición emergente Influenciada por: *Consideraciones estratégicas *Motivaciones ideológicas *Estatus minoritario *Educación politizada *Personalidad competitiva	**Ambición expresiva** Influenciada por: *Estructura de oportunidad política	↗ → ↘	Ambición estática Ambición discreta Ambición progresiva

Fuente: Fox and Lawness (2005:645)

Fox y Lawness (2005:645) hacen una interesante propuesta distinguiendo entre ambición emergente y expresiva (Figura 1.2.). La ambición emergente se asocia con los candidatos potenciales. Por un lado, se nutre de variables sociodemográficas y de historia de vida como el estatus, la educación recibida o el estadio de la vida. Pero, a la par, incluye factores relacionados con la psicología del poder como poseer una personalidad competitiva o motivaciones ideológicas. Todo ello sin olvidar el componente de las consideraciones estratégicas. La posesión de estas características va a hacer proclives a los individuos a la ambición política.

No obstante, no todo aquél que tenga una ambición emergente va a terminar materializándola o expresándola. Dado que los políticos no actúan en el vacío y asumiendo que se guían por una lógica instrumental-racional, antes de tomar una decisión sobre sus carreras los políticos evalúan la estructura de oportunidad política. Esto es, examinan las alternativas, evalúan sus opciones en términos de probabilidades de obtener una victoria o derrota electoral y eligen la opción de la que esperan obtener más beneficios (Black, 1972:146).

Esta última idea obliga a referir al trabajo de Samuels (1998), quien sintetizó la ambición política en la siguiente fórmula:

Ui (Competir por un cargo) = PioBio-Cio

Esto es, la utilidad de un individuo (Ui) de competir por un cargo es igual a la probabilidad de obtenerlo (Pio) y los beneficios derivados de conseguirlo (Bio), menos los costes (Cio) derivados de competir. Desde este modelo se asume que los individuos tienen una ambición progresiva y que competirán por un nuevo cargo siempre y cuando las probabilidades de ser elegido y los beneficios esperados superen a los costes. Desde esta perspectiva, el diseño de la carrera responde a una lógica únicamente racional en la que el político toma sus decisiones mediante un análisis de coste y beneficio.

En este análisis de beneficios y costes de oportunidad tendrán en cuenta elementos institucionales como, por ejemplo, las barreras de entrada al cargo (Samuels, 2002; Ames, 2009), la disciplina de partido (Treul, 2008), el acceso a oportunidades de liderazgo (Herrick y Moore, 1993) y los respaldos con los que cuenta (Micozzi, 2013). Pero también atenderá a factores adicionales como los ingresos percibidos (Matozzi y Merlo, 2007; Borchert, 2011) o las probabilidades de ganar al competir en otros cargos distintos al que piensa postularse (Hall y Houwelling, 1995).

Este modelo, pese a asumir que todos los políticos tienen una ambición progresiva y dejar al margen de la ecuación variables que pueden incidir en la decisión de postularse o no para un cargo, sí que permite identificar qué individuos trazan sus carreras atendiendo a cálculos racionales. Asimismo, va a permitir observar si existen individuos que, aún en un escenario de competición óptimo, no manifiestan una ambición progresiva. Y, a su vez, permitirá arrojar luz sobre otra clase de incentivos a tener en cuenta a la hora de explicar la lógica de las carreras políticas.

De ahí que, Camarelles Queralt (2022) sostenga que uno de los principales problemas de las democracias representativas electorales contemporáneas sea el desencanto ciudadano con los políticos profesionales, percibidos como alejados de los intereses del electorado. De hecho, esta teoría de la crisis de la representación destaca que los mecanismos de intermediación entre la sociedad y el Estado, en especial los partidos políticos, han experimentado un deterioro que ha transformado la forma en que la ciudadanía y las élites políticas practican la representación política (Rodríguez Teruel, 2019). Como contrapartida de ello, se genera un proceso creciente de cartelización, donde los representantes se encuentran cada vez más desvinculados de los representados, produciendo que las democracias contemporáneas desarrollen dinámicas de representación desigual y teniendo como resultado que los intereses de sectores más privilegiados suelan estar mejor reflejados en las decisiones políticas (Lupu y Warner, 2017; Márquez Romo, 2023).

No obstante, como recuerda Alcántara (2012), a pesar de estas deficiencias de las democracias actuales, rechazar al político profesional puede ser más perjudicial para la salud democrática, ya que abre las puertas a gobiernos inexpertos, populistas o dominados por intereses económicos.

La estructura de oportunidades

Ahora bien, ¿qué variables en concreto deben tenerse en cuenta a la hora de hacer el cálculo de costes y beneficios, sobre todo pensando en sistemas multinivel? Para dar respuesta a esta pregunta, un buen punto de partida es el modelo de estructura de oportunidad de Borchert (2001, 2003), el cual distingue tres dimensiones: disponibilidad, accesibilidad y atractivo. Su idoneidad responde a que ofrece una visión global de los incentivos, oportunidades y limitaciones derivados del sistema institucional en el que se accede y desarrolla la carrera política.

Las dos primeras dimensiones están vinculadas con variables más puramente institucionales: mientras que la disponibilidad se refiere al número de cargos a los que el candidato se puede postular, la accesibilidad a las condiciones bajo las que se articula la competición. Por último, el atractivo del cargo amplía el foco atendiendo a cuestiones como el poder, el prestigio, la visibilidad y las expectativas de promoción.

A partir de este marco general, decir que las instituciones importan puede resultar casi una obviedad en los sistemas democráticos. Son ellas las que marcan las reglas del juego político y, por ende, también el acceso y competencia por los cargos de representación. Por tanto, configuran la distribución del poder y las reglas, oportunidades y desafíos bajo los cuales se desenvuelve la acción política (Norris, 1993:25; Herzog, 1993:125).

Ahora bien, hablar de instituciones implica atender a un amplio número de variables. Por ello, a la hora de vincular lo institucional con los patrones de carrera deben identificarse primero aquellas que inciden de manera más significativa en el desarrollo de la trayectoria política. Para esta investigación, cobran especial importancia las vinculadas con: el modelo de organización territorial, la configuración y diseño del Poder Ejecutivo y del Legislativo, el sistema electoral y los partidos y sistemas de partidos.

El modelo de organización territorial influye directamente en los patrones de carrera al configurar los diferentes niveles en los que articular la representación y la competición política (Rodríguez Teruel y Dandoy, 2015). Así, la existencia de sistemas multinivel influye de una triple manera: aumenta las oportunidades al incrementarse el número de cargos por el que competir, permite la regionalización de la política y afecta al reclutamiento de las élites tanto a nivel nacional como subestatal.

Asimismo, la configuración y diseño de los poderes va a impactar desde una doble perspectiva. Por un lado, su estructura interna va a determinar el número de cargos por los que se puede competir y los requisitos de entrada y/o permanencia. Por otro lado, va a dar información sobre el poder relativo de cada poder, sus competencias y recursos. Y ello, a su vez, va a arrojar luz sobre el atractivo que puede despertar cada uno de ellos a la hora de decidir postularse como candidato.

En cuanto al sistema electoral es el que determina cómo entrar y permanecer en política, estableciendo las normas de elección. En ese sentido, las reglas electorales son instituciones formales que orientan tanto la conducta de las élites como de los votantes (Cox, 1997; Boix, 1999). Fuerzan la coordinación entre actores y obligan a ordenar preferencias. Por un lado, las élites partidarias tienden a concentrar sus recursos en los candidatos con más posibilidades para ganar. Por su parte, los votantes deben elegir a sus candidatos teniendo en cuenta tanto sus preferencias como haciendo uso de un voto estratégico que contemple las probabilidades de cada candidato de ser electo.

Por último, resulta imprescindible atender a los partidos y sistemas de partidos dado que, en las democracias contemporáneas, la representación se articula en torno a organizaciones partidarias. Es este el espacio de reclutamiento de élites y selección de los candidatos que posteriormente ocuparan puestos de poder. Asimismo, son espacios que articulan incentivos colectivos como organización, pero también selectivos al contar con miembros que responden a diferentes lógicas y motivaciones. En este punto, la teoría de los incentivos selectivos sirve para explicar el comportamiento de las élites que compiten entre sí dentro del partido por el control de los cargos y de ciertos miembros que persiguen un ascenso en sus carreras (Panebianco, 1990; Linz et al. 2007)[8].

Todas estas variables permiten definir el tablero de juego para la competición política. Sin embargo, dentro de escenarios similares no todos los individuos responden de la misma manera ni presentan el mismo patrón de carrera. Es por ello por lo que cabe mirar hacia el concepto de atractivo del cargo. Pese a que éste va a estar influido por las variables desarrolladas en este epígrafe, también va a tener en cuenta aspectos que afectan directamente a nivel individual. A este respecto, Borchert (2011:119-120) señala que existen tres intereses comunes que motivan a las élites políticas: los ingresos económicos, las probabilidades de mantenerse en la carrera y las expectativas de promoción.

Entrar en política puede responder a diferentes motivaciones: por la convicción de servicio público, por la búsqueda de un estatus social, y/o de altos ingresos. En ese sentido, la cuestión de los salarios ha recibido una creciente atención por parte de la Ciencia Política en los últimos años. Una parte de la literatura se ha centrado en los salarios como incentivo para la carrera (Diermeier et al., 2002; Reiser 2003; Mattozzi y Merlo, 2007; Borchert, 2011; Alcántara, 2012). Por otro lado, otros trabajos han buscado establecer relaciones entre la calidad de los políticos y la remuneración económica (Messner y Polborn, 2004).

---

8 Panebianco (1990:41) sostiene que "los partidos son a un tiempo burocracias que demandan la continuidad de la organización y la estabilidad de las propias jerarquías internas, y asociaciones voluntarias que deben contar con, por lo menos, un cierto grado (mínimo) de participación no obligada y que, por tanto, deben distribuir simultáneamente tanto incentivos selectivos como colectivos".

No obstante, los ingresos económicos sólo constituyen una parte de los beneficios derivados del ejercicio de la representación. Junto a esto, hay que tener en cuenta otros factores como su capacidad de influencia en la toma de decisiones, el manejo en la distribución de incentivos selectivos, los recursos con los que cuenta su oficina o el tamaño de su equipo de trabajo (Kernell, 1977; Squiere, 1988; Hall y Houwelling, 1995; Maestas et al., 2006). Estos elementos también son tomados en cuenta ya que inciden tanto en el desempeño diario de su actividad como en los resultados de este. Así, a medida que se incrementen los recursos disponibles para el ejercicio del cargo, aumenta el atractivo de éste.

En ese sentido, el grado de descentralización en los sistemas multinivel incidirá directamente en el ejercicio del cargo. En primer lugar, cabe atender a los procesos de profesionalización de la política a nivel subestatal, observando si el nivel de los salarios es equiparable al nacional y si existen fuertes disparidades entre las propias entidades subestatales. Y, en segundo lugar, hay que tener en cuenta el grado de descentralización de las competencias y los recursos destinados a tal fin. Así, a medida que aumente la descentralización y se fortalezcan los niveles inferiores de gobierno, es previsible que aumente el atractivo de los cargos regionales y/o locales.

Con relación a los otros dos aspectos —las probabilidades de mantenerse en la carrera política y las expectativas de promoción—, construir una trayectoria profesional implica una vocación de continuidad y mejora en las condiciones a medida que transcurre el tiempo. Y, bajo esta perspectiva, la política no es una excepción. De este modo, el político tomará sus decisiones pensando en las barreras a la entrada o permanencia en un cargo, en el nivel de competencia y en las probabilidades de ser electo. Además, en sistemas multinivel deberá tener en cuenta los costes de transitar de un nivel a otro en función del grado de regionalización o nacionalización de la política, así como las oportunidades y dificultades para la movilidad. Por último, una vez tomada la decisión sobre si competir por un cargo, el candidato deberá tener en cuenta los recursos con los que cuenta para este fin (Squire, 1988).

La importancia de los recursos materiales e inmateriales en el desarrollo de la carrera política: la noción de capital y los agentes de capitalización

Competir por un cargo implica dos desafíos: conseguir apoyos para convertirse en candidato y resultar atractivo para el electorado para ser elegido. En ese sentido, al igual que los candidatos y/o representantes poseen unas características personales, unas motivaciones y hacen sus propios cálculos estratégicos econ relación a su carrera, también poseen una serie de recursos que pueden ser tanto materiales como inmateriales. Estos, por un lado, se convierten en un instrumento del que hacer uso al competir por un cargo o mantenerse en él. Pero, a la vez, se convierten en bienes materiales o inmateriales que pueden ser modificados a medida que se desarrolla la carrera política.

Hablar de recursos implica hacer alusión a la noción de capital. Este concepto, proveniente de la economía, fue desarrollado desde el ámbito de la sociología por Bourdieu (1986:242) a partir de tres dimensiones: la económica (fortuna, ingresos y propiedades), cultural (educación y formación) y social (entorno y redes). Se trata, por tanto, de un vocablo que no debe ser interpretado en términos abstractos puesto que hace referencia a realidades observables (Bennister et al, 2014).

Joignant (2015) define al capital político como un conjunto variado de recursos que se originan tanto en el interior del campo político como fuera de él, siendo reconocidos como valiosos por los agentes que habitan en el campo y por quienes analizan y comentan la vida política. Es decir, el capital político se traduce en recursos susceptibles de ser utilizados por aquellos individuos que entran en competencia por el acceso o permanencia a un cargo. Y esto es importante porque dependiendo de la cantidad y naturaleza del capital disponibles, los individuos contarán con diferentes oportunidades y, por tanto, deberán tomar diferentes decisiones y estrategias.

De hecho, son muchos los autores que han subrayado la importancia del *background* previo del político. Autores como Gaxie (2002) y Mahler (2006) señalan que el compromiso y el desarrollo de la carrera están fuertemente marcados por las experiencias acumuladas a lo largo de la trayectoria y los ambientes sociales transitados. A este respecto, desde la literatura la atención se ha concentrado principalmente en el paso por diferentes instituciones ya que, "aquellos individuos que ya han ocupado un cargo público han adquirido experiencia política, habilidades de oratoria, conocimiento del funcionamiento de las instituciones y contactos. Todo ello facilita que obtengan el cargo por el que compiten" (Norris y Lovenduski, 1993:399). Con un argumento similar, Borchert y Stolz (2002:24) señalan que la carrera en conjunto representa un entrenamiento continuo en el que se van adquiriendo habilidades y cualificación.

No obstante, el ámbito de la representación no es la única arena en la que se puede adquirir capital susceptible de ser revertido en una carrera política. Existen individuos que entran en política después de haber adquirido notoriedad previamente en otros campos como el deporte, el cine o la televisión. Es lo que Matichesku y Protsyk (2011) y Driessens (2013) llaman capital "de celebridad", siendo múltiples sus ejemplos como el expresidente de Estados Unidos, Ronald Regan; el exgobernador de California, Arnold Schwarzenegger o; el actual presidente de Ucrania, Volodymyr Zelensky.

Otros, en cambio, adquieren su capital dentro del entorno académico (Grindle, 1977; Whitehead, 2009), en el mundo de los negocios (Lallemand, 2008) o por haber ejercido un papel importante en situaciones críticas (Kershaw, 1993; Bernadou, 2007). A través de estas experiencias previas, los individuos desarrollan capacidades, recursos materiales y/o redes susceptibles de ser habilitadas para dar el salto a la política y/o mantenerse en ella.

Todo ello son diferentes manifestaciones de capital político y, dentro de la literatura académica existen distintas propuestas de clasificación. Dos de las más recientes son las recogidas en los trabajos de Alcántara (2012) y Joignant (2015). Alcántara (2012: 21-22) señala que los individuos que entran en política poseen un capital que puede proceder de cinco ámbitos diferentes: por la pertenencia a una organización política, por tener experiencia en la administración pública o en otra actividad profesional, por popularidad, por formar parte de una dinastía política y por la posesión de recursos económicos. Estas categorías, no obstante, no son excluyentes pudiéndose dar la combinación de dos o más de ellas. Por su parte, Joignant (2015) propone una clasificación que amplía el número de categorías propuestas por Alcántara, como se observa en la Tabla 1.1.

Tabla 1.1. Tipos de capital político

Origen del capital	Subespecie	Agente
Familiar		Heredero
Universitario		Líder estudiantil
Político	Militante	Hombre/Mujer de partido
	Oligárquico	Político profesional
Tecnocrático	Pragmático	Tecnócrata pragmático
	Político	Político tecnócrata
Notoriedad		Celebridad
Carisma		Líder carismático

Fuente: Joignant (2015)

El capital familiar, recogido en ambas clasificaciones, se refiere al proceso por el cual se transmiten de padres a hijos (aunque en otros casos también entre abuelos y nietos, entre conyugues o entre individuos con otra relación de parentesco), simpatías políticas, redes, reputación, conexiones y, en ocasiones, recursos materiales (Smith, 2012). Se trata, por lo general, de un capital que el individuo adquiere de forma pasiva (excepto en casos extremos de alianzas matrimoniales estratégicas) que no tiene el mismo peso en todos los países[9]. Asimismo, es un tipo de capital que en muchas ocasiones puede estar vinculado a un territorio específico, ya sea a nivel nacional, regional o local. En función de los recursos adquiridos y de la posición ocupada por los familiares en política, este capital dependerá más de una arena específica o facilitará la movilidad entre niveles (Joignant, 2014).

Otro tipo de capital es el que proviene de la Universidad, el cual tiene una naturaleza triple. En primer lugar, la educación permite la adquisición de conocimientos que posteriormente pueden ser utilizados en el desarrollo de la actividad política. En segundo lugar, el liderazgo o la pertenencia a movimientos universitarios permite la adquisición de habilidades como la organización de grupos, la negociación, el establecimiento de alianzas o la oratoria. Ello otorga herramientas para saltar a la política partidaria, siempre teniendo en cuenta que, en ese sentido, la variable temporal es importante y es necesario hacer uso de ese capital en el corto plazo. Y, en tercer lugar, la Universidad también debe ser vista como un espacio de socialización política para el establecimiento de redes y contactos que pueden ser trasladadas, posteriormente, a la esfera pública[10].

Otro tipo de capital es el estrictamente político, el cual puede ser subdividido en militante u oligárquico. El primero es fruto de las competencias y conexiones adquiridas por la pertenencia a un partido político. Requiere una inmersión en la organización y un conocimiento de su actividad diaria, pero no implica necesa-

---

9 Como señala Joignant (cfr. 2015), el capital familiar tiene una gran influencia en la arena parlamentaria de países como Japón (Smith, 2012), Estados Unidos (Cowley y Reece, 2013) o Chile (Joignant, 2014).

10 Por ejemplo, Gazmurri (2001), en su estudio sobre las élites chilenas para el periodo 1930-1999, concluye que la mayor parte de los políticos fueron formados en la Universidad de Chile y en la Universidad Católica y que estas sirvieron como espacio de socialización política y establecimiento de redes.

riamente ocupar posiciones de poder en el mismo (Pudal, 1989; Joignant y Navia, 2007; Joignant, 2015). Respecto al capital político oligárquico, este es fruto de haber ocupado cargos de responsabilidad en el partido, aunque no haya sido por períodos prolongados de tiempo (Borchert, 2003). En ese sentido, la estructura del sistema de partidos y la organización territorial de los mismos —con modelos más centralistas o federales— va a influir en los procesos de reclutamiento de la élite y la movilidad entre arenas.

Por su parte, el capital tecnocrático está asociado con una reputación y prestigio previos, (Centeno, 1993). Puede ser pragmático si se combina con una clara independencia política o político tecnócrata si implica una pertenencia más o menos activa en una organización partidaria. Estas dos categorías no deben ser confundidas con la de tecnopol (Heclo, 1978; Wallis, 1997; Dézalay y Garth, 2002; Joignant, 2011) ya que en este caso se combina prestigio académico y profesional con experiencia en organizaciones partidarias. A este respecto, el capital tecnocrático, sobre todo el de carácter pragmático, parece mostrar más independencia respecto a la arena en la que ejercer un cargo de representación dado que no depende tanto de las redes o experiencia política previa, como de la posesión de cierto prestigio académico o profesional.

Por último, se encuentran el capital de notoriedad y el carismático. El primero es adquirido fuera de la arena política y asociado a personas con fama en ámbitos como la cultura, el deporte o el espectáculo (Driessens, 2013). El segundo, por su parte, para algunos autores como Weber (1918) está asociado a características innatas de la persona mientras que otros consideran que emerge por el rol desempeñado en procesos de crisis (Joignant, 2015).

La posesión de uno o varios de esto tipos de capital van a influir en las posibilidades de entrada en la carrera política, pero también en la forma de hacerlo —por ejemplo, en cargos de elección o designación—, en el nivel de entrada —local, regional o nacional— y en el posterior desarrollo de la carrera en términos de duración, movilidad o cargos ocupados. No obstante, lo cierto es que hablar de carrera implica pensar en términos dinámicos y, por tanto, en una acumulación de capital que en gran medida será fruto de la capacidad del individuo para establecer o conservar redes.

Una parte importante de estas redes serán fruto de lealtades y alianzas partidarias (Siavelis y Morgenstern, 2008) o de los vínculos institucionales que genere a lo largo de su trayectoria (Borchert, 2011). No obstante, existe otra sociabilidad "no política" (Giorgi, 2014:250) que también es importante a la hora de entender la generación de capital y la búsqueda de apoyos para el desarrollo de la carrera política. Con estos vínculos se establecen circuitos de intercambio de recursos individuales y colectivos que afectan al flujo de información, generan y sostienen la confianza y son fuente de castigos y recompensas. Asimismo, permiten comprender los procesos de entrada, salida y reconversión de los individuos (Tissot, 2004) así como la multiposicionalidad de los individuos a lo largo de su trayectoria política (Boltanski, 1973).

Estas arenas de sociabilidad "no política" se fundamentan en la construcción de afinidades en espacios como los clubes privados, los cuales comparten ciertos requisitos para la admisión, códigos de conducta y encuentros periódicos. Las asociaciones religiosas también pueden ser un factor clave a la hora de explicar trayectorias políticas (Donatello, 2011). Por último, organizaciones profesionales o patronales también pueden ser espacios para el establecimiento de afinidades y redes (Fares, 2007).

De este modo, reconstruir las carreras políticas implica traspasar la frontera de lo estrictamente político para atender a otras dimensiones como la económica, la cultural o la religiosa (Cucchetti, 2005). Sólo ampliando el espectro de variables estudiadas se puede entender mejor la lógica de los diferentes patrones de carrera de aquellos individuos que hacen de la política su profesión. Eso, a su vez, va a ayudar a entender su rol ejercido en el sistema.

RECAPITULACIÓN

Como señala Alcántara (2006), las instituciones importan, pero los políticos también. Ejercen la representación, son un vínculo entre partidos, ciudadanía e instituciones, y participan activamente en la toma de decisiones y los procesos de negociación entre actores. Asimismo, cuentan con un componente simbólico que les permite establecer vínculos emocionales con la población, despertando sentimientos de aprobación, rechazo, simpatía o animadversión. Pero, a la vez, son profesionales que hacen de lo público una actividad remunerada. Cuentan con ambiciones, motivaciones y capacidades inherentes a su personalidad.

A esto hay que añadir el impacto del contexto: el político no opera en el vacío. Por un lado, cuenta con una historia de vida propia, se sociabiliza en diferentes ambientes y desarrolla su trayectoria dentro de un marco institucional que fija las normas del juego, incluyendo los incentivos y obstáculos para la carrera. Por ello, hacen cálculos de coste y beneficio en función de las estructuras de oportunidad en las que se desenvuelven y, como consecuencia, toman decisiones en función de los recursos y posibilidades disponibles.

Estas decisiones, a su vez, se toman en sistemas más complejos. Así, si bien durante mucho tiempo la política siguió una lógica mayoritariamente nacional, los procesos de federalización y descentralización de la política han dado lugar a sistema multinivel. Con ello aparecen nuevas arenas en las que desempeñar la representación y, por tanto, nuevos espacios para la competición política, la sociabilización política y la acumulación de capital. Como consecuencia, se multiplican los posibles patrones de carrera y los análisis de coste y beneficio asociados a ellas. Pero también se multiplican las opciones de la élite de impactar en el sistema. Surge así la posibilidad de que se desarrollen élites regionales asociadas a la representación simbólica de determinadas cuestiones identitarias, políticos que se especialicen en una arena u otros que transiten por diferentes niveles, pudiendo hacer uso de su experiencia y capital en diferentes arenas.

Esto lleva a pensar en el político como en un individuo que se mueve entre dos esferas: una pública, que se manifiesta en su desempeño en el ejercicio de la representación, y otra privada que se corresponde con sus propias ambiciones, expectativas y recursos a la hora de diseñar su carrera. Ambos ámbitos se convierten en dos caras de la misma moneda, ya que es imposible explicar su desempeño sin tener en cuenta sus objetivos y posibilidades de carrera, y viceversa.

Ahora bien, ¿cómo se articulan todas estas variables para articular la lógica de las carreras en sistemas multinivel? Para dar respuesta a esta cuestión, en el siguiente capítulo se presenta una propuesta metodológica que posteriormente será desarrollada empíricamente en sucesivos capítulos. De esta forma, el objetivo será extraer evidencias sobre las causas que inciden en el diseño de las carreras políticas y su impacto en algunas dimensiones del desarrollo de la democracia y la configuración del sistema político.

Capítulo 2

El estudio de las carreras políticas en sistemas multinivel. Una propuesta metodológica

¿Cómo mediremos todos estos conceptos? Ese es el objetivo del presente capítulo, servir de resumen de la propuesta metodológica utilizada con el fin último de desarrollar la construcción de una tipología de patrones de carrera en sistemas multinivel. Así, posteriormente, podremos utilizar esta tipología para vincular los tipos de trayectoria con los procesos de profesionalización en contextos multinivel, identificando similitudes y diferencias entre aquellos que desarrollan su carrera a nivel subestatal y aquellos otros que tienen como fin último la política nacional. Con ello se pretende aportar herramientas para la clasificación de los tipos de carrera, a la par que identificar las variables que intervienen en el desarrollo de estos. Además, el hecho de contextualizar la investigación en sistemas multinivel permite abordar la cuestión de la nacionalización y/o regionalización de la política, así como enriquecer el análisis de los incentivos, limitaciones y recursos disponibles superando la lógica nacional.

Con base a estos objetivos, la originalidad de esta propuesta recae en dar un paso más allá en el estudio de las élites y trayectorias políticas, incluyendo el análisis de variables de diferente índole: institucionales, sociológicas, psicológicas y relacionales. A través de un estudio de naturaleza exploratoria se pondrán en relación los cálculos racionales basados en estructuras de oportunidad política con las preferencias de los políticos, sus recursos disponibles y los contextos en los que desarrollan su carrera. Ello servirá, además de para identificar patrones, para someter a evidencia empírica tanto las posibles relaciones entre las variables, así como las limitaciones y la capacidad explicativa de cada una de ellas.

Asimismo, el hecho de que, en una segunda fase de investigación, los individuos que se integran en cada uno de los tipos de carrera sean tomados de nuevo para buscar posibles diferencias entre el perfil de las élites regionales y las nacionales, permitirá repensar los procesos de profesionalización abandonando la lógica centrista o nacional. Así, se pone en cuestión si únicamente los más exitosos son los que acaban ocupando cargos en el nivel superior o si aquellos que cuentan con mayor experiencia y recursos puede perseguir quedarse en la política subestatal.

Por último, es menester informar que el modelo es aplicado en la parte empírica de la investigación a seis sistemas multinivel: Alemania, Argentina, Brasil, Canadá, México y España. En concreto, se reconstruyen las trayectorias de los gobernadores y alcaldes de las ciudades más pobladas que estaban en el ejercicio del cargo a fecha de 1 de enero de 1998. Para ello, tal como se desarrolla en el epígrafe dedicado a la estrategia de investigación, se combina el uso de técnicas cuantitativas y cualitativas, así como fuentes de datos primarias y secundarias. De este modo, por un lado, la investigación se sustenta en una base de datos original en la que se recogen variables de tipo sociodemográfico, institucional y contextual susceptibles de ser operacionalizadas. Por otra parte, la obra también tiene un fuerte componente cualitativo a partir de la información obtenida en entrevistas en profundidad, historias de vida y análisis de prensa.

UNA PROPUESTA DE MODELO PARA ANALIZAR LOS PATRONES DE CARRERA

Esta investigación se estructura en torno a tres grandes preguntas. La primera de ellas, de carácter descriptivo, se refiere a cómo son los patrones de carrera en sistemas multinivel. La segunda, de base explicativa, hace alusión a qué variables intervienen en la configuración de los patrones de carrera. Por su parte, la última incide en la dimensión territorial cuestionando si los diferentes niveles de gobierno generan distintos perfiles de representación y, sometiendo a duda, si los más preparados son los que llegan a la esfera nacional o si políticos con gran experiencia, recursos y oportunidades acaban desarrollando su carrera en entidades subestatales.

La formulación de estas preguntas sitúa a los patrones de carrera en dos posiciones diferentes. En las dos primeras preguntas el patrón de carrera ocupa el lugar de variable dependiente, considerándose el resultado de la interacción de diferentes tipos de variables: sociodemográficas, institucionales, de contexto y de capital. En cambio, para la última pregunta, los diferentes patrones de carrera son utilizados para identificar posibles diferencias y similitudes entre los individuos que desempeñan su carrera total o mayoritariamente en niveles subestatales y aquellos otros que cuentan con una trayectoria ascendente que desemboca en la política federal. El fin último es identificar si existen diferentes grados de profesionalización en función del nivel en el que se desarrolla la carrera y si los políticos con mayor capital y opciones de victoria persiguen llegar a la arena federal o si en determinados contextos pueden optar por mantenerse en la arena regional o local.

La Figura 2.1. sistematiza el modelo planteado para esta investigación, distinguiéndose entre variables independientes y dependiente, así como el sentido de la relación entre ellas. Para desarrollar el modelo, se seguirá la siguiente estructura. En primer lugar, se presenta la construcción de la tipología de patrones de carrera propuesta, señalándose las dimensiones que la integran y la combinación de los valores de la que resultan los distintos tipos de trayectoria. A continuación, se introducen las variables independientes que posteriormente serán desarrolladas en los diferentes capítulos dedicados al análisis de los datos. Por último, se explica los indicadores que se tomarán para comparar perfiles y procesos de profesionalización entre niveles.

Figura 2.1. Modelo de análisis propuesto para el estudio de los patrones de carrera

Variables independientes		**Tipología de carreras**		**Profesionalización en contextos multinivel**
Sociodemográficas Institucionales y de estructura de oportunidad Etnográficas o de contexto Capital y agentes de capitalización	⇦	Estáticas De escalera De aparato Instrumentales De *Outsider*	⇨	Diferencias y similitudes en el perfil de la élite según el tipo de carrera ¿Diferentes procesos de profesionalización según niveles?

Fuente: elaboración propia.

UNA TIPOLOGÍA DE PATRONES DE CARRERA EN SISTEMAS MULTINIVEL

¿Por qué estudiar los patrones de carrera en sistemas multinivel como variable dependiente?

La primera razón, de carácter muy general, es la escasez de propuestas sistemáticas para el estudio de las carreras políticas en sistemas multinivel[11]. Así, aunque cada vez son más numerosos los trabajos que abordan trayectorias políticas en países federales o descentralizados, son pocos los que ofrecen propuestas para identificar tipos ideales de carrera escapando de la lógica nacional. Y, tal como se ha señalado en el marco teórico, aún son menos los que abordan el tipo de carrera como variable explicativa del funcionamiento del sistema y de la democracia, existiendo así un campo de estudio por explorar.

---

11 Las principales aportaciones en la construcción de tipologías de patrones de carrera en sistemas multinivel han sido llevadas a cabo por Stolz (2002,2003) y Borchert (2001,2003,2011).

En segundo lugar, crear una tipología de las carreras implica entenderlas como el resultado de la interacción de diferentes dimensiones y, por extensión, su lógica no debe ser explicada desde un enfoque monocausal. Con ello, además, se supera la lógica cuantitativa que sitúan a un concepto y su opuesto como simétricamente inversos (Mahony y Goertz, 2006). En ese sentido, se concibe a los políticos como actores que pueden tomar múltiples decisiones atendiendo a sus motivaciones, recursos y oportunidades.

En tercer lugar, diferentes tipos de carrera están asociados con distintos procesos de profesionalización política. Y esto es importante porque permite llevar a cabo un retrato de tres cuestiones centrales vinculadas a la trayectoria política: la carrera profesional en sentido estricto, el *amauterismo* de los que entran y salen; y, por último, cómo se capitaliza una trayectoria política una vez que se abandona esta actividad de manera profesional. Asimismo, permite ahondar en cuestiones como cuán atractivo puede ser competir por un cargo en función de los incentivos y oportunidades existentes o si la actividad pública puede ser un mecanismo para generar un capital que después sea trasladado a la actividad privada. Por último, distinguir distintos tipos de carrera permite analizar las motivaciones y ambiciones de políticos, a partir de las decisiones de los políticos de postularse o no a distintos cargos y su éxito a la hora de acceder o no al poder en los distintos niveles de gobierno. Así, diferentes tipos de ambición, unidos al diseño institucional en el que las élites están inmersas, dan lugar a diferentes estrategias y trayectorias (Almaraz, 2010; Martínez Rosón, 2011, Márquez Romo, 2023).

La construcción de una tipología de carreras políticas en sistemas multinivel

En este apartado se desarrolla una tipología de tipos ideales de carreras políticas en sistemas multinivel a partir de las razones expuestas (Figura 2.2). Para ello, se toman en cuenta cinco dimensiones: a) el sentido del itinerario, b) la continuidad en el tiempo de la carrera, c) los poderes por los que se ha transitado, d) la naturaleza de la carrera, e) la salida de la política y f) la actividad posterior a la salida de la política. La selección de estas dimensiones responde a que permiten abordar los patrones de carrera desde una perspectiva dinámica que recoge diferentes tipos de movimientos y estrategias, tanto durante el ejercicio de la carrera como en el momento de abandonarla.

En términos generales, la selección de estas dimensiones responde a cuatro razones. En primer lugar, recogen los factores intervinientes en cualquier carrera política en sentido estricto desde una perspectiva dinámica. Permitiendo, por tanto, abordar diferentes tipos de movimientos y estrategias, tanto durante el ejercicio de la carrera como en el momento de abandonarla. En segundo lugar, facilitan la comparación en la medida en que son dimensiones que han sido utilizadas en otras investigaciones de una naturaleza igual o similar. En tercer lugar, porque ponen en relación los patrones de carrera con los juegos estratégicos e incentivos de los actores en la medida en que prestan atención al *background* del político, tanto a nivel territorial como en lo relativo a los poderes del estado o su posible contacto con la actividad privada durante su trayectoria. Y, por último, porque este esquema contempla los determinantes institucionales existentes y que son en los que se mueven los políticos.

Figura 2.2. Dimensiones de los patrones de carrera como variable dependiente

Variable: patrones de carrera en sistemas multinivel

Sentido del itinerario	Naturaleza	Poderes	Continuidad en el tiempo	Trayectoria posterior
Ascendente Descendente Horizontal Zigzag	Predominio elección Predominio designación Predominio orgánicos	Sólo Ejecutivo Predominio Ejecutivo Predominio Legislativo	Continua Intermitente	a) Salida Sí No b) Ocupación posterior

Fuente: elaboración propia.

A continuación, se describen y operacionalizan las dimensiones que conforman la tipología. En primer lugar, por *sentido de la carrera* se entiende el movimiento entre los niveles de gobierno por los que el político ha transitado: el local, el regional, el nacional y el supranacional. Se distinguen cuatro tipos de trayectorias: a) ascendentes, b) descendentes, c) horizontales y d) zigzag. A este respecto es importante señalar que la clasificación sigue una lógica totalmente descriptiva, entendiendo como nivel inferior el local y superior el supranacional. Por tanto, no se contempla ningún tipo de carga valorativa sobre la importancia o atractivo de la arena de gobierno, ni desde el punto de vista de la percepción de los actores ni de los recursos o competencias asociadas a cada nivel.

Esta dimensión es relevante porque permite abordar la relación entre regionalización y nacionalización de las élites (Stolz, 2003; Borchert, 2010). Así, a partir de los movimientos entre niveles de gobierno pueden identificarse varios escenarios: por un lado, élites que desarrollan su carrera en una única arena y, por el otro, élites que van moviéndose entre los distintos niveles (ya sea en sentido ascendente, descendente o en zigzag). A medida que aumenten los patrones de carrera llamados horizontales se hace más visible la existencia de una élite que ejerce la representación sólo en un nivel de gobierno y que, previsiblemente, contará con recursos y redes vinculadas al territorio en el que desarrolla su carrera. Ello, a su vez, puede repercutir en su desempeño ya que favorece la especialización en un territorio, el mejor conocimiento de sus normas e instituciones y de los actores que se desenvuelven en ese entorno.

Respecto a la *continuidad en el tiempo*, se distingue entre carreras continuas, intermitentes y puntuales. Las primeras son aquellas en las que el político no abandona el ejercicio de la política institucional y/o partidaria desde que se inicia en ella de manera profesional hasta su retirada definitiva. Las únicas excepciones que se incluyen en esta categoría son los casos en los que el político abandona temporalmente su actividad por enfermedad o causa de fuerza mayor, siempre y cuando durante ese lapso no se dedique a una actividad privada más allá de la administración de sus bienes. Por el contrario, las carreras intermitentes son aquellas en las que el político alterna lo público con lo privado, ya sea a lo largo de toda su carrera o durante un período acotado de tiempo[12].

A través de esta dimensión se puede distinguir entre políticos *amateurs* que entran y salen de la política, lo que a su vez se puede vincular con los incentivos para convertirse en un profesional de la política o para utilizarla como una actividad transitoria. De ahí surgen dos líneas de debate: la manera en la que se rentabiliza el paso por la política (Alcántara, 2012) y cómo influye el grado de profesionalización en la calidad de los políticos y, como consecuencia, en la calidad de la democracia (Alcántara y Rivas, 2007; Müller-Rommel, 2009; Hoffman-Lange, 2009).

En tercer lugar, se atiende a los *poderes por los que ha transitado*[13], distinguiendo entre: a) sólo Ejecutivo, b) predominio Ejecutivo, c) predominio Legislativo y d) Ejecutivo y Legislativo. A este respecto cabe hacer tres matizaciones: la primera, que el predominio viene definido por el número de cargos ejercidos en el Legislativo y en el Ejecutivo. Es decir, se habla de predominio del ejecutivo cuando el número absoluto de cargos ejercidos en este poder es superior al de los ejercidos en el Legislativo, y viceversa. En el caso de que el número sea el mismo, se operacionaliza como "Ejecutivo y Legislativo". En segundo lugar, no se recoge la categoría "sólo Legislativo" porque la muestra la constituyen gobernadores y alcaldes, por lo que en algún momento transitaron por el Ejecutivo. En cualquier caso, esta categoría debe ser incluida si el modelo se traslada al universo completo de políticos.

---

12 Respecto a los períodos temporales, en el capítulo 5, dedicado a la aplicación del modelo a los casos de estudio, se detallarán los intervalos establecidos.

13 En esta investigación, se toman como cargos legislativos de elección popular los de diputado —independientemente del nivel—, senador y concejal. Y como ejecutivos a presidentes federales, regionales y locales

Atender a los poderes por los que el político transita en su carrera permite identificar diferentes tipos de capital político ya que Ejecutivo y Legislativo cuentan con diferentes dinámicas. En primer lugar, porque especialmente en el caso del presidencialismo, cada poder genera acceso a diferentes tipos de redes y recursos. Y, en segundo lugar, porque cada poder permite el desarrollo de habilidades distintas. Así, mientras que las elites legislativas formulan y establecen las normas, las ejecutivas las materializan en acciones concretas y visibles. Ello genera diferencias en distintos ámbitos como el manejo de los tiempos (el Ejecutivo requiere, por lo general, de mayor inmediatez) o la propia lógica del ejercicio de la función (mayor discusión y negociación en el Legislativo y mayor pragmatismo en el Ejecutivo).

Con relación a la *naturaleza de la carrera*, se distingue entre a) mayoritariamente electoral, b) mayoritariamente de designación, c) mayoritariamente orgánicos y d) mixtos (elección y designación). Los primeros son los cargos a los que se accede a través de un proceso electoral, los segundos se refieren a los cargos de confianza nombrados por una autoridad y, finalmente, por cargos orgánicos se entiende el desempeño de cargos dentro de la cúpula de la organización partidaria, tales como miembros de la directiva, de consejos ejecutivos o secretarías. También se prevé un escenario mixto en el que se haya ejercido igual número de cargos de diferente naturaleza. Para esta dimensión, al igual que para el caso de los poderes por los que ha transitado, el predominio se entiende como el número más elevado de cargos.

En ese sentido, el hecho de prestar atención a esta dimensión responde a que el acceso a los diferentes tipos de cargo conlleva distintas estrategias y, como consecuencia, implica distintos recursos y estructuras de oportunidad. Así, mientras que los cargos de designación suelen estar asociados a un reconocimiento a la trayectoria previa y vínculos de confianza, los electorales requieren tanto de un buen posicionamiento en el partido para el proceso de selección de candidatos como el apoyo del electorado al candidato o, al menos, a la organización partidaria con la cual se presenta. Por último, los cargos orgánicos dan cuenta de la capacidad del individuo para posicionarse dentro del partido en función de sus recursos y de las barreras de entrada a los cargos existentes en cada partido.

Finalmente, la *trayectoria posterior* será operacionalizada en base a dos indicadores: la salida o permanencia en la política en la política a fecha de 31 de diciembre de 2015 y, en segundo lugar, entre aquellos que no continúen en política, la distinción entre los que se jubilaron y los que pasaron a desempeñar otra actividad profesional. Dentro de este último grupo, se contabiliza la primera actividad inmediatamente posterior a la salida de la política. Estos datos se ponen en relación con una cuestión ya planteada anteriormente: observar hasta qué punto existen incentivos para continuar en política de manera profesional y cómo puede capitalizarse la experiencia política en una actividad privada posterior.

Tabla 2.1. Dimensiones para la construcción de una tipología de carreras

	Estáticas	**De escalera**	**De aparato**	**Instrumentales**	***Outsiders***
Sentido del itinerario	Horizontal	Excepto horizontal	Horizontal	Horizontal	Horizontal
Continuidad en el tiempo	Continua	Continuas	Continuas	Intermitentes	Continuas
Poderes	Indiferente	Indiferente	Ejecutivo	Predominio Ejecutivo	Ejecutivo
Naturaleza carrera	Predominio elección	Predominio elección	Predominio orgánico	Predominio designación	Predominio elección
Trayectoria posterior	Jubilación	Jubilación	Jubilación	Actividad privada	Actividad privada

Fuente: elaboración propia.

A partir de la interacción de las dimensiones señaladas, en la Tabla 2.1 se propone una tipología original que permita una clasificación que simplifique la realidad y que pueda ser extrapolable a otros contextos. A partir de esto, se distinguen los siguientes tipos de carrera:

- Estáticas: forman parte de este grupo las carreras que se hayan desarrollado en el mismo nivel, con un predominio de cargos de elección popular (aunque puede ocuparse algunos de designación sobre todo a medida que avanza la carrera) y con posibilidad de ejercer la representación en diferentes poderes. Son trayectorias continuas en el tiempo en las que, generalmente, la salida se produce con el final de la vida profesional. Dado que la tipología está pensada para gobernadores o alcaldes, las carreras se desarrollan en el ámbito subestatal.
- Escalera: dentro de este grupo se ubican aquellas carreras que implican movimientos entre niveles de gobierno. Al igual que en el caso de las carreras denominadas "estáticas", predominan los cargos de elección popular y es posible el movimiento entre poderes. Asimismo, no son intermitentes y la salida de la política se produce al final de la carrera profesional.
- De aparato: dentro de este grupo se integran las carreras de políticos que han realizado la mayor parte de su trayectoria ocupando cargos orgánicos en el partido. Por ello, en la conceptualización se entiende que tienden a ocupar mayoritariamente cargos de designación Y, por tanto, son predominantes los cargos en el Ejecutivo. De esta manera, es posible afirmar que hay más intermitencia en la ocupación de los cargos públicos debido a los posibles cambios de gobierno, pero no en la de cargos orgánicos. La salida de la política se produce al final de la vida profesional.
- Instrumentales: se trata de carreras breves en el tiempo, generalmente en el ejecutivo y sin cambios entre niveles, que son empleadas como puerta giratoria para otra actividad, generalmente la empresa privada o alguna vinculada con la política, como un cargo en una fundación u organismo internacional. Pueden ser intermitentes.

- *Outsiders*: dentro de esta categoría se contempla a aquellas personas que, sin contar con experiencia política previa —ni a nivel orgánico ni en cargos público—, pasan a ocupar una gubernatura o una alcaldía. Se caracterizan, además, por ocupar el mismo cargo sin transitar por arenas o poderes y tener carreras continúas, pero más cortas a la media desde el punto de vista temporal.

VARIABLES INDEPENDIENTES PARA EXPLICAR LOS PATRONES DE CARRERA

Una vez diseñada una tipología que permita describir los diferentes patrones de carrera, el siguiente paso es dar respuesta a una de las preguntas explicativas que plantea esta investigación: ¿qué variables influyen en el desarrollo de diferentes patrones de carrera? Para ello, los factores explicativos se agruparán en cuatro grandes categorías: a) variables sociodemográficas, b) institucionales y de estructura de oportunidad, c) etnográficas o de contexto y d) capital y agentes de capitalización.

Las primeras recogen los datos relacionados con las características de la muestra de estudio, atendiendo a variables como la edad, el género, el nivel de estudios o la profesión de origen, y permiten identificar diferentes perfiles de político y conectarlo con el patrón de carrera desarrollado. En cambio, las variables institucionales y de estructura de oportunidad aportan información sobre las reglas del juego bajo las cuales los políticos desarrollan sus carreras y cómo éstas generan barreras de entrada e incentivos diferenciados en función del país y nivel de gobierno. Por su parte, por variables etnográficas o de contexto se entienden las características sociodemográficas, económicas, sociales y culturales de los casos que conforman el estudio, atendiendo a las particularidades de cada nivel de gobierno. Por último, las variables de capital contemplan indicadores relacionados con bienes materiales e inmateriales con los que los individuos cuentan, así como los nexos establecidos con otros actores o grupos, tanto dentro del ámbito público como privado (ver Figura 2.3).

Figura 2.3. Variables independientes del modelo

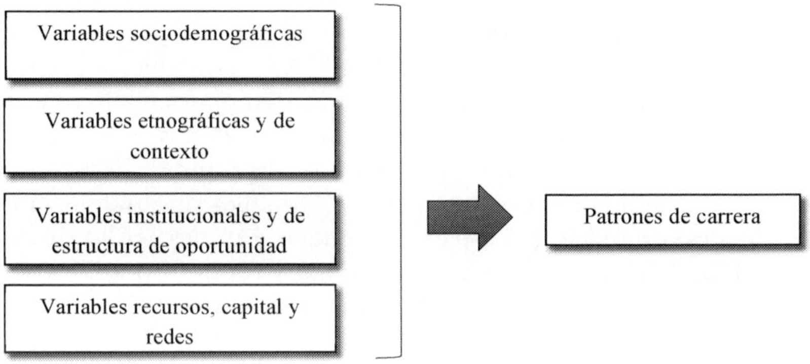

Variables sociodemográficas

Variables etnográficas y de contexto

Variables institucionales y de estructura de oportunidad

Variables recursos, capital y redes

Patrones de carrera

Fuente: elaboración propia.

En términos generales, la selección de estas variables responde a que permiten aproximarse al político y a su carrera desde múltiples enfoques, atendiendo tanto a los recursos y atributos con los que cuenta como al escenario en el que debe desenvolverse y hacer encajar sus ambiciones. De manera más concreta, la inclusión de las variables sociodemográficas responde a que tradicionalmente han recibido importante atención por parte de la literatura (Dupoirier, 1994; Uriarte, 1997; Nieto, 2000; Parry, 2005; Coller, 2008). Algo similar también ocurre con las variables relacionadas con la estructura de oportunidad (Black, 1972; Squire, 1988; Borchert, 1999; Stolz, 2003; Deschouwer, 2003). Por ello, además de su relevancia por su demostrada influencia, la razón de incluirlas es someter a evidencia empírica sus posibles limitaciones a la hora de identificar las lógicas de los patrones de carrera. Es decir, si existen comportamientos o decisiones en el desarrollo de las carreras que quedan fuera de su alcance explicativo. Es, por esta razón, por lo que se añaden al modelo las llamadas variables etnográficas o de contexto, y las de recursos, capital y redes.

Con esto se asume que, frente a condiciones dadas —como es la posesión de determinados atributos sociodemográficos o un marco institucional en el que desenvolverse—, el individuo cuenta con diferentes ambiciones y estrategias. Por un lado, las características socioeconómicas del territorio (variables etnográficas) en el que desarrollar la carrera pueden generar diferentes incentivos, oportunidades y barreras más allá de las meramente institucionales. Por ejemplo, en términos de riqueza del territorio, gobernabilidad o clivajes sociales. Variables que pueden influir en la ordenación de sus preferencias y el desarrollo de su ambición. Asimismo, los recursos, capital y redes disponibles serán instrumentos que condicionarán las estrategias de los actores a la hora de diseñar su carrera (Asworth, 2005; Giorgi, 2014). En función del tipo de los recursos materiales e inmateriales disponibles, variarán las opciones de carrera y el político deberá tomar decisiones sobre el camino que seguir.

Por último, más allá de su relevancia para identificar diferentes patrones de carrera, estas variables también son importantes porque permiten aproximarse al político desde una perspectiva comprehensiva. Ello admite extraer información relativa a sus atributos y al contexto en el que se desenvuelven, pero también sobre su manera de responder frente a escenarios dados y las formas de expresión de su ambición. Esto a su vez, facilita conectar a elites y carreras con el funcionamiento de las instituciones y la democracia o la posible relación entre los patrones de carrera y los niveles de calidad de la democracia.

No obstante, para mantener una estructura lógica que ayude al lector a la profundización y entendimiento de todas y cada una de estas variables, las mismas serán explicadas más detalladamente en cada uno de los capítulos siguientes de la Sección II de este libro.

LOS PATRONES DE CARRERA Y SU CONEXIÓN CON LOS SISTEMAS MULTINIVEL

Hasta este momento, la dimensión territorial sólo ha sido contemplada mediante la selección de indicadores a través de los cuales establecer patrones de carrera. De este modo, se le ha dotado de un carácter fundamentalmente instrumental para reconstruir las carreras y, pese a identificarse tendencias generales, estas no se han puesto en discusión con la literatura existente. Sin embargo, en esta segunda parte del trabajo se le va a otorgar otro enfoque con el fin de contestar al tercer problema de investigación: la conexión entre los diferentes patrones de carrera, el perfil de los representantes en los diferentes niveles de gobierno y los procesos de profesionalización desarrollados por cada uno de ellos. En especial, la comparación se centrará en dos de los tipos de carrera: las estáticas y las de escalera (Figura 2.4).

La razón de esta decisión estriba en que son los dos tipos de trayectoria que cuentan con un mayor grado de profesionalización, al no compatibilizarse con ninguna otra actividad y no ser intermitentes en el tiempo. Asimismo, se fundamentan sobre todo en la competición electoral, al contrario de las carreras de aparato, desarrolladas fundamentalmente dentro del partido. A partir del esquema aquí propuesto, se va a incidir en dos cuestiones. Las primeras son las diferencias en el perfil de la élite —en términos de características sociodemográficas y capital poseído—, según el patrón de carrera: estáticas y de escalera. Dentro del primer grupo se distingue entre las desempeñadas en el nivel local y en el regional.

Respecto a las segundas, la diferenciación viene dada por el último cargo desempeñado, el cual puede ser regional o nacional. Con ello se pretende discernir si las categorías de carrera contienen perfiles muy homogéneos o si presentan variaciones entre niveles. Y, en segundo lugar, identificar regularidades en los procesos de profesionalización entre aquellos que llegan a la política nacional y los que se quedan en el nivel local o regional. Dentro de esta dimensión, se toman en cuenta su experiencia en términos institucionales, partidarios y en otros grupos o asociaciones de la sociedad civil.

Figura 2.4. Los patrones de carrera y su conexión con los sistemas multinivel

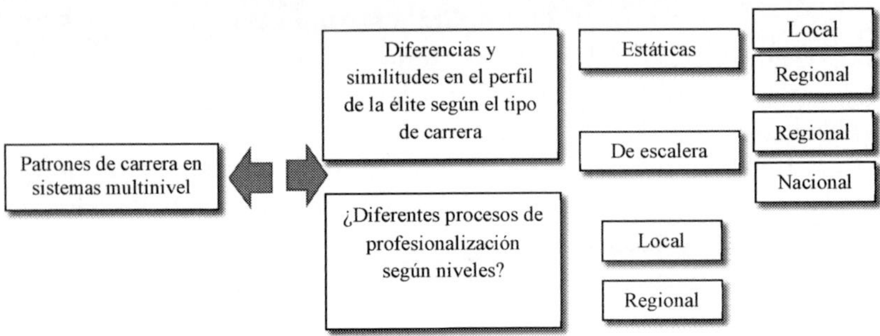

Fuente: elaboración propia.

Ambos aspectos responden a una misma preocupación: arrojar luz sobre las diferencias entre los políticos que se desempeñan en los diferentes niveles y clarificar la discusión sobre si las esferas locales y/o regional constituyen espacios de segundo orden en la carrera política —siendo el fin último la política nacional— o si son un destino en sí mismo para políticos que cuentan con un perfil y una experiencia muy similar a los que se desempeñan en el nivel superior. Ello va a dar cuenta de dos aspectos: si la descentralización política ha dotado a los niveles subestatales de un atractivo comparable al del centro y si los políticos con mejores condiciones en términos de experiencia y capital son los que mayoritariamente llegan a las instituciones nacionales.

SELECCIÓN DE CASOS, UNIDADES DE OBSERVACIÓN Y MARCO TEMPORAL

Selección de casos

Esta investigación tiene una vocación comparada que trasciende los límites del estudio de área. La finalidad es poder extraer conclusiones que no tengan un "sesgo regional" y puedan viajar entre contextos dispares. Dado que el objeto de estudio son los patrones de carrera en sistemas multinivel, la selección de casos debe hacerse entre países federales y regionales descentralizados políticamente. A partir de estos dos criterios, en el estudio se incluyen: Alemania, Argentina, Brasil, Canadá, España y México.

Como criterio general de selección de los casos se ha tomado como condición la existencia de un nivel de gobierno intermedio entre lo local y lo nacional, tratando en la medida de lo posible que se acercaran a "tipos ideales" en términos de organización político-territorial. Asimismo, se han escogido países presidencialistas y parlamentaristas, y con diferentes contextos institucionales y socioeconómicos con el objetivo de poder obtener resultados representativos y susceptibles de ser generalizables.

Ahora bien, ¿por qué estos países y no otros? Para el caso de América Latina, se han elegido los tres países que cuentan con una estructura federal y que, por tanto, son los más próximos a un "tipo ideal" (Mahony y Goertz, 2006). Venezuela se ha dejado fuera debido a dificultades en el acceso de los datos y a la peculiaridad de su desarrollo político en los últimos tres lustros. Para el caso de Europa, existen cinco países federales: Suiza, Alemania, Bélgica y Austria[14]. Junto a ellos, España e Italia presentan modelos autonómicos o regionales que se sitúan en un nivel intermedio entre el centralismo y el federalismo pero que, no obstante, cuentan con niveles intermedio de gobierno e instituciones subestatales.

Dado que esta investigación posee un componente cualitativo, el diseño responde a un número pequeño de casos. Como consecuencia, para Europa se eligieron dos casos: Alemania, debido a que puede ser considerado un "tipo ideal" de federalismo y a que cuenta con mayor número de entidades federadas que los otros casos, lo que permite incrementar el número de observaciones;

---

[14] Rusia no se incluye debido a la particularidad de contar con territorio tanto en Europa como en Asia.

España se incluye como caso de control ya que pese a contar con nivel intermedio de gobierno no es propiamente federal. Por último, Canadá se incluye debido a que es el único país de América que cuenta con una estructura federal y un sistema parlamentario.

Unidades de observación

Como unidades de observación se toma a los individuos que en el año 1998 ocupaban el cargo de gobernador o de alcalde de una de las dos ciudades más pobladas de cada provincia, comunidad o estado federado de los casos de estudio (Tabla 2.7). El hecho de no incluir a presidentes responde a que son figuras que, por un lado, han recibido más atención por parte de la literatura y, por el otro, suelen presentar especificidades en su carrera. A partir de estos criterios, se ha construido una base de datos propia con un total de 377 políticos: 246 alcaldes y 131 gobernadores.

Tabla 2.7. Universo de estudio

País	Alcaldes	Gobernadores	Total
Alemania	26	16	42
Argentina	46	24	70
Brasil	52	27	79
Canadá	26	13	39
España	34	19	53
México	62	32	94
Total	**246**	**131**	**377**

Fuente: elaboración propia.

En ese sentido, la decisión de seleccionar gobernadores y alcaldes de las principales ciudades responde, en primer lugar, a que por lo general han sido menos estudiados que los miembros del Legislativo. En segundo lugar, a que son individuos con poder sobre sus burocracias, fondos púbicos y aplicación de políticas públicas. Y, en tercer lugar, a que muchos ciudadanos consideran que ellos son los responsables de la calidad del gobierno y las políticas públicas. Esta tendencia se muestra tanto en sistemas presidenciales como parlamentarios debido al incremento, en los últimos años, de la "presidencialización" del parlamentarismo, con líderes cada vez más visibles y una mayor personificación del poder (Poguntke y Webb, 2005).

En cuanto muestra la selección del universo de estudio hay que hacer dos precisiones. La primera es que dentro del grupo de gobernadores se han incluido a los presidentes de las ciudades-estado o ciudades autónomas[15] debido a que poseen un rasgo equiparable al de gobernador según los ordenamientos jurídicos de sus respectivos estados. En segundo lugar, el hecho de seleccionar a los alcaldes de las dos ciudades más pobladas de cada entidad regional o federada responde a que es frecuente que dentro de una misma provincia o estado existan dos ciudades importantes que compitan entre sí o que el poder se reparta en dos núcleos: una ciudad que es centro político por ser la capital y otra que es un centro económico[16]. Por tanto, ambas pueden generar incentivos para ocupar un cargo de representación.

Por último, el hecho de elegir únicamente a los alcaldes de las ciudades más pobladas se debe a que la finalidad no es describir cómo es la élite subestatal, sino reconstruir las carreras de la "élite de la élite". Esto es, a las personas que ocuparon los cargos ejecutivos más relevantes en los diferentes niveles de gobierno en sistemas multinivel. Por ello, tanto para el caso de los gobernadores como de los alcaldes, la unidad de observación es el político y su trayectoria.

---

15 En esta categoría se encuentran Berlín, Bremen y Hamburgo (Alemania), la Ciudad de Buenos Aires (Argentina), Brasilia (Brasil), Ceuta y Melilla (España) y Ciudad de Mëxico (México).

16 No obstante, a la hora de realizar los análisis se tomarán en cuenta las distorsiones o sesgos que puedan producirse debido a las diferencias en el tamaño de las segundas ciudades más pobladas de cada estado.

Marco temporal

Para la selección de la muestra, se ha tomado como criterio el ejercicio del cargo en el año 1998. Dado que la investigación se inicia en 2013, si se utiliza la definición de Ortega y Gasset por la cual una generación es una cronología de quince años, el punto de corte se ubica en 1998. Ello permite contar con un margen de tiempo suficiente para reconstruir prácticamente toda la trayectoria de los políticos que ocuparon presidencias regionales o municipales en la generación inmediatamente anterior. E incluso concede la oportunidad de abordar la cuestión de la salida y la vida después de la política en algunos casos, ya que una parte de los miembros de la muestra abandonaron la actividad política para seguir diferentes itinerarios.

En cualquier caso, es de advertir, que la celebración de elecciones no se ha considerado un elemento distorsionador ya que la unidad de observación no es la legislatura, sino su carrera. Por ello, el año únicamente sirve como punto de corte para reconstruir su trayectoria antes y después.

HIPÓTESIS DE LA INVESTIGACIÓN

A partir de los objetivos generales y secundarios planteados, las hipótesis prinicpales del trabajo son:

> H1.: *"Los patrones de carrera se explican superando una aproximación meramente institucional ya que el ejercicio de la política cuenta con un componente individual que puede ser medido a través de los recursos materiales e inmateriales poseídos por los individuos y sus incentivos como profesionales de la política".*
>
> H2.: *"Los procesos de descentralización política han convertido a las entidades subestatales en espacios atractivos para el ejercicio de un cargo, llegando a ellos individuos con perfiles muy similares a los que se encuentran a nivel federal en términos de atributos y experiencia".*

De estas hipótesis generales, se plantean las siguientes hipótesis secundarias que serán desarrolladas en los diferentes capítulos de la tesis:

> H3.: *"No existe un modelo de carrera homogéneo por país. Dentro de cada escenario pueden encontrarse modelos diferenciados. Por tanto, el país no será el que determine el patrón de carrera".*
>
> H4.: *"Las variables sociodemográficas son relevantes cuando influyen de manera negativa en términos de barreras de entrada culturales o sociales. Las mujeres, las personas sin estudios y sin familiares en política van a constituir casos marginales en el universo de estudio. Asimismo, en el caso de lograr entrar, en este tipo de perfiles predominan las carreras estáticas debido a que encuentran más barreras de oportunidad"*
>
> H5.: *"Los territorios en los que es más habitual el desarrollo de carreras estáticas son aquellos que cuentan con mejores datos económicos respecto al resto del país o cuentan con partidos de ámbito no estatal con porcentajes de voto iguales o superiores al 25% del total".*
>
> H6.: *"El tipo de régimen, presidencial o parlamentario, tiene un efecto significativo sobre la carrera política. Los sistemas parlamentarios favorecen más posibilidades de desarrollar la carrera en un solo nivel mientras que los presidenciales cuentan con una tendencia a carreras de escalera*
>
> H7.: *"El tipo de carrera política está condicionada, más allá de las características sociodemográficas e institucionales por:*
>
> *a) por los recursos materiales de los que disponga el político,*
>
> *b) las relaciones que establezca con el partido,*
>
> *c) su capital político*
>
> *d) su capacidad para establecer vínculos con otros agentes (empresas, asociaciones, sindicatos...)*

RECAPITULACIÓN

Este capítulo sienta las bases de la presente investigación, planteando las tres preguntas que guían el estudio: a) ¿cómo son los patrones de carrera en los países descentralizados?,b) ¿qué variables inciden en los diferentes tipos de carrera? y c) ¿cómo se conectan los diferentes patrones de carrera con la profesionalización y perfil de la élite en contextos multinivel? O, planteado de otra manera, cómo de homogéneos son los atributos y recursos poseídos por los individuos que integran cada categoría en función del nivel de gobierno en el que desarrollen su carrera.

A este respecto, se han planteado dos hipótesis centrales. La primera es que *"Los patrones de carrera se explican superando una aproximación meramente institucional ya que el ejercicio de la política cuenta con un componente individual que puede ser medido a través de los recursos materiales e inmateriales poseídos por los individuos y sus incentivos como profesionales de la política"*.

En cuanto a la segunda, se enuncia así: *"Los procesos de descentralización política han convertido a las entidades subestatales en espacios atractivos para el ejercicio de un cargo, llegando a ellos individuos con perfiles muy similares a los que se encuentran a nivel federal en términos de atributos y experiencia"*.

Para abordar el problema de investigación y el diseño metodológico para someter a verificación empírica las hipótesis, se ha desarrollado un modelo para analizar los patrones de carrera que contiene, asimismo, una propuesta original de tipología. Los patrones resultantes operan como variable dependiente en la primera parte de la investigación y permiten el establecimiento de correlaciones en la segunda. A lo largo del capítulo se han operacionalizado cuatro tipos de variables: sociodemográficas, contextuales o etnográficas, institucionales y de estrutura de oportunidad y de capital político. Todas ellas serán tratadas estadísticamente en los sucesivos capítulos.

La verificación de las hipótesis a partir de la medición y tratamiento de las variables integradas en el modelo se llevará a cabo en seis casos de países multinivel: Alemania, Argentina, Brasil, Canadá, España y México. El universo de estudio lo constituyen los gobernadores y alcaldes de las principales ciudades de cada región que estaban en el ejercicio del cargo en el año 1998. Ello permite reconstruir sus carreras antes y después de haber ocupado la presidencia regional o municipal.

Para someter a evidencia empírica, esta investigación combina el uso de técnicas cuantitativas y cualitativas. Las primeras serán estadísticas descriptivas en un primer momento, con el fin de describir los valores de los diferentes tipos de variable con relación a los patrones de carrera y, posteriormente, se desarrollará un modelo causal mediante el uso de la regresión logítica multinomial. Además, los datos duros se verán complementados por información extraída de biografías, prensa o entrevistas. Con ello se pretende ejemplificar las tendencias generales en casos concretos, a la par que aportar matices que no pueden ser apreciados a partir del tratamiento cuantitativo de la información.

Así pues, es necesario dar inicio a la Sección II de este libro para conocer en profundidad todas estas variables y proyectar mediante estadística como inciden cada una de ellas en los patrones de carrera política en cada uno de los países seleccionados.

Capítulo 3

Los patrones de carrera en sistemas multinivel como variable dependiente

La elección como jefe del Ejecutivo municipal o regional suele ser, por lo general, el resultado de un proceso de ascensión y competición política previa por medio del cual las personas acceden a posiciones dirigentes (Czudnowski, 1975:155, Herzog, 1982:73, Rodriguez Teruel, 2011:12). Se trata, por tanto, de un asunto de reclutamiento político en el cual el perfil social de los aspirantes, sus habilidades personales, su experiencia política previa y su capacidad para tejer redes con otros actores u organizaciones favorecen o dificultan el acceso a determinadas posiciones de poder.

La existencia de diferentes niveles de gobierno influye en la selección y en la circulación de élites, dando lugar a distintos perfiles de carrera política. Estos variarán en función de las posibilidades ofrecidas por el entorno institucional específico de cada sistema político, así como de las características personales, los recursos disponibles y el medio en el que se desenvuelven los actores políticos. Asimismo, las trayectorias, actitudes y aspiraciones de los miembros que componen la élite política tienen efectos sobre la evolución de las nuevas instituciones, generando diferentes escenarios, oportunidades e incentivos (Westlake, 1994; Deschouwer, 2001; Verzichelli y Edinger, 2005).

Ello lleva a retomar la tercera hipótesis planteada en esta investigación, la cual sostiene que:

> H3.:*"No existe un modelo de carrera homogéneo por país. Dentro de cada escenario pueden encontrarse modelos diferenciados. Por tanto, el país no será el que determine el patrón de carrera".*

En ese sentido, cabe cuestionarse hasta qué punto, desde una perspectiva comparada, existen variaciones dentro de los tipos de carrera desarrollados en el seno de cada país. Para ello, cabe observar si, en cada caso, la existencia de diferentes niveles institucionales da lugar al modelo clásico de ambición progresiva (Schlesinger, 1966) o si, por el contrario, una parte de los miembros de la élite construyen sus carreras en el ámbito subestatal sin tener como fin último la arena nacional. Así, la existencia de estos dos posibles escenarios dentro de los sistemas políticos descentralizados origina dos modelos paradigmáticos: el de bifurcación y el de integración (Moncrief, 1994; Scarrow, 1997).

Por lo que respecta al primer supuesto, la existencia de una fuerte diferenciación territorial ha dado lugar a que en los niveles subestatales las élites hayan llevado a cabo un proceso de profesionalización propio. Por el contrario, el modelo de integración conlleva carreras políticas ascendentes a través de los diferentes niveles (Schlesinger, 1966; Polsby, 1968; Francis y Kenny, 2000). Los modelos de bifurcación e integración ponen de manifiesto cómo a través de los diferentes tipos de carrera política pueden observarse las relaciones y vínculos que se establecen entre los diferentes niveles políticos, así como el grado de descentralización efectiva del sistema (Stolz, 2003; Real y Jerez, 2008; Botella *et al.*2011).

De este modo, pueden existir casos en los que los jefes de gobierno subestatales puedan provenir mayoritariamente de instituciones nacionales a la par que se den contextos en los que la creación de instituciones de autogobierno origine nuevas élites locales o regionales. En el primer caso, los gobiernos regionales o locales pueden convertirse en arenas políticas hacia las que se extiende el gobierno nacional. En cambio, la emergencia de carreras estáticas puede dar lugar a espacios diferenciados que vayan en detrimento de los patrones de carrera nacionales (Botella *et al.*2011). A este respecto, esta investigación pretende comprobar si estas dos tendencias se combinan en cada uno de los países estudiados —aunque haya una que sea mayoritaria sobre la otra— o si, por el contrario, hay una que prácticamente se impone sobre la otra, que pasa a ser residual o prácticamente inexistente.

Sin embargo, más allá de la senda iniciada por los citados autores en lo que se refiere a la diferenciación territorial de las carreras políticas, estudiar la lógica de las trayectorias en sistemas multinivel implica tomar en cuenta otras dimensiones como la continuidad en el tiempo, la salida de la política o los movimientos entre poderes, lo que es importante por dos razones: en primer lugar, porque permite comparar si los patrones de carrera presentes en sistemas multinivel se asemejan o diferencian de los que se dan en sistemas centralizados y, en segundo lugar, porque concede la oportunidad de abordar el estudio de las trayectorias desde una perspectiva compleja que recoge las principales variables intervinientes en cualquier carrera política.

El primer punto es relevante en la medida en que facilita identificar si un mayor número de niveles de gobierno afecta sustantivamente a los patrones de carrera, lo cual repercute en los procesos de profesionalización y su impacto en el desempeño de la actividad política. El segundo punto implica identificar pautas en los diseños de carrera que, a su vez, permiten distinguir distintas estrategias y resultados para posteriormente relacionarlo con su impacto en el sistema democrático.

Con el propósito de abordar estas cuestiones e identificar patrones de carrera, este capítulo reconstruye las carreras de aquellos que ocuparon la presidencia municipal o regional[17] en el año 1998. Para ello, se aplica la tipología de patrones de carrera planteada en el capítulo metodológico. En concreto, se sigue el siguiente guión. Primero se desarrollan aspectos teóricos y metodológicos de la tipología propuesta con el objetivo de facilitar su comprensión y explicar su modo de aplicación. Luego se presen-

---

17 Debido a que en cada país se utilizan nomenclaturas diferentes (región, estado, comunidad autónoma), se empleará el término "regional" para hacer referencia al nivel intermedio de gobierno que se encuentra entre la arena local y la nacional o federal.

tan datos que permitan reconstruir la carrera desde un punto de vista descriptivo. Finalmente, se aplica la tipología planteada a los casos de estudio. Con dicho fin, el objetivo del capítulo es, por un lado, describir los principales elementos constitutivos de una carrera política para el universo de estudio contemplado. Por otro lado, sistematizar la información para dotar de valor a la tipología propuesta, así como identificar similitudes y diferencias tanto entre países como entre individuos, distinguiendo entre los que ocuparon la presidencia municipal y la regional. Y, por último, corroborar o refutar la hipótesis planteada para este capítulo.

EL ESTUDIO DE LAS CARRERAS POLÍTICAS EN SISTEMAS MULTINIVEL: UNA PROPUESTA METODOLÓGICA

Para poder abordar el estudio de las carreras políticas primero debe conceptualizarse qué debe entenderse como tal para, con base a la definición adoptada, establecer la estrategia de análisis. En esta investigación la carrera política es entendida como el intervalo de tiempo comprendido entre que un individuo ocupa su primer cargo público y su salida definitiva de la política. Esta definición es similar a la propuesta por Viver (1978:169), para quien la carrera política es “la secuencia de cargos políticos desempeñados por un individuo durante un determinado período de tiempo”.

Esta conceptualización permite proyectar los patrones de carrera como el resultado de la interacción de diferentes elementos que se configuran en torno a la sucesión de cargos. En primer lugar, ocupar diferentes cargos implica tomar en cuenta una noción de sentido de carrera; es decir, cuál es la dirección que se adopta en el tránsito por los diferentes niveles de gobierno. En segundo lugar, la sucesión de cargos implica prestar atención a los puestos ocupados, distinguiendo tanto los poderes en los que se ha ejercido la actividad política como la naturaleza de los cargos, diferenciando entre elección, designación, orgánicos y mixtos.

Asimismo, conlleva tomar en cuenta la dimensión temporal para discernir si la sucesión de cargos se realizó de manera continua o intermitente. Por último, la trayectoria posterior sirve como indicador de la capitalización que el político hace de su carrera política (Figura 3.1.).

Figura 3.1. Los patrones de carrera como variable dependiente del modelo: dimensiones e indicadores

Variable: patrones de carrera en sistemas multinivel

Sentido del itinerario	**Naturaleza carrera**	**Poderes**	**Continuidad en el tiempo**	**Trayectoria posterior**
Ascendente Descendente Horizontal Zigzag	Predominio elección Predominio designación Predominio orgánico	Sólo Ejecutivo Predominio Ejecutivo Predominio Legislativo	Continua Intermitente	a) Salida Sí No b) Ocupación posterior

Fuente: elaboración propia.

No obstante, para llegar a este modelo primero es necesario realizar un ejercicio descriptivo que permita reconstruir las diferentes etapas de cualquier carrera política; esto es: entrada, recorrido y salida. Los resultados obtenidos permitirán, por un lado, obtener una perspectiva completa de la carrera y, por otro, organizar la información para posteriormente trasladarla de manera sistemática a la tipología propuesta.

La Figura 3.2. muestra el modelo propuesto para reconstruir la trayectoria política, incluyendo los canales de entrada y salida. Esta propuesta, inspirada en las elaboradas por Blondel (1985, 1991) y Rodríguez Teruel (2011) para la élite ministerial, contempla una visión amplia de la trayectoria política al recoger tanto las rutas de acceso a la actividad política como la sucesión de cargos que conducen a la presidencia municipal o regional. Asimismo, incluye la salida de la política con el objetivo de captar la utilización del capital político acumulado una vez abandonadas la alcaldía o la gobernación.

Figura 3.2. Esquema conceptual para el estudio de las carreras políticas en países descentralizados

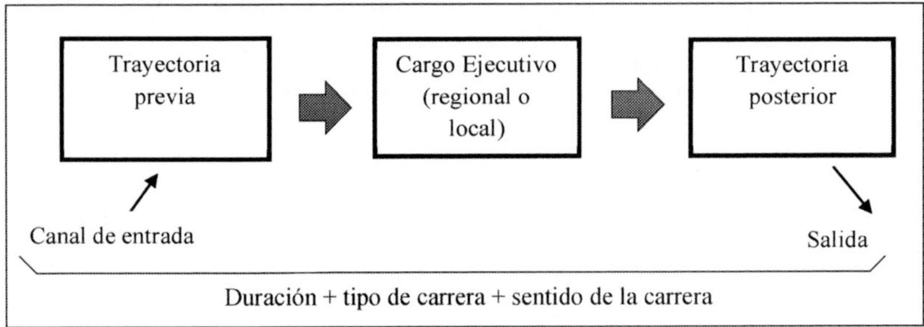

Fuente: elaboración propia a partir de Rodriguez Teruel (2011).

Con base a estas dimensiones de análisis, la reconstrucción de la trayectoria política se sostendrá en tres pilares básicos: la dimensión temporal, el tipo de carrera ejercida y el sentido de esta. Estas tres categorías, las cuales son desgranadas a lo largo del capítulo para finalmente proyectarlas en la tipología propuesta, difieren de otras presentes en la literatura académica fundamentalmente por la combinación de variables y dimensiones. Así, el hecho de que muchos de los trabajos sobre élites se han centrado en carreras o bien ejecutivas (Blondel, 1985; Botella *et al.* 2011) o bien legislativas (Coller, 1999, 2008; Stoltz, 2003, 2005) ha dificultado establecer estrategias de análisis que combinen variables como los niveles institucionales ocupados, las arenas políticas transitadas o el sentido de los itinerarios llevados a cabo. Por ello, a partir de lo ya desarrollado por otros autores, este trabajo realiza una revisión de las categorizaciones ya creadas con el fin de modificarlas o recrearlas para adaptarlas al objetivo de esta investigación.

Por finalizar, señalar que este último modelo sigue una lógica descriptiva, por lo que introduce más información de la que posteriormente se utiliza para la tipología. No obstante, antes de aplicar alguna categorización se considera pertinente realizar un ejercicio descriptivo lo más exhaustivo posible que permita reconstruir las trayectorias de los políticos estudiados.

Los canales de entrada en la política

Los canales de entrada se refieren a las rutas de acceso a la actividad política y no deben confundirse con los círculos profesionales de extracción (Blondel, 1985:58). Esto es, traduciéndolo a términos operacionales, el canal de entrada se corresponde con el primer cargo ocupado por un individuo dentro de la esfera política. Tal como se recoge en la Tabla 3.1., existen tres rutas de acceso principales: los cargos de elección popular en instituciones representativas (legislativos y ejecutivos de los diferentes niveles de gobierno), los altos cargos de libre designación o de confianza de la Administración del Estado o entidades dependientes o autónomas del Estado, y los puestos de responsabilidad orgánica y de asesoría en el seno de los partidos políticos o formaciones políticas de representación similares (Alcántara, 2012:83). Estos cargos pueden ser ejercidos, a su vez, en diferentes niveles de gobierno: municipal, regional, estatal o supraestatal.

Tabla 3.1. Entrada en política: ruta de acceso y nivel de Gobierno del primer cargo público

Canal de entrada	Contenido
Instituciones representativas	Legislativos y ejecutivos de diferentes niveles de gobierno
Administración pública	Cargos de confianza o designación
Orgánico	Partidos políticos y sindicatos
Primer cargo	**Contenido**
Nivel de gobierno	Municipal, regional, estatal o supraestatal

Fuente: elaboración propia.

Esta distinción entre canales de acceso permite establecer una importante diferenciación entre los políticos que constituyen el universo de estudio. Un primer grupo está integrado por aquellos que iniciaron su trayectoria en la contienda política aparejada a los procesos electorales y que, por tanto, debieron ganar el apoyo del partido para postularse como candidatos[18], así como establecer una conexión electoral con los votantes (Mayhew, 1974). Se trata de una categoría que no ofrece problemas para su identificación y que ha sido ampliamente estudiada en investigaciones sobre profesionalización política, tanto en el ámbito presidencial como en el parlamentario[19].

Un segundo grupo está formado por personas que, debido a su experiencia, conexiones o prestigio profesional, se iniciaron en política ocupando cargos de confianza o designación. Dentro de este grupo se encuentran, por un lado, los altos cargos del poder Ejecutivo (ministros, secretarios de Estado, directores generales y sus equivalentes en los niveles regional y municipal). Asimismo, también se incluyen los miembros del servicio diplomático, históricamente vinculados a la política y a la discrecionalidad en su proceso de nombramiento. Además de su amplia heterogeneidad, este grupo genera dos problemas de definición. Como señala Alcántara (2012:86), en primer lugar, es difícil trazar la línea que separa los nombramientos discrecionales en los segundos o terceros niveles de estricto cometido técnico donde la persona no adquiere un compromiso explícito de quehacer concreto. De esta manera, el sujeto referido podría trabajar bajo otro patronazgo partidista o ideológico, adquiriendo un perfil tecnocrático. Y,

---

18 Se trata de un argumento genérico que asume la representación a través de partidos políticos. No obstante, en el desarrollo posterior de los datos se tiene en cuenta las particularidades de cada sistema electoral. Así, por ejemplo, en las elecciones municipales de Canadá las candidaturas se presentan a nivel individual y no partidario.

19 A nivel estatal destacan los trabajos de Blondel (1985), Best y Cotta (2000), Costa y Kerrouche (2007). En el ámbito regional o municipal se recomienda la lectura de Kornberg y Clarke (1983), Botella et al. (2011).

en segundo lugar, en sistemas débilmente institucionalizados con una administración poco profesionalizada los cargos de confianza o libre designación pueden confundirse con supuestos de nepotismo o clientelismo.

Por último, un tercer grupo está conformado por hombres y mujeres que se iniciaron en política en el seno del aparato de organizaciones partidarias o de similar naturaleza. Constituyen, utilizando la nomenclatura de Mills (1956:255), "*the middle levels of power*". Esto es, son personas que dan sustento a la actividad representativa a través de la formación de cuadros, asesoría, realización de campañas y establecimiento de relaciones con otras organizaciones. Al igual que ocurre en el caso de los cargos de libre designación, este colectivo también presenta problemas de definición al existir supuestos en los que es difícil distinguir entre este tipo de personas y el personal técnico de estas organizaciones. Asimismo, la literatura se ha centrado tradicionalmente en los mecanismos de organización interna en lugar de en sus miembros, por lo que existen dificultades para establecer criterios de identificación de estos profesionales de la política.

Junto con la ruta de acceso, cabe prestar atención al nivel de gobierno en el que los individuos entran en política. Si se toma en cuenta que los casos de estudio son sistemas multinivel, el nivel de entrada en política permite identificar si los ámbitos municipal o regional son estaciones de paso necesarias para llegar a la política nacional, si son el destino final de individuos que iniciaron su trayectoria en el ámbito estatal o si es posible iniciarse en el nivel en el que posteriormente se desarrollará la carrera. Si bien es cierto que los sistemas multinivel ofrecen la posibilidad de establecer patrones de carrera propios en cada nivel de gobierno, siguiendo lógicas de competición propias, pueden existir incentivos para que el objetivo final de los individuos sea la política estatal. Por ello, el hecho de prestar atención a la dimensión territorial facilita identificar, ya desde el momento de entrada en política, información sobre el grado de profesionalización de cada nivel (Rosenthal, 1998; Stolz, 2003, Borchert, 2011), el atractivo que despierta cada uno de los mismos (Reiser, 2006) y las estrategias de los individuos para iniciarse en la actividad política.

El recorrido de la carrera política

Una vez especificada la vía de acceso a la política, para reconstruir la carrera de las élites es preciso atender a la sucesión de cargos ocupados durante la trayectoria de los individuos deteniéndose en tres aspectos: la dimensión temporal de la misma, el tipo de carrera y el sentido que sigue. La primera hace referencia al número de año comprendidos entre el primer y el último cargo ocupado, así como la continuidad o intermitencia en el ejercicio de la actividad pública. El segundo hace alusión a los poderes por los que se ha transitado y la naturaleza de los cargos ejercidos. Por último, por sentido se entiende la dirección de la carrera en relación a los niveles de gobierno transitados.

A tal efecto, la dimensión temporal proporciona tres tipos de información: el momento en el que el individuo entra en política, el tiempo que permanece en esta actividad y la continuidad o intermitencia con la que se desarrolla la actividad representativa (Botella et al., 2011). Así, este dato actúa como un indicador de edad contribuyendo a la definición social de la élite política a la par que muestra el grado de recambio dentro de la actividad representativa y, por extensión, el ritmo de circulación de los individuos que conforman la élite. Por último, aporta luz sobre la experiencia y dedicación de aquellos que se brindan a la política debido a que según la duración y continuidad de la carrera se puede inferir información sobre la capacidad de los individuos para conocer los entresijos de las instituciones y su funcionamiento[20].

---

[20] Para Dogan (1989:241), haciendo referencia al caso de las carreras ministeriales, "we must distinguish between those who left their mark on history and those who just made an appearance in the political arena.

Aunque en la parte descriptiva del capítulo se recoge tanto la duración de la carrera como la continuidad o intermitencia en la actividad pública, para la tipología propuesta únicamente se contempla la última variable. La no inclusión de la duración se debe a que una parte del universo de estudio ya está retirado y otros no, lo cual puede generar distorsiones en los resultados. En vinculación a la continuidad o intermitencia, es un dato que aporta información sobre la voluntad y capacidad del político para mantenerse en la carrera política. Así, pueden existir diferentes escenarios posibles: a) individuos que desean dedicarse de manera continua a la política y lo consiguen accediendo a cargos que pueden ser de distinta naturaleza, b) individuos que desean continuar en política, pero no logran ocupar cargos, c) individuos que, ya sea por voluntad propia o por sus posibilidades a la hora de acceder a cargos públicos, se dedican a la actividad política de manera intermitente

Una vez operacionalizada la dimensión temporal, para abordar la naturaleza de los cargos ocupados se distingue entre tres categorías: cargos de elección, designación y orgánicos. Los cargos de elección popular son aquellos a los que los candidatos acceden tras ser elegidos de manera directa mediante competición electoral. Los cargos de designación son aquellos a los que se accede por el nombramiento de una autoridad. Por último, por cargos orgánicos se entiende aquellos que son desempeñados dentro de un partido político. A este respecto cabe especificar que sólo se contemplarán los cargos desempeñados dentro de la cúpula de la organización partidaria, tales como los miembros de la directiva, de consejos ejecutivos o secretarías (Tabla 3.2.).

The duration of ministerial service is a good criterion, even if it is certainly not the only one"

Tabla 3.2. Naturaleza de los cargos ocupados

Naturaleza de los cargos	Contenido
Elección	Acceso mediante competición electoral
Designación	Acceso mediante nombramiento. Cargos de confianza
Orgánico	Cargos en partidos políticos

Fuente: elaboración propia.

Para la variable sobre los poderes por los que el político ha transitado, se contemplan de nuevo tres categorías: trayectorias desempeñadas sólo en el Ejecutivo, con predominio del Ejecutivo o predominio del Legislativo (Tabla 3.3.). La categoría "sólo Legislativo" se ha excluido dado que la muestra la componen personas que en algún momento ocuparon la presidencia municipal o regional, por lo que la citada categoría resulta imposible para esta investigación. Asimismo, no se ha incluido la categoría "ambos poderes" ya que, tras una primera exploración de los datos, no se ha encontrado ningún caso. Por último, no se ha contemplado el estudio del Poder Judicial por dos razones. Por un lado, porque para este trabajo resulta marginal y, por otro, porque el foco se centra en la actividad representativa por lo que la actividad judicial no resulta especialmente relevante en este caso. En cuanto a la medición de esta variable, el predominio se contabiliza a partir del mayor número de cargos desempeñados en cada poder en términos absolutos.

Tabla 3.3. Poderes transitados

Poderes transitados	Contenido
Sólo Ejecutivo	Carreras en las que sólo se ha ejercido cargos en el poder ejecutivo.
Predominio Ejecutivo	Carreras en las que el mayor número de cargos se han desempeñado en el poder ejecutivo.
Predominio Legislativo	Carreras en las que el mayor número de cargos se han desempeñado en el poder ejecutivo

Fuente: elaboración propia.

En cuanto al sentido de la carrera, este se entiende como el tipo de itinerario que se traza entre los diferentes niveles de gobierno. En la Tabla 3.4 se identifican las cuatro categorías empleadas: carreras ascendentes, descendentes, horizontales y en zigzag. Esta clasificación toma como referencia la propuesta por Botella et al. (2011) y responde a la tendencia que siguen las trayectorias en lo que se refiere a la movilidad entre los niveles institucionales antes citados. En ese sentido, la dirección adoptada en la carrera tiene implicaciones que afectan tanto al funcionamiento del sistema político como al comportamiento individual de la élite. Así, la movilidad de la élite da cuenta de los incentivos del sistema para permanecer dentro de un mismo nivel institucional o moverse entre ellos, a la par que proporciona información sobre el grado de experiencia de los miembros de la élite en función de la dirección que siguen los itinerarios de sus carreras.

Tabla 3.4. Definición del sentido de carrera en relación a los niveles institucionales transitados

Sentido de la carrera	Contenido
Ascendente	Carrera iniciada en un nivel institucional superior en la que se transita hacia niveles inferiores.
Descendente	Carrera iniciada en un nivel institucional inferior en la que se transita hacia niveles superiores.
Horizontal	Carrera realizada dentro de un único nivel institucional.
Zigzag	Carrera realizada en distintos niveles institucionales, combinándose tendencias ascendentes y descendentes.

Fuente: elaboración propia a partir de Botella et al (2011).

Por último, pese a que en la tipología propuesta el número de niveles institucionales no se presenta como dimensión independiente, en esta parte del análisis se introduce en combinación con los niveles de gobierno. El propósito último es clasificar las carreras políticas en los países descentralizados prestando atención tanto a la movilidad entre niveles institucionales como a la capacidad de los individuos para ejercer cargos dentro de uno o varios poderes. Mediante este ejercicio, ya aplicado en el análisis de las carreras ministeriales por Rodríguez Teruel (2011), se pretende observar hasta qué punto las trayectorias de individuos que ocuparon posiciones de poder destacadas tanto en el ámbito municipal como regional han estado marcadas por el tránsito del legislativo al ejecutivo y de los niveles subestatales al estatal.

En la primera dimensión se identifican tres tipos de carrera: mononivel, binivel o multinivel, lo que se corresponde con las arenas políticas por las cuales el político ha transitado durante su trayectoria. Esto es, la local, la regional, la estatal y la supraestatal. En la segunda dimensión se distingue entre aquellas carreras que sólo se han desarrollado en el ámbito ejecutivo, aquellas en las que han predominado los cargos ejecutivos y en las que ha habido un predominio de los legislativos. Con base a la combinación de ambas dimensiones se identifican nueve patrones de carrera, descritos en la Tabla 3.5.

Tabla 3.5. Clasificación y definición de los diferentes tipos de carrera política

Tipo de carrera	Niveles institucionales	Contenido
Mononivel Ejecutivo	Uno	Sólo cargos ejecutivos en un único nivel institucional.
Mononivel con predominio Ejecutivo	Uno	Mayoría de cargos ejecutivos, aunque también se hayan ocupado legislativos, en un único nivel institucional.
Mononivel con predominio Legislativo	Uno	Mayoría de cargos legislativos, aunque también se hayan ocupado ejecutivos, en un único nivel institucional.
Binivel Ejecutivo	Dos	Sólo cargos ejecutivos en dos niveles institucionales.

Tipo de carrera	Niveles institucionales	Contenido
Binivel con predominio Ejecutivo	Dos	Mayoría de cargos ejecutivos, aunque también se hayan ocupado legislativos, en dos niveles institucionales.
Binivel con predominio Legislativo	Dos	Mayoría de cargos legislativos, aunque también se hayan ocupado ejecutivos, en dos niveles institucionales.
Multinivel Ejecutivo	Tres o cuatro	Sólo cargos ejecutivos en tres o cuatro niveles institucionales.
Multinivel con predominio Ejecutivo	Tres o cuatro	Mayoría de cargos ejecutivos, aunque también se hayan ocupado legislativos, en tres o más niveles institucionales.
Multinivel con predominio Legislativo	Tres o cuatro	Mayoría de cargos legislativos, aunque también se hayan ocupado ejecutivos, en tres o más niveles institucionales.

Fuente: elaboración propia.

La salida de la política

Por último, dentro del modelo se contempla la salida de la política. En ese sentido, tal como expresa Alcántara (2012: 124), "un indicador muy apropiado para validar una carrera profesional radica en el proceso de retiro". Esto se debe a que permite obtener información tanto acerca de las razones que pueden llevar a un político a abandonar su profesión, como de la actividad que desempeñará posteriormente. Cabe tener en cuenta que el final de la carrera política brinda la oportunidad de integrar el capital poseído, rentabilizado o no, con los propios mecanismos de salida. Por esta razón, la primera cuestión a la hora de estudiar la salida de la política es distinguir entre las personas que permanecen y los que no. En segundo lugar, identificar la causa. Y, por último, ver cuál es la actividad desempeñada tras salir de la política.

A tal efecto, la Tabla 3.6. muestra los principales supuestos de salida de la política: la derrota electoral, el escándalo/expulsión[21], el fallecimiento/enfermedad, la jubilación y el retiro voluntario para dedicarse a otra actividad profesional. En los dos primeros supuestos, la salida de la política es una decisión involuntaria consecuencia de la imposibilidad del individuo para lograr apoyos electorales y/o partidarios o de haber sido relacionado con algún tipo de escándalo.

El tercer supuesto, el fallecimiento o enfermedad, también se relaciona con un abandono involuntario de la política, pero, al contrario de lo que ocurre en el caso anterior, no es consecuencia directa de la conducta del individuo. Finalmente, los supuestos de jubilación o abandono para dedicarse a otra actividad profesional son fruto de decisiones personales de los individuos. En este último caso, pueden darse diferentes supuestos: que el político vuelva a la actividad profesional que ejercía antes de la política o que se dedique a una nueva actividad. En el supuesto de que se dedique a una nueva actividad, cabe distinguir entre aquellas que estén relacionadas de manera directa o indirecta con la política de aquellas que no tienen ningún tipo de conexión para identificar una posible capitalización del paso por la actividad pública.

Tabla 3.6. Razones de la salida de la política

Razones salida de la política	Contenido
Derrota electoral	Abandono de la política tras perder unos comicios electorales.
Escándalo/expulsión	Abandono de la política como consecuencia de haber sido relacionado con alguna actividad ilegal o problemas internos con el partido.
Fallecimiento/enfermedad	Abandono de la política por defunción o razones vinculadas con la salud.

21 Dentro de esta categoría se incluye el enjuiciamiento criminal.

Razones salida de la política	Contenido
Jubilación	Retiro de la política al final de la carrera profesional.
Otra actividad profesional	Abandono voluntario de la política para dedicarse a otra actividad profesional que puede ser: a) actividad profesional previa, b) nueva actividad vinculada con la política, c) nueva actividad sin vínculos con lo público.

Fuente: elaboración propia a partir de Alcántara (2012).

CARRERAS POLÍTICAS EN SISTEMAS MULTINIVEL EN PERSPECTIVA COMPARADA

A partir del modelo propuesto, en esta parte se presentan los datos siguiendo una lógica descriptiva con el fin de dar sustento empírico a lo expuesto desde el punto de vista teórico-metodológico. Dado que el objetivo último de esta investigación es analizar trayectorias políticas, en primer lugar, se presentan los datos agregados de quienes ocuparon la presidencia municipal y la regional. No obstante, después el análisis se replica distinguiendo entre los resultados recogidos para la muestra constituida por quienes ocuparon la presidencia municipal y la regional. Con ello, además de aplicar el modelo, se pretende observar si existen patrones de carrera diferenciados entre personas que hicieron carrera en distintos niveles institucionales.

Las carreras políticas de los que ocuparon la presidencia municipal y regional: datos agregados

Al llevar a cabo una primera aproximación a las carreras políticas de individuos que ocuparon cargos ejecutivos en niveles subestatales, pueden encontrarse pautas comunes y diferencias. Con base a esto, el primer dato a destacar es el claro predominio de las instituciones representativas como canal de entrada a la política., por encima de la Administración Pública y los cargos orgánicos (Tabla 3.7), lo que permite, en primer lugar, hablar de un predominio de individuos que entran en política con el objetivo de ejercer la representación y no tanto ser personas de aparato, así como con un perfil de entrada más político que técnico. Del mismo modo, el porcentaje de políticos que ejercieron su primer cargo en la Administración Pública en ninguno de los casos supera el 11%, mientras que la media de los que se iniciaron en instituciones representativas es del 86,3%.

Tabla 3.7. Canal de acceso a la carrera política de los que ocuparon la presidencia municipal y regional en 1998 (%)

	Alemania	Argentina	Brasil	Canadá	España	México	Total
Instituciones representativas	87,1	86,5	92,0	89,3	91,1	75,4	86,3
Administración pública	6,5	10,8	8,0	10,7	8,9	17,5	10,9
Cargos orgánicos	6,5	2,7	0,0	0,0	0,0	7,0	2,8
(N)	42	70	80	39	53	94	377

Fuente: base de datos de la autora, a partir de información institucional sobre presidentes municipales y regionales.

Una segunda regularidad es el predominio del nivel local como canal de acceso a la actividad política, seguido del regional (Tabla 3.8). Esto está en consonancia con lo ya expresado en la literatura sobre carreras políticas en sistemas multinivel: las instituciones locales y regionales suelen ser utilizadas por las élites como espacios en los que acumular capital para, eventualmente, saltar al centro o mantenerse en la política subestatal (Rodríguez Teruel, 2010). Todo ello permite retomar la cuestión de la regionalización o nacionalización de las carreras, entendiendo que a medida que se incrementan los centros de poder, se abren nuevas rutas de gobierno y se diversifican las opciones de carrera (Stolz, 2001).

Para abordar esta última cuestión, la Tabla 3.8 también recoge las siguientes variables: el último cargo público ejercido y el número de niveles de gobierno recorridos, tanto en el total de la carrera como antes de 1998. Los datos muestran que, en términos agregados, se reproduce el modelo de carreras trampolín (Stolz, 2010) y se cumple el principio de ambición progresiva (Schlesinger, 1966). Sin embargo, cabe destacar que el porcentaje de políticos que ejercen su último cargo en la arena regional no es marginal, lo que sitúa a este nivel como un espacio en principio atractivo para las élites estudiadas y muestra indicios de una posible "regionalización" de la política.

No obstante, existen diferencias entre los diferentes países estudiados. Por un lado, Argentina, Brasil, España y México reproducen mayoritariamente el primer modelo, de carreras trampolín. Sin embargo, Alemania y Canadá son los dos casos en los que parece existir más nítidamente una élite subestatal que desempeña su trayectoria total o mayoritariamente en el nivel local y/o regional. Ello corrobora, los dos supuestos teóricos enunciados anteriormente: el de integración y el de bifurcación territorial.

Tabla 3.8. Recorrido de las carreras de los que ocuparon la presidencia municipal y regional en 1998 (%)

	Alemania	Argentina	Brasil	Canadá	España	México	Total
Primer cargo público							
Municipal	53,1	47,4	48,0	46,0	47,9	40,0	46,6
Regional	25,0	34,2	42,0	39,3	22,9	21,8	30,3
Estatal	21,9	18,4	10,0	14,3	29,2	38,2	23,1
Supraestatal	0,0	0,0	0,0	0,0	0,0	0,0	0,0
Último cargo público							
Municipal	20,0	7,4	7,7	22,2	9,8	3,9	10,0
Regional	44,0	33,3	35,9	38,9	29,3	29,4	33,8
Estatal	36,0	55,6	56,4	33,3	58,5	66,7	54,7
Supraestatal	0,0	3,7	0,0	5,6	2,4	0,0	1,5

	Alemania	Argentina	Brasil	Canadá	España	México	Total
Niveles recorridos en total							
Uno	58,6	26,3	12,0	48,1	17,8	22,4	27,1
Dos	37,9	55,3	66,0	40,7	66,7	55,2	55,9
Tres	3,4	15,8	22,0	11,1	15,6	20,7	16,2
Cuatro	0,0	2,6	0,0	0,0	0,0	1,7	0,8
Niveles recorridos antes de 1998							
Uno	71,0	55,3	70,0	89,3	76,1	70,4	71,3
Dos	29,0	42,1	30,0	10,7	19,6	29,6	27,5
Tres	0,0	2,6	0,0	0,0	4,3	0,0	1,2
Cuatro	0,0	0,0	0,0	0,0	0,0	0,0	0,0
(N)	42	70	79	39	53	94	377

Fuente: base de datos de la autora, a partir de información institucional sobre presidentes municipales y regionales.

Sin embargo, para distinguir entre patrones de carrera, junto con el primer y el último cargo público, cabe prestar atención a la movilidad entre niveles llevada a cabo entre esos dos momentos del tiempo (Tabla 3.8). A este respecto, y dado que el universo de estudio lo conforma un grupo concreto de la élite subestatal[22], con opciones de saltar a la política nacional, el número de niveles por los que transitan a lo largo de su carrera puede arrojar luz sobre la regionalización o nacionalización de las trayectorias. Así, el hecho de distinguir entre los niveles recorridos a lo largo de toda

---

22 Esta cuestión es importante, debido a que, en su condición de presidentes regionales y municipales de las principales ciudades de cada entidad, la visibilidad, recursos y posibilidades de promoción les diferencia de las condiciones poseídas por otras élites subestatales, como presidentes municipales de localidades pequeñas o cargos del Legislativo. Por ello, se asume que constituyen un grupo que, en principio, cuentan con ventajas comparativas respecto a otras élites locales y/o regionales.

la carrera y los transitados únicamente hasta 1998 responde al objetivo de observar si ocupar una presidencia municipal o regional abre la puerta a nuevos niveles institucionales —especialmente en el nacional— o si las entidades subestatales constituyen un ámbito en el que profesionalizarse.

En ese sentido, resulta bastante esclarecedor el hecho de que mientras que cuando se contempla la carrera en conjunto predomina el porcentaje de individuos que se han desempeñado en dos niveles, cuando se observan los datos correspondientes al período anterior a 1998, la mayoría se encuentran en la categoría "sólo un nivel". En consecuencia, de los datos de la carrera en conjunto pueden extraerse tres conclusiones: primero, se confirma de nuevo que los ámbitos subestatales suponen un espacio para la acumulación de capital en el inicio de la carrera política. Segundo, que es después de haber ocupado la presidencia municipal o regional cuando una parte de ellos transita hacia otro nivel de Gobierno, lo que permite deducir que ocupar el Ejecutivo se convierte en una ventana de oportunidad para promocionar a otros cargos. Y que, por lo general, los políticos no suelen transitar por todos los niveles de gobierno. De esta manera, el predominio de carreras binivel parece apuntar a que los políticos tienden a moverse entre niveles próximos: de lo local a lo regional o de lo regional a lo estatal y viceversa.

No obstante, de nuevo la excepción la constituyen Canadá y Alemania, siendo casos en los que tanto antes como después de 1998 predominan los políticos que desarrollan su carrera en un único nivel, lo que abre la puerta a dos tipos de hipótesis que se verificarán en los siguientes capítulos: a) en estos países el porcentaje de carreras horizontales es superior a la media porque las estructuras de oportunidad para saltar de nivel son menores que en otros casos y existen barreras para la movilidad o b) los incentivos para desarrollar una carrera a nivel subestatal son iguales o mayores a los costes asociados a cambiar de nivel de gobierno.

Respecto a la dimensión temporal, la Tabla 3.9. muestra que la duración media de las carreras es similar en todos los países estudiados, oscilando en una horquilla comprendida entre los veinte y los veinticinco años. En ese sentido, el valor máximo lo alcanza México (25 años), mientras que las carreras más cortas son la de los políticos canadienses (20,8 años). Esto muestra que, en la mayoría de los casos, aquellos que optan por la carrera política, terminan haciendo de ello una profesión a la que se dedican en exclusiva durante un tiempo importante de su vida laboral. De hecho, esto se corrobora cuando se atiende al dato sobre la continuidad en la carrera. En todos los casos, el porcentaje es muy elevado, superior al 85%. Estos datos también están en consonancia con los argumentos desarrollados en la literatura tanto sobre ambición como sobre profesionalización y capital político, en la que se asume que el político, a lo largo del tiempo del tiempo va capitalizando recursos con el objetivo de progresar en su carrera y culminarla de la manera más satisfactorialmente posible para sus intereses (Schlesinger, 1966; Joignant; 2015). De este modo, el ejercicio de la política parece convertirse en una carrera de fondo que se prolonga en el tiempo.

Tabla 3.9. Duración media de la carrera y continuidad de los que ocuparon la presidencia municipal y regional en 1998

	Alemania	Argentina	Brasil	Canadá	España	México	Total
Duración media	22,2	24,5	24,7	20,8	23,9	25,0	23,4
Máximo	45,0	54,0	57,0	45,0	43,0	61,0	61,0
Mínimo	1,0	3,0	13,0	6,0	5,0	3,0	1,0
Desviación típica	11,4	9,4	9,7	9,8	11,4	10,6	10,0
Continuidad	100,0	97,4	86,0	92,9	95,8	94,6	93,9
(N)	42	70	79	39	53	94	377

Fuente: base de datos de la autora, a partir de información institucional sobre presidentes municipales y regionales.

No obstante, la continuidad en la trayectoria política no se traduce necesariamente en una continuidad en el cargo. Así, pese a que uno de los supuestos clásicos de la literatura sobre élites es las ventajas con las que parten los *incumbents* a la hora de ser reelectos (Borchert, 2011), el hecho de desear desarrollar una larga carrera en política no implica necesariamente ejercerla en el mismo cargo. Es más, a lo largo de la carrera puede darse una combinación de cargos de distinta naturaleza, ejercidos en diferentes poderes o en distintos niveles.

Respecto a la naturaleza del cargo, la Tabla 3.10 muestra que sí que existe un predominio de cargos de elección popular, lo que puede explicarse, en primer lugar, en términos numéricos: la mayor parte de los cargos públicos tienen una naturaleza electoral[23]. Asimismo, cabe tener en cuenta que los cargos de designación están más sujetos al partido en el poder y a la posición del individuo en términos de reputación, confianza o cercanía con el jefe del Ejecutivo (Alcántara, 2012). Esto es, mientras que, por ejemplo, un legislador puede ser electo pese a que su partido no esté en el Gobierno o un alcalde puede contar con la mayoría de los votos, aunque su partido no gobierne en su región o país, los cargos de confianza son repartidos generalmente entre miembros cercanos al jefe del Ejecutivo.

[23] Por ejemplo, para el caso de España, en 2016 el número de cargos de elección popular es de 70.451 de los 122.021 cargos totales contando los siguientes niveles: local, provincial, autonómico, central y europeo. En segundo lugar se encuentran los asesores legislativos y ejecutivos (23.502), los altos cargos del Gobierno (2.283) y los desempeñados en otros organismos (25.695). Fuente: Parlamentos, Gobiernos, Informes del Tribunal de Cuentas y del Ministerio de Economía (Inventario de Entes del Sector Público Estatal).

Tabla 3.10. Naturaleza de los cargos ejercidos por aquellos que ocuparon la presidencia municipal y regional en 1998 (%)

	Alemania	Argentina	Brasil	Canadá	España	México	Total
Predominio elección popular	88,7	79,6	93,4	76,4	88,1	67,4	82,4
Predominio designación	11,3	15,5	0,0	15,3	2,3	21,6	10,8
Predominio cargos orgánicos	0,0	4,9	6,6	8,3	9,6	8,0	5,0
(N)	42	70	79	39	53	94	377

Fuente: base de datos de la autora, a partir de información institucional sobre presidentes municipales y regionales

Por último, destacar que los cargos orgánicos son los que cuentan con un menor porcentaje. Ello se explica por la propia naturaleza de los partidos, los cuales raramente se convierten en un fin en sí mismo para el desarrollo de la carrera, sino que constituyen un espacio de socialización política, adquisición de capital y el canal a través del cual articular la competencia (Montero y Gunther, 2007).

En cuanto a los poderes en los que se desarrolla la carrera, la Tabla 3.11. muestra que la mayor parte de los presidentes regionales y municipales se han desempeñado sólo en el Ejecutivo o mayoritariemente en este poder, lo que permite hablar de una suerte de "especialización" en las trayectorias de los políticos que puede ser fruto, a su vez, de las diferencias entre legisladores y cargos ejecutivos en el acceso a distintos tipos de capital, la adquisición de diferentes capacidades y el establecimiento de diferentes redes. De igual modo, puede inferirse que la élite estudiada siente mayor inclinación hacia el poder Ejecutivo, instancia particularmente atractiva dada su mayor visibilidad, acceso a recursos y poder de decisión, lo cual suele hacerlo más codiciado dentro del ámbito político (Borchert, 2011).

Tabla 3.11. Poderes en los que desarrollaron la carrera aquellos que ocuparon la presidencia municipal y regional en 1998 (%)

	Alemania	Argentina	Brasil	Canadá	España	México	Total
Sólo Ejecutivo	20,0	40,9	34,6	33,3	5,9	42,9	31,7
Predominio Ejecutivo	66,7	36,4	30,8	50,0	64,7	35,7	44,2
Predominio Legislativo	13,3	22,7	34,6	16,7	29,4	21,4	24,2
(N)	42	70	79	39	53	94	377

Fuente: base de datos de la autora, a partir de información institucional sobre presidentes municipales y regionales.

Ahora bien, estas carreras sólo o predominantemente ejecutivas, ¿se ejercen únicamente en un nivel de gobierno o es habitual la movilidad entre arenas? La Tabla 3.12. viene a corroborar algunas de las evidencias presentadas hasta el momento. Por un lado, Alemania y Canadá son los casos en los que predominan las carreras mononivel Ejecutivas. Con ello, confirman el predominio de este poder en la trayectoria de gobernadores y alcaldes a la par que resaltan la mayor vinculación con un único nivel de gobierno: el local o el regional. Ello los convierte en países en los que, en principio, el ámbito subestatal es el principal espacio para la profesionalización de alcaldes y gobernadores.

Tabla 3.12. Características de la carrera de los que ocuparon la presidencia municipal y regional en 1998 (%)

	Alemania	Argentina	Brasil	Canadá	España	México	Total
Tipo de carrera							
Mononivel Ejecutivo	38,7	17,9	12,2	36,9	8,7	14,8	19,8
Mononovel con predominio Ejecutivo	22,6	5,1	0,0	17,9	4,3	0,0	6,5

	Alemania	Argentina	Brasil	Canadá	España	México	Total
Mononivel con predominio Legislativo	0,0	2,6	0,0	7,1	2,2	0,0	1,6
Binivel Ejecutivo	6,5	20,5	16,3	7,1	6,5	24,1	14,6
Binivel con predominio Ejecutivo	12,9	12,8	18,4	14,3	30,4	22,2	19,4
Binivel con predominio Legislativo	3,2	17,9	30,6	7,1	22,1	25,9	20,6
Multinivel Ejecutivo	0,0	10,3	2,0	3,6	4,4	3,7	3,2
Multinivel con predominio Ejecutivo	9,7	12,8	12,2	6,0	13,0	9,3	10,1
Multinivel con predominio Legislativo	6,5	0,0	8,2	0,0	8,7	0,0	4,0
Sentido de la carrera							
Ascendente	21,4	40,5	42,6	25,9	22,9	26,4	28,0
Descendente	10,7	5,4	8,5	7,4	22,9	20,8	15,5
Horizontal	58,6	26,3	12,0	61,9	17,8	22,4	27,1
Zigzag	9,3	27,8	36,9	4,8	36,4	30,4	29,4
(N)	42	70	79	39	53	94	377

Fuente: base de datos de la autora, a partir de información institucional sobre presidentes municipales y regionales

Para los cuatro países restantes, el tipo de carrera predominante es binivel, únicamente Ejecutiva o con predominio de cargos Ejecutivos. No obstante, pueden identificarse algunas particularidades. Por un lado, Brasil y España presentan el mayor porcentaje de carreras multinivel. Asimismo, son los dos casos donde se encuentra el mayor número de individuos que cuentan con carreras con un predominio del poder Legislativos —en términos agregados, sumando las categorías mononivel, binivel y multinivel—. Así, aunque mayoritariamente siguen los patrones de México y Argentina, son los casos en los que existe un mayor porcentaje de individuos que se separan de la tendencia general.

En el caso de España puede explicarse por su condición de sistema parlamentario, lo cual convierte al Legislativo en el canal de entrada y desarrollo de la carrera de muchos de sus políticos. En ese sentido, puede que aquellos que integran este grupo saltaran al Ejecutivo al final de su carrera o de manera circunstancial[24]. Para el caso brasileño, Samuels (2002) señala que poseer un escaño en el Congreso Federal es un "peldaño" en la ruta a cargos más apetecidos a nivel subestatal, como el de gobernador o alcalde.

En cuanto al sentido de la carrera, Alemania y Canadá muestran un claro predominio de carreras horizontales, lo cual es consistente con los datos presentados hasta el momento. Por su parte, Argentina es el mejor ejemplo de "carrera trampolín", con una dirección vinculada a la carrera ascendente. Esto coincide con lo expuesto en otros trabajos, sobre todo centrados en la figura de los gobernadores argentinos, en los que se constata que ocupar la gubernatura es un paso clave para dar el salto al Ejecutivo Federal, ya sea en cargos de designación o, incluso, ocupando la presidencia de la República (Lodola, 2009; González, 2014)[25].

---

24 Pese a que Canadá y Alemania comparten también sistemas parlamentarios, el hecho de que la mayor parte de las carreras sean mononivel puede restar importancia a esta variable, al "especializarse" pronto en el poder Ejecutivo.

25 En este sentido, tres de los gobernadores recogidos en el universo de estudio de esta investigación acabaron ocupando la Presidencia de la República Argentina: Fernando de la Rúa, Jefe de Gobierno de la Ciudad Autónoma de Buenos Aires (1996-1999); Eduardo Duhalde, Gobernador de la provincia de Buenos Aires (1991-1999), y Néstor Kirchner, Gobernador de Santa Cruz (1991-2003).

Brasil presenta también un predominio de carreras ascendentes, aunque es remarcable que más de un tercio de sus presidentes municipales y regionales siguieron un itinerario en zizgzag. A este respecto, las reglas partidarias alientan el individualismo político apartidario, lo cual desemboca en patrones de carrera dinámicos en los que existe una mayor movilidad entre niveles en función de las estructuras de oportunidad existentes (Lodola, 2009). En suma, todo ello genera una reconfiguración constante de las ambiciones, que se materializa en tendencias variantes a lo largo de la carrera.

Situación contraria de la que ocurre en España, donde si bien es cierto que se da un porcentaje similar al brasileño para las carreras en ziz zag, es la existencia de partidos políticos institucionalizados que generan incentivos para la obediencia, la que puede ir trazando el rumbo en la carrera de sus miembros, postulándoles para cargos en diferentes niveles en función de las estructuras de oportunidad dadas[26]. Por último, México es el que presenta un perfil más heterogéneo en el sentido de la carrera, lo cual se explica por la condición de no reelección, lo que a su vez obliga a los individuos a ir transitando entre diferentes cargos a lo largo de toda su carrera.

26 A este respecto, puede citarse el ejemplo de los llamados candidatos "paracaidistas" o "cuneros" —nombre tomado del período de la Restauración Borbónica—, los cuales son presentados por sus partidos en distritos electorales a los que no pertenecen.

Tabla 3.13. Salida de la política de los que ocuparon la presidencia municipal y regional en 1998 (%)

	Alemania	Argentina	Brasil	Canadá	España	México	Total
Actualmente en política							
Sí	65,7	42,6	59,1	50,0	38,7	60,0	54,8
No	34,3	57,4	40,9	50,0	61,3	40,0	45,2
(N)	42	70	79	39	53	94	377
Causa salida							
Derrota electoral	15,0	6,7	26,7	21,1	9,0	13,1	13,3
Escándalo/expulsión	15,0	26,7	6,7	26,7	12,6	12,6	16,2
Fallecimiento/ enfermedad	15,0	33,3	40,0	5,0	0,0	12,6	17,1
Jubilación	5,0	20,0	13,3	5,0	27,8	6,7	16,2
Otra actividad profesional	50,0	13,3	13,3	42,2	48,6	57	37,1
(N)	14	39	31	19	32	37	170
Ocupación posterior							
Abogado	25,0	100,0	0,0	0,0	11,1	16,7	32,5
Empresa privada	69,9	0,0	43,3	75	66,7	33,3	35,5
Funcionario	0,0	0,0	0,0	0,0	0,0	0,0	0,0
ONG/Fundación	5,1	0,0	0,0	0,0	22,2	25,0	14,9
Organismo internacional	0,0	0,0	24,7	0,0	0,0	8,3	4,7
Periodista	0,0	0,0	7,3	0,0	0,0	0,0	0,3
Profesor universidad	0,0	0,0	24,7	25,0	0,0	16,7	12,1
(N)	7	5	4	11	8	21	63

Fuente: base de datos de la autora, a partir de información institucional sobre presidentes municipales y regionales

Por último, reconstruir la carrera política en conjunto implica prestar atención a la salida de esta (Tabla 3.13.). El primer dato por remarcar es que, dado que el universo de estudio lo configuran individuos en el ejercicio del cargo hace casi veinte años, casi el 50% ya han abandonado la actividad pública. Ello permite contar con un número lo suficientemente alto como para poder extraer conclusiones sobre cómo salen y a dónde van los que dejan la política. En ese sentido, se pueden identificar dos grandes grupos: aquellos que la abandonan al final de su vida profesional —jubilación— o por enfermedad o fallecimiento y los que dejan la política para dedicarse a otra actividad profesional. Los otros dos supuestos suponen casos menos frecuentes.

De este modo, por un lado, para algo más de un tercio de los sujetos estudiados la política se convierte en la última actividad profesional desempeñada, sin que se rentabilice el paso por cargos públicos, más allá de la satisfacción personal y la experiencia acumulada. O, en el caso de que se rentabilice, se hará a través de una transferencia a terceros del capital acumulado (Alcántara, 2012)[27]. Este hecho, no obstante, no es óbice para que políticos retirados aparezcan en medios de comunicación u opinen públicamente sobre la realidad política, económica o social que afecta a sus países o regiones.

Por otro lado, están aquellos que abandonan la política para dedicarse a otra actividad profesional. Esta puede ser la ejercida antes de entrar en política —para el universo de estudio de la investigación, esta es predominantemente la abogacía—, lo cual volvería a considerarse un supuesto de no rentabilización de esta, o una distinta, lo que permite hablar de "puertas giratorias". Del 37% de los que abandonaron la política para dedicarse a otra actividad, cerca del 20% pasaron a ámbitos próximos a la política, como es el caso del trabajo en organismos internacionales o fundaciones. Sin embargo, más de un tercio dio el salto a la empresa privada.

---

27 Esta transferencia se puede realizar, por ejemplo, a cónyuges o descendientes, quien pueden beneficiarse de la popularidad, reputación o redes de contactos de familiares.

Ello se explica, en primer lugar, porque los políticos cuentan con una visibilidad pública que les convierte en sujetos socialmente conocidos y mediáticamente valiosos. En segundo lugar, porque poseen habilidades en el ámbito de la negociación y el debate, de la gestión de la crisis o de situaciones de conflicto, de la comunicación y del trato con la opinión pública, del manejo de equipos humanos y de la posesión de una visión estratégica. Por último, la posesión de una agenda de contactos les permite introducirse en redes sociales y económicas tanto nacionales como internacionales, los cuales facilitan la integración en lobbies.

Las carreras políticas de los que ostentaron el poder municipal y regional

Tras analizar los datos a nivel agregado, resulta pertinente indigar si, dentro del ámbito subestatal, quienes desempeñaron funciones ejecutivas a nivel municipal y regional exhiben perfiles diferenciados en sus trayectorias o si, por el contrario, replican patrones comunes. Con tal comparación el objetivo es profundizar en el conocimiento sobre las características que definen a las élites políticas locales y regionales, atendiendo tanto a sus similitudes como a sus posibles divergencias entre ambos niveles institucionales.

En ese sentido, y centrando la atención en el ámbito municipal, una gran parte de la literatura clásica sobre las élites tendió a considerar que la naturaleza de la democracia local se veía unívocamente determinada por el conjunto de reglas del juego definidas constitucionalmente (Rodrigues-Silveira, 2011). Desde esta perspectiva, lo ocurrido en el nivel local era interpretado como un simple recipiente en el que se vertían los modelos y dinámicas sucedidas en el centro del sistema. Sin embargo, en los últimos años algunos académicos comenzaron a señalar la existencia de disparidades entre las dinámicas desarrolladas en el nivel nacional y las acontecidas en los niveles inferiores de gobierno (Cornelius y Hindley, 1999; Gibson, 2007).

Si se extrapola este argumento a la cuestión de las carreras políticas, la pregunta que surge vuelve a llevarnos al inicio de este capítulo: ¿conforman los presidentes municipales un tipo de élite con características propias? Para poder dar respuesta a esta pregunta, en el presente epígrafe se comparan los datos recogidos para los presidentes municipales y regionales que estaban en el ejercicio de su cargo en el año 1998 con los datos agregados que se presentaron en el epígrafe anterior.

A) Canal de acceso a la carrera política

Para conocer los factores que facilitaron el ingreso a la vida política, en primer lugar, se analizan los canales de acceso inicial. Tal como muestra la Tabla 3.14, en términos generales, se confirma el patrón observado en el análisis agregado: las instituciones representativas constituyen, con claridad, la vía predominante para iniciar una carrera política. No obstante, al desagregar los datos por nivel de gobierno, emergen diferencias relevantes entre quienes ocuparon la presidencia municipal y aquellos que llegaron a la jefatura del ejecutivo regional.

Tabla 3.14. Canal de acceso a la carrera política de los que ocuparon la presidencia municipal y regional en 1998 (%)

	Alemania		Argentina		Brasil		Canadá		España		México		Total	
	P. M.	P. R.	P. M.	P. R.	P. M.	P. R.	P. M.	P. R.	P. M.	P. R.	P. M.	P. R.	P. M.	P. R.
Inst. Repres.	87,5	86,7	68,8	100	84,0	100	100	75,0	93,5	85,7	53,6	85,7	80,3	93,1
Admón. pública	6,3	6,7	25,0	0,0	16,0	0,0	6,5	25,0	6,5	14,3	32,1	14,3	15,2	6,0
Cargos orgánicos	6,3	6,7	6,3	0,0	0,0	0,0	0,0	0,0	0,0	0,0	14,3	0,0	4,5	0,9
(N)	26	16	46	24	52	27	26	13	34	19	62	32	246	131

Fuente: base de datos de la autora, a partir de información institucional sobre presidentes municipales y regionales.

En el ámbito municipal, se observa un ligero incremento —del 5% respecto al dato agregado— de los individuos que accedieron a la política desde la Administración Pública. Esta tendencia resulta especialmente visible en países como México y Argentina, donde el porcentaje alcanza el 32,1% y 25%, respectivamente. Este fenómeno puede estar vinculado con el rol operativo que desempeñan los gobiernos locales, encargados de implementar servicios y ejecutar políticas públicas en estrecho contacto con la ciudadanía (Andrenacci, 2001). En este contexto, la proximidad del municipio a la sociedad abre oportunidades para que ciertos perfiles técnicos o administrativos den el salto a cargos de representación.

Por el contrario, en el nivel regional, si bien las instituciones representativas continúan siendo el principal canal de entrada, el peso de la Administración Pública como ruta de acceso disminuye notablemente. A diferencia de los alcaldes, los gobernadores rara vez comenzaron su trayectoria en ámbitos administrativos, lo que pone de relieve el carácter marcadamente político de sus carreras desde el inicio. Esta distinción sugiere que, mientras el nivel municipal puede ofrecer un punto de partida más permeable para actores provenientes del aparato burocrático, la presidencia regional tiende a reservarse para trayectorias más definidas dentro de la lógica partidaria y electoral.

B) Recorrido de las carreras

El análisis de los datos recogidos en la Tabla 3.15 permite identificar distintos modelos de trayectoria política según el país, reflejo de diferencias tanto estructurales como culturales en los respectivos sistemas institucionales. Al observar el recorrido de las carreras de quienes ocuparon la presidencia municipal y regional en 1998, se evidencian patrones contrastantes en términos de nivel de inicio, movilidad y punto final de sus trayectorias.

Tabla 3.15. Recorrido de las carreas de los que ocuparon la presidencia municipal y regional en 1998 (%)

	Alemania		Argentina		Brasil		Canadá		España		México		Total	
	P. M.	P. R.	P. M.	P. R.	P. M.	P. R.	P. M.	P. R.	P. M.	P. R.	P. M.	P. R.	P. M.	P. R.
Primer caso público														
Municipal	76,5	26,7	56,3	40,9	52,0	44,0	81,3	0,0	64,5	17,6	60,7	18,5	63,9	27,1
Regional	5,9	46,7	12,5	50,0	40,0	12,0	12,5	75,0	12,9	41,2	7,1	37,0	15,8	46,4
Estatal	17,6	26,7	31,3	9,1	8,0	44,0	6,3	25,0	22,6	41,2	32,1	44,5	20,3	26,3
Supraestatal	0,0	0,0	0,0	0,0	0,0	0,0	0,0	0,0	0,0	0,0	0,0	0,0	0,0	0,0
Último cargo público obtenido														
Municipal	55,6	0,0	25,0	0,0	11,8	4,5	66,7	0,0	16,7	0,0	9,5	0,0	22,4	0,9
Regional	11,1	62,5	25,0	40,0	29,4	40,9	0,0	58,3	16,7	47,1	14,3	40,0	17,6	45,7
Estatal	33,3	37,5	50,0	55,0	58,8	54,5	33,3	33,3	62,5	52,9	76,2	60,0	58,8	51,7
Supraestatal	0,0	0,0	0,0	5,0	0,0	0,0	0,0	8,3	4,2	0,0	0,0	0,0	1,2	1,7
Niveles recorridos antes de 1998														
Uno	81,3	93,3	81,3	36,4	72,0	68,0	61,5	66,7	74,2	47,1	68,2	77,8	77,5	64.4
Dos	18,7	6,7	18,7	59,1	28,0	32,0	38,5	33,3	19,4	52,9	32,0	22,2	20,9	34,7
Tres	0,0	0,0	0,0	4,5	0,0	0,0	0,0	0,0	6,5	0,0	0,0	0,0	1,6	0,8
Cuatro	0,0	0,0	0,0	0,0	0,0	0,0	0,0	0,0	0,0	0,0	0,0	0,0	0,0	0,0
Niveles recorridos en total														
Uno	78,6	46,7	31,3	22,7	16,0	8,0	80,0	50,0	20,0	11,8	17,2	11,1	33,3	21,2
Dos	21,4	20,0	56,3	54,5	76,0	56	20,0	41,7	66,7	52,9	75,9	66,7	58,9	51,7
Tres	0,0	33,3	12,5	18,2	8,0	36	0,0	8,3	13,3	29,4	6,9	22,2	7,8	25,4
Cuatro	0,0	0,0	0,0	4,5	0,0	0,0	0,0	0,0	0,0	5,9	0,0	0,0	0,0	1,7
(N)	26	16	46	24	52	27	26	13	34	19	62	32	246	131

Fuente: base de datos de la autora, a partir de información institucional sobre presidentes municipales y regionales.

En primer lugar, países como Alemania, Argentina y Brasil se caracterizan por trayectorias más orientadas hacia los niveles superiores desde etapas tempranas. En el caso alemán, por ejemplo, el 46,7 % de los presidentes regionales comenzó su carrera política en ese mismo nivel, y un 26,7 % en el estatal, lo que sugiere una menor dependencia del nivel municipal como etapa formativa. Una lógica similar puede observarse en Argentina y Brasil, donde el acceso directo a cargos regionales o estatales es frecuente, configurando un modelo de ascenso más vertical. Por el contrario, en contextos como Canadá, España y México, predomina el municipio como punto de partida: en estos países, más del 60 % de los dirigentes iniciaron su andadura política en ese ámbito, consolidando un modelo más gradual de progresión institucional.

Estas diferencias también se reflejan al considerar el último cargo público ejercido antes de 1998. Mientras que en España y México se observa una clara orientación hacia culminar la carrera en los niveles estatal o regional —en particular, el caso mexicano destaca por el hecho de que el 76,2 % de los presidentes regionales proviene del ámbito estatal—, en países como Alemania y Canadá persiste una mayor estabilidad en el nivel local, donde numerosos actores permanecen hasta el final de su trayectoria. Esto último podría interpretarse como una mayor profesionalización del ámbito municipal, donde el ejercicio de responsabilidades locales no necesariamente se concibe como un escalón hacia esferas superiores, sino como un fin en sí mismo.

Además, el número de niveles institucionales recorridos ofrece información valiosa sobre la complejidad y extensión de las trayectorias. En ese sentido, España y México presentan carreras más diversificadas, con una proporción significativa de individuos que han transitado por dos o incluso tres niveles. En cambio, en Alemania, Argentina y Brasil predominan las trayectorias más lineales, limitadas a un solo nivel, lo cual puede estar asociado tanto a las características del diseño institucional como a dinámicas partidarias o normas culturales que restringen el salto entre escalones de gobierno.

Por su parte, también es interesante comprobar el dato sobre el último cargo público ocupado. Mientras que en el caso de los alcaldes había un predominio del nivel estatal, para los gobernadores los porcentajes se reparten de manera más homogénea entre la esfera regional y la nacional. Así, pese a que Canadá y Alemania vuelven a ser los países donde se da una mayor regionalización, en los otros países se incrementa el porcentaje de aquellos que terminan su carrera en el nivel intermedio de gobierno. De la misma forma, aunque el atractivo de los cargos se abordará en el Capítulo 8, estos datos dan un primer indicio de que el nivel regional, en principio, resulta más atractivo para quedarse que el local.

Sin embargo, también debe señalarse que en los gobernadores se incrementa el porcentaje de individuos que transitan por tres niveles a lo largo de su carrera. Ello matiza la afirmación anterior, ya que si bien es cierto que aumenta el número de políticos que terminan su carrera en el mismo nivel en el que ejercieron la presidencia, también es cierto que presentan una mayor movilidad que los presidentes municipales. Si se toma la noción de capital institucional de Borchert (2011), permite hablar de los gobernadores como individuos con un mayor capital político en este ámbito, debido a su tránsito por más oficinas.

C) Duración media de la carrera

En cuanto a la dimensión temporal de las trayectorias, los datos presentados en la Tabla 3.16 confirman una tendencia generalizada hacia la profesionalización de la actividad política, tanto a nivel municipal como regional. En el ámbito local, los presidentes municipales muestran carreras prolongadas en el tiempo, caracterizadas por una notable continuidad. Al igual que en los resultados agregados, la intermitencia en la participación política es escasa, lo que indica que quienes acceden a la presidencia municipal tienden a permanecer de forma sostenida en la esfera política a lo largo de su vida profesional.

Tabla 3.16. Duración media de la carrera de los que ocuparon la presidencia municipal y regional en 1998 (%)

	Alemania		Argentina		Brasil		Canadá		España		México		Total	
	P. M.	P. R.	P. M.	P. R.	P. M.	P. R.	P. M.	P. R.	P. M.	P. R.	P. M.	P. R.	P. M.	P. R.
Dur. media	23,0	21,4	20,4	26,6	20,8	28,4	20,2	22,3	22,0	25,2	20,5	27,4	21,2	25,9
Máximo	39,0	45,0	36,0	54,0	32,0	57,0	34,0	45,0	35,0	43,0	39,0	61,0	39,0	61,0
Mínimo	1,0	6,0	3,0	5,0	1,0	13,0	10,0	6,0	5,0	9,0	3,0	3,0	1,0	3,0
Desv. típica	10,8	10,7	8,3	10,2	6,9	12,2	7,8	13,6	7,3	11,1	9,0	11,2	8,2	11,4
Continuidad	100	100	100	95,5	80,0	92,0	87,5	100	92,9	100	93,3	100	91,8	97,5
(N)	26	16	46	24	52	27	26	13	34	19	62	32	246	131

Fuente: base de datos de la autora, a partir de información institucional sobre presidentes municipales y regionales

Este mismo patrón se reproduce en el caso de los presidentes regionales. También en este nivel, la trayectoria se extiende de manera continuada y la interrupción en el ejercicio de cargos políticos es prácticamente marginal. Aunque ambos niveles comparten esta dimensión temporal de estabilidad y permanencia, resulta significativo destacar que, en contextos institucionales diversos, la política sigue desempeñando un papel central y duradero en las trayectorias vitales de quienes logran alcanzar posiciones ejecutivas, ya sea en el ámbito municipal o regional.

D) Naturaleza de los cargos ejercidos

Tampoco en lo que respecta a la naturaleza de los cargos ocupados se observan diferencias significativas entre los presidentes municipales y los resultados agregados del conjunto de la muestra (Tabla 3.17). La mayoría de quienes alcanzaron la presidencia local construyeron su trayectoria política principalmente a través de cargos de elección popular, fruto de procesos competitivos en los que resultaron vencedores. Como única excepción digna de mención, destaca el caso argentino, donde un 26,7 % de los presidentes municipales desarrollaron carreras marcadas por un predominio de cargos de designación. Esta particularidad podría interpretarse como una señal de que, en ciudades relevantes, el ejercicio de la intendencia permite acumular capital político que luego es aprovechado para acceder a puestos de confianza o de nombramiento directo. No obstante, esta no constituye una pauta general ni siquiera dentro del propio país, y su relevancia disminuye aún más en una perspectiva comparada.

Tabla 3.17. Naturaleza de los cargos ejercidos por aquellos que ocuparon la presidencia municipal y regional en 1998 (%)

	Alemania		Argentina		Brasil		Canadá		España		México		Total	
	P. M.	P. R.	P. M.	P. R.	P. M.	P. R.	P. M.	P. R.	P. M.	P. R.	P. M.	P. R.	P. M.	P. R.
Predominio elección popular	94,1	80,0	73,3	91,7	96,0	88,0	81,3	66,6	96,4	73,3	66,6	69,0	85,7	76,3
Predominio designación	5,9	20,0	26,7	0,0	0,0	0,0	18,8	8,3	3,6	0,0	16,7	31,0	9,0	14,2
Predominio cargos orgánicos	0,0	0,0	13,3	8,3	4,0	12,0	0,0	25,0	0,0	26,7	16,7	0,0	5,2	8,5
(N)	26	16	46	24	52	27	26	13	34	19	62	32	246	131

Fuente: base de datos de la autora, a partir de información institucional sobre presidentes municipales y regionales.

A nivel regional, se mantiene igualmente la primacía de los cargos electivos como base de las trayectorias políticas. Sin embargo, el porcentaje de carreras con predominio de cargos de designación es sensiblemente mayor que entre los presidentes municipales. Esta diferencia puede estar asociada al papel estratégico que desempeñan los gobernadores dentro del sistema político, así como a su mayor proximidad con el poder federal, lo que facilita su incorporación posterior a ministerios o secretarías a través de mecanismos no electorales (Modoux, 2006). En ese sentido, aunque la competición electoral continúa siendo el canal dominante para el acceso y la permanencia en política, el nivel regional presenta una mayor permeabilidad hacia posiciones de designación, revelando una lógica de trayectoria algo distinta y más conectada con el aparato estatal central.

E) Poderes en los que desarrollaron la carrera

Con relación a los poderes por los que transitaron, la Tabla 3.18. tampoco se distancia mucho de la presentada a nivel agregado para presidentes locales y regionales. En el caso de quienes ocuparon la presidencia municipal, el Ejecutivo continúa siendo el espacio predominante de desempeño. De hecho, en comparación con los datos globales, se observa una reducción de más de diez puntos porcentuales en el número de individuos cuya carrera estuvo centrada en el ámbito legislativo. Este descenso puede interpretarse como una señal de que los perfiles con una experiencia legislativa consolidada —ya sea en parlamentos nacionales o regionales— tienden a no transitar hacia el nivel local, bien porque optan por mantenerse en sus cargos actuales o porque dirigen sus aspiraciones hacia posiciones de mayor jerarquía o distinta naturaleza.

Tabla 3.18. Poderes en los que se desarrollaron la carrera aquellos que ocuparon la presidencia municipal y regional en 1998 (%)

	Alemania		Argentina		Brasil		Canadá		España		México		Total	
	P. M.	P. R.	P. M.	P. R.	P. M.	P. R.	P. M.	P. R.	P. M.	P. R.	P. M.	P. R.	P. M.	P. R.
Solo Ejecutivo	76,5	26,7	73,3	40,9	68,0	28,0	87,5	41,7	43,5	33,3	73,4	13,8	70,9	28,8
Predominio Ejecutivo	11,8	46,7	13,3	36,4	20,0	36,0	6,3	50,0	32,1	26,7	13,3	69,0	17,9	45,8
Predominio Legislativo	1,8	26,7	13,3	22,7	12,0	36,0	6,3	8,3	14,3	40,0	13,3	17,2	11,2	25,4
(N)	26	16	46	24	52	27	26	13	34	19	62	32	246	131

Fuente: base de datos de la autora, a partir de información institucional sobre presidentes municipales y regionales.

Por el contrario, al analizar las trayectorias de los presidentes regionales, aunque también se mantiene el predominio del Ejecutivo como núcleo de la carrera, se constata un incremento significativo en la presencia de etapas legislativas. Esta tendencia es especialmente evidente en países como España y Brasil. En el caso español, la explicación se encuentra en la lógica propia del régimen parlamentario, donde el paso por cámaras legislativas autonómicas es un requisito habitual para acceder al poder ejecutivo regional. En el contexto brasileño, por su parte, el Legislativo federal actúa como una cantera clave para la formación de liderazgos que posteriormente se proyectan hacia cargos ejecutivos subnacionales. En conjunto, esta mayor conexión con el poder legislativo en las trayectorias regionales evidencia una diferencia estructural respecto al ámbito municipal, sugiriendo no solo trayectorias más diversificadas, sino también una lógica distinta de acumulación de experiencia y capital político según el nivel institucional ocupado.

F) Características de la carrera

Por lo que respecta a la combinación entre poderes ejercidos y niveles de gobierno transitados, se observan patrones diferenciados según el ámbito analizado. A nivel municipal, Alemania y Canadá siguen destacando por la prevalencia de trayectorias mononivel centradas en el poder ejecutivo, lo que revela una profesionalización localizada en la gestión municipal. En contraste, en el resto de los países predominan las carreras binivel, aunque con una particularidad notable frente a los datos agregados: se reduce significativamente el número de individuos con trayectorias multinivel. Esta disminución puede explicarse, como ya se señaló en la Tabla 3.19., por el hecho de que muchos alcaldes de grandes ciudades que logran dar el salto al nivel nacional lo hacen sin pasar previamente por la esfera regional. Además, se constata una caída en la proporción de presidentes municipales cuya carrera se desarrolló principalmente en el ámbito legislativo, reforzando la idea de una orientación predominantemente ejecutiva y de base territorial. Por otro lado, el sentido de la trayectoria no presenta grandes variaciones, manteniéndose la tendencia general hacia carreras de tipo escalera, con una lógica ascendente.

Empero, al observar la trayectoria de quienes ocuparon la presidencia regional, se advierten algunas dinámicas distintas. También aquí predominan las carreras binivel, pero a diferencia de lo observado en el nivel local, aumentan tanto las trayectorias multinivel como los vínculos con el poder legislativo. Este patrón evidencia una mayor movilidad institucional por parte de los gobernadores, quienes suelen acumular experiencia en distintos ámbitos de gobierno y en ambos poderes. En ese sentido, se refuerza la idea de que estos actores poseen un mayor capital político, forjado a través de una carrera más compleja y diversificada. En cuanto a la dirección de la trayectoria, se mantiene la pauta general de progresión ascendente, con una fuerte presencia de carreras tipo escalera. La excepción, una vez más, es Canadá, donde las trayectorias horizontales son predominantes. Sin embargo, en el caso de Alemania, se aprecia una clara diferencia entre niveles: mientras que los alcaldes muestran una mayor estabilidad en carreras horizontales, los presidentes regionales tienden a replicar el patrón ascendente observado en la mayoría de los países, reduciendo significativamente la proporción de trayectorias horizontales.

Tabla 3.19. Características de la carrera de los que ocuparon la presidencia municipal y regional de 1998 (%)

	Alemania		Argentina		Brasil		Canadá		España		México		Total	
	P. M.	P. R.	P. M.	P. R.	P. M.	P. R.	P. M.	P. R.	P. M.	P. R.	P. M.	P. R.	P. M.	P. R.
Tipo de carrera														
Mononivel Ejecutivo	56,3	20,0	18,8	17,4	16,7	8,0	56,3	9,1	13,8	13,3	17,9	10,3	26,4	12,7
Mononivel con predominio Ejecutivo	18,8	13,3	6,3	4,3	0,0	0,0	18,8	0,0	3,4	0,0	0,0	17,2	6,2	6,8
Mononivel con predominio Legislativo	0,0	13,3	6,3	0,0	0,0	0,0	6,3	0,0	0,0	0,0	0,0	0,0	1,6	1,7
Binivel Ejecutivo	12,5	0,0	31,3	13,0	12,5	20	12,5	45,5	6,9	6,7	25,0	3,4	16,3	12,7
Binivel con predominio Ejecutivo	6,3	33,3	12,5	13,0	20,8	16,0	0,0	27,3	31,0	26,7	17,9	24,1	17,1	22,0

	Alemania		Argentina		Brasil		Canadá		España		México		Total	
	P. M.	P. R.	P. M.	P. R.	P. M.	P. R.	P. M.	P. R.	P. M.	P. R.	P. M.	P. R.	P. M.	P. R.
Tipo de carrera														
Binivel con predominio Legislativo	6,3	13,3	12,5	21,7	41,7	20,0	6,3	0,0	31,0	33,3	32,1	6,9	24,8	16,1
Multinivel Ejecutivo	0,0	6,7	6,3	13,0	0,0	4,0	0,0	0,0	0,0	13,3	0,0	0	0,8	5,9
Multinivel con predominio Ejecutivo	0,0	0,0	6,3	17,4	8,3	16,0	0,0	18,2	3,4	6,7	7,1	27,6	4,7	16,1
Multinivel con predominio Legislativo	0,0	0,0	0,0	0,0	0,0	16,0	0,0	0,0	10,3	0,0	0,0	10,3	2,3	5,9
Sentido de la carrera														
Ascendente	13,5	40,0	20,1	54,5	40,9	44,0	12,9	8,3	70,0	29,4	60,0	18,5	36,3	33,9
Descendente	7,9	20,0	15,3	0,0	6,7	12,0	0,0	8,3	0,0	17,5	10,0	33,3	11,8	16,1
Horizontal	78,6	26,7	31,3	22,7	16,0	8,0	80,0	50,0	20,0	5,9	17,2	11,1	33,3	17,8
Zigzag	0,0	13,3	33,3	22,7	36,4	36,0	7,1	33,3	10,0	47,1	12,8	37,0	18,7	32,2
(N)	26	16	46	24	52	27	26	13	34	19	62	32	246	131

Fuente: base de datos de la autora, a partir de información institucional sobre presidentes municipales y regionales.

G) Salida de la política

En cuanto a la salida de la política, los datos de la Tabla 3.20 muestran que el 49,0 % de quienes ocuparon la presidencia municipal en 1998 ya habían abandonado la vida política al momento de la investigación. Este porcentaje, además de coincidir con las cifras agregadas, permite contar con un universo suficientemente amplio como para extraer conclusiones con cierto grado de generalización. Al igual que en el análisis global, se identifican dos trayectorias predominantes en el abandono de la carrera política: por un lado, aquellos que se retiran definitivamente tras su último cargo público, ya sea por jubilación, enfermedad o fallecimiento;

por otro, quienes deciden dejar la política para reincorporarse o iniciarse en otra actividad profesional.

Ahora bien, es en esta última categoría donde se observa una diferencia significativa respecto a los datos agregados. Mientras que apenas un tercio de los exdirigentes regionales se incorporaban al sector privado, entre los expresidentes municipales esa proporción asciende hasta el 50 %. Este incremento reactiva el debate en torno a las implicaciones del paso de la esfera política a la empresarial, una cuestión especialmente relevante en el ámbito local. No en vano, el gobierno municipal constituye un espacio clave en la concesión de obras públicas y servicios, lo que podría generar escenarios de conflicto de interés tras la salida del cargo. Si bien ningún miembro del universo analizado ha estado implicado en casos de corrupción por tráfico de influencias o abuso de poder, el riesgo potencial ha sido ampliamente señalado por la literatura especializada (Barragán, 2016).

Por su parte, en el nivel regional se observa una tendencia distinta al ámbito municipal: el porcentaje de individuos que permanecen en política en el momento de cierre del estudio es mayor, lo que se traduce en un número absoluto menor de salidas. Aunque los motivos de abandono vuelven a concentrarse en los dos grandes grupos señalados —retiro definitivo o cambio de ocupación—, se registra un aumento de siete puntos porcentuales en quienes dejan la política para dedicarse a otra actividad profesional, en comparación con los expresidentes municipales. Diferencia que puede interpretarse a la luz del mayor capital político acumulado por los gobernadores, lo que les otorga más opciones y recursos para reorientar su trayectoria hacia otros campos. De esta forma, a pesar de que la incorporación al sector privado es algo menos frecuente que en el caso municipal, sigue siendo la alternativa predominante entre quienes emprenden una nueva etapa profesional fuera de la política.

Tabla 3.20. Salida de la política de los que ocuparon la presidencia municipal y regional en 1998 (%)

	Alemania		Argentina		Brasil		Canadá		España		México		Total	
	P. M.	P. R.	P. M.	P. R.	P. M.	P. R.	P. M.	P. R.	P. M.	P. R.	P. M.	P. R.	P. M.	P. R.
Actualmente en política														
Sí	71,5	78,6	42,9	39,1	59,1	60,0	50,0	50,0	47,6	80,0	58,6	62,5	51,0	60,9
No	28,5	21,4	57,1	60,9	40,9	40,0	50,0	50,0	52,4	20,0	41,4	37,5	49,0	39,1
(N)	26	16	46	24	52	27	26	13	34	19	62	32	246	131
Causa salida														
Derrota electoral	22,2	10,0	25,0	14,3	37,5	14,3	30,0	0,0	0,0	0,0	14,3	5,0	18,0	9,1
Escándalo/ expulsión	22,1	10,0	37,5	28,6	12,5	0,0	0,0	80,0	12,5	25,0	14,3	10,0	14,0	18,2
Fallecimiento/ enfermedad	22,2	0,0	0,0	28,6	25,0	57,1	10,0	0,0	0,0	0,0	14,3	10,0	18,0	16,4
Jubilación	11,1	10,0	12,5	28,6	25,0	0,0	10,0	0,0	37,5	50,0	0,0	20,0	16,0	16,4
Otra actividad profesional	22,2	70,0	25,0	0,0	0,0	28,6	50,0	20,0	50,0	25,0	57,1	55,0	34,0	40,0
(N)	8	5	26	14	21	11	13	7	18	4	25	12	120	51
Ocupación posterior														
Abogado	33,3	22,2	100	100	0,0	0,0	0,0	0,0	20,0	0,0	20,0	16,7	15,4	17,9
Empresa privada	33,3	66,7	0,0	0,0	57,1	33,3	100,0	50,0	40,0	100	40,0	33,3	50,0	46,4
Funcionario	33,3	0,0	0,0	0,0	0,0	0,0	0,0	0,0	0,0	0,0	0,0	0,0	11,6	0,0
ONG/ Fundación	0,0	11,1	0,0	0,0	28,6	0,0	0,0	0,0	40,0	0,0	40,0	25,0	15,4	17,9
Organismo internacional	0,0	0,0	0,0	0,0	0,0	33,3	0,0	0,0	0,0	0,0	0,0	8,3	0,0	3,6
Periodista	0,0	0,0	0,0	0,0	14,3	0,0	0,0	0,0	0,0	0,0	0,0	0,0	3,8	0,0
Profesor universidad	0,0	0,0	0,0	0,0	0,0	33,3	0,0	50,0	0,0	50,0	0,0	16,7	3,8	14,3
(N)	2	3	7	14	0	3	7	2	9	2	14	6	41	20

Fuente: base de datos de la autora a partir de datos oficiales.

APLICACIÓN DE LA TIPOLOGÍA AL UNIVERSO DE ESTUDIO

A partir de la información presentada en los anteriores epígrafes, el siguiente paso es aplicar la tipología propuesta en el capítulo metodológico a los casos estudiados. Se persiguen dos objetivos: extraer patrones y regularidades susceptibles de generalización en la trayectoria de los políticos que constituyen la muestra; y, en segundo lugar, usar estos patrones de carrera para poner a prueba el modelo de análisis propuesto con la finalidad de observar su validez y su capacidad para ser aplicado a futuros casos de estudio (Tabla 3.21.).

Las categorías resultantes son tipos ideales, por lo que pueden existir observaciones que no se correspondan totalmente con ellas. Para evitar generar más categorías que harían menos parsimonioso el modelo, se ha optado por clasificar a este tipo de observaciones dentro de la categoría en la que cumple más supuestos. Asimismo, cada observación se encuadra en un único tipo de carrera. Por último, pese a que alguna de las categorías no encuentre referente empírico en la muestra, su inclusión dentro del modelo es pertinente desde el punto de vista teórico-metodológico y puede encontrar referentes empíricos en otros casos distintos a los estudiados.

Tabla 3.21. Patrones de carrera en sistemas multinivel

	Estáticas	De escalera	De aparato	Instrumentales	Outsiders
Sentido del itinerario	Horizontal	Ascendente/ Descendente/ Zizzag	Horizontal	Horizontal	Horizontal
Continuidad en el tiempo	Continua	Continuas	Continuas	Intermitentes	Continuas
Poderes	Indiferente	Indiferente	Ejecutivo	Predominio Ejecutivo	Ejecutivo
Naturaleza carrera	Predominio elección	Predominio elección	Predominio orgánico	Predominio designación	Predominio elección
Trayectoria posterior	Jubilación	Jubilación	Jubilación	Actividad privada	Actividad privada

Fuente: elaboración propia.

Tipología aplicada a aquellos que ocuparon la presidencia municipal y regional

Cuando la tipología se aplica para la muestra en su conjunto, tomando tanto a los presidentes municipales como regionales, se confirma una de las hipótesis planteadas en el capítulo metodológico, la cual sostiene que no existe un patrón homogéneo de carrera en el interior de los países. Sin embargo, aunque en esta parte sólo se realiza un análisis descriptivo y la significancia de la variable se verifica en el modelo explicativo desarrollado en el capítulo 8, estos primeros datos confirman que existen individuos que se agrupan en cuatro de las categorías propuestas, siendo el tipo "outsider" el único que no encuentra referente empírico[28].

No obstante, aunque a la verificación de la hipótesis, los datos permiten introducir matices a esta afirmación. En primer lugar, porque si bien no son el único patrón de carrera, por lo general sí que existe cierto predominio de las carreras de escalera, las cuales siguen el principio de ambición progresiva planteado por Schlesinger (1966) y reproducen una lógica ascendente. Y, en segundo lugar, porque existen contextos institucionales que generan una mayor regionalización de la carrera que otros (Tabla 3.22).

---

28 Por esta razón, en los siguientes capítulos esta categoría no volverá a ser presentada en las tablas de datos. No obstante, pese a no contar con ningún referente empírico para el universo de estudio de esta investigación, se ha decidido introducir en la tipología como categoría teórica para verificarse si, por un lado, en otros casos se cumple la misma tendencia. Y, por otro, si el modelo se aplica en futuras investigaciones a otros cargos ejecutivos como el de ministro o legislativos como senadores o diputados.

Tabla 3.22. Patrones de carrera de aquellos que ocuparon la presidencia municipal y regional

	Estáticas	De escalera	De aparato	Instrumentales	Outsiders
Alemania	58,6	41,4	0,0	0,0	0,0
Argentina	26,3	73,7	0,0	2,6	0,0
Brasil	12,0	70,0	6,0	12,0	0,0
Canadá	61,9	30,7	0,0	7,4	0,0
España	17,8	80,1	0,0	2,1	0,0
México	22,4	50,8	21,4	5,4	0,0

Fuente: base de datos de la autora, a partir de información institucional sobre presidentes municipales y regionales

Respecto a la primera cuestión, a excepción de Alemania y Canadá, la mayoría se individuos del universo de estudio tienen trayectorias de escalera. Y, dentro de esta, suele predominar una tendencia ascendente que desemboca en el nivel nacional. Además, aún en los dos casos en los que predominan las carreras estáticas —sobre todo en Alemania—, el porcentaje de carreras de escalera no es desdeñable. Esto vendría a corroborar que aún en países descentralizados, existe un fuerte peso de la lógica nacional en el desarrollo de las carreras políticas.

Por lo que respecta a la otra cuestión, el segundo tipo de carrera más importante en términos porcentuales es el llamado "estático" en un único nivel de gobierno. No obstante, es aquí donde se identifican las principales diferencias entre países, ya que mientras que en Alemania suponen el 50% y en Canadá el 66,7%, en el resto de los países es inferior al 25%. Ello conlleva abordar el diseño institucional como una de las variables independientes del estudio, para corroborar si existen contextos en que favorecen una mayor regionalización de las carreras. Y, a continuación, si dentro de esos diseños generales hay regiones o ciudades que cuentan con características específicas en términos económicos o políticos, en los que esta tendencia se acentúa o disminuye respecto a la media.

Además, para el caso de las carreras llamadas de aparato e instrumentales, los porcentajes obtenidos son relativamente bajos, lo que permite concebir a los cargos de representación como la prioridad de los políticos profesionales. No obstante, su inclusión permite buscar nexos causales con el sistema en el que están inmersos y, sobre todo, con el perfil de los individuos del universo de estudio, sobre todo con relación al capital político acumulado. A su vez vinculado al diseño institucional, es llamativo que México presente un 21,4% de carreras de aparato. En una primera aproximación, una respuesta tentativa puede ser que la no posibilidad de reelección lleva a algunos políticos a ocupar cargos orgánicos mientras esperan a presentarse a un nuevo cargo. En cuanto a las carreras instrumentales, probablemente su explicación está más ligada a las características de cada político y el tipo de capital acumulado. Así, cabe identificar si estos individuos cuentan con notoriedad en otros ámbitos o, por ejemplo, provienen del mundo de la empresa.

Por último, los datos muestran que a nivel subestatal no hay cabida para carreras *outsider*, lo que invita a pensar que la política en estos niveles de gobierno demanda un determinado perfil de profesionalización.

Tipología aplicada a aquellos que ocuparon la presidencia municipal

Una vez presentados los datos de manera agregada, distinguir entre presidentes municipales y regionales permite identificar similitudes y diferencias en las dinámicas que se dan en cada nivel. Al observar la Tabla 3.23. vuelve a identificarse un predominio de las carreras llamadas de escalera. En ese sentido, cabe tomar en cuenta que el universo de estudio lo conforman personas que ejercieron la presidencia municipal en grandes ciudades, con lo que contaban con la visibilidad, redes y demás recursos como para posicionarse en el nivel nacional.

Tabla 3.23. Patrones de carrera de aquellos que ocuparon la presidencia municipal

	Estáticas	De escalera	De aparato	Instrumentales	Outsiders
Alemania	78,6	21,4	0,0	0,0	0,0
Argentina	31,3	68,7	0,0	0,0	0,0
Brasil	16,0	64,0	4,0	16,0	0,0
Canadá	80,0	6,7	13,3	0,0	0,0
España	20,0	76,8	3,2	0,0	0,0
México	17,2	62,2	17,2	3,4	0,0

Fuente: base de datos de la autora, a partir de información institucional sobre presidentes municipales.

En cualquier caso, en general todos los países presentan un incremento en el tipo de carrera estática. En cuatro de los países el incremento es discreto, sin embargo, en Canadá y Alemania la variación es mayor. Para el caso de Canadá, el hecho de que a nivel municipal los candidatos no puedan presentarse bajo las siglas de un partido político[29], siendo obligatorias las candidaturas independientes, puede ser una primera explicación para explicar el desarrollo de la carrera asociado al territorio específico. Así, se presuponen vínculos más cercanos entre representantes y representados, con la inversión de un capital por parte del político muy asociado al ámbito específico. Por otro lado, carreras de aparato e instrumentales vuelven a presentar porcentajes muy bajos.

Tipología aplicada a aquellos que ocuparon la presidencia regional

Por último, también dentro de los que ocuparon la presidencia regional hay un claro predominio de las carreras "de escalera"

[29] Pese a no presentarse con una etiqueta partidaria, la mayoría de los candidatos están afiliados a algún partido político. Por tanto, son personas socializadas en la política partidaria.

y, para este caso, los porcentajes se incrementan en todos los casos, incluidos Alemania y Canadá. Esto iría en consonancia con lo ya expuesto en la parte descriptiva de los datos: en principio, los gobernadores parecen contar con una mayor movilidad entre niveles, acumulando capital en diferentes niveles institucionales.

Tabla 3.24. Patrones de carrera de aquellos que ocuparon la presidencia regional

	Estáticas	De escalera	De aparato	Instrumentales	Outsiders
Alemania	26,7	73,3	0,0	0,0	0,0
Argentina	22,7	72,8	4,5	0,0	0,0
Brasil	8,0	76,0	8,0	8,0	0,0
Canadá	50,0	50,0	0,0	0,0	0,0
España	5,9	94,1	0,0	0,0	0,0
México	11,0	55,7	25,9	7,4	0,0

Fuente: base de datos de la autora, a partir de información institucional sobre presidentes regionales

Como contrapartida, es menor el porcentaje de políticos que ejercieron la presidencia regional con carreras estáticas. Así, para este caso sólo Canadá mantiene un porcentaje elevado (50,0%). Alemania le sigue, en segundo lugar, casi veinticinco puntos por debajo y el resto cuenta con valores próximos al 10%, convirtiéndose en categorías casi residuales. Estos datos llevan a introducir otra matización a la hipótesis planteada inicialmente: pese a que no existe un patrón homogéneo entre países, y aunque aún siendo predominantes generalmente las trayectorias de escalera existen contextos que favorecen más la regionalización de las carreras, también es necesario atender a lo cargos ocupados por el político. Así, por lo general, los gobernadores muestran una mayor ambición progresiva que los alcaldes.

RECAPITULACIÓN Y CONCLUSIONES

El análisis realizado en este capítulo ha permitido describir con detalle las trayectorias de los individuos que integran la muestra, así como aplicar de manera empírica la tipología teórica-metodológica previamente diseñada. Con ello, se ha contribuido no sólo a caracterizar los distintos patrones de carrera, sino también a contrastar la hipótesis relativa a la homogeneidad o heterogeneidad de dichos patrones entre países, verificando la existencia de perfiles diversos tanto a nivel nacional como subnacional. Además, la reconstrucción de las carreras ha facilitado identificar similitudes y diferencias —en términos generales identificando tendencias mayoritarias— tanto entre países como entre individuos, en función de si habían ocupado la presidencia municipal o regional.

Respecto a las similitudes, es norma general iniciarse en instituciones representativas, normalmente a nivel subestatal, y desarrollar carreras largas y continuas en cargos de elección popular. Asimismo, tras el abandono de la política existen dos cauces principales: el retiro o el desempeño de otra actividad, generalmente en el ámbito de la empresa. Asimismo, en términos generales existe una tendencia a las carreras de escalera que, por lo general, desembocan en el nivel nacional. La diferencia la constituye Alemania y Canadá, donde parece existir una mayor regionalización de las carreras.

Ahora bien, una mirada más especializada centrada en el tipo de cargo ejecutivo desempeñado revela distinciones sustanciales. Por un lado, quienes ocuparon la presidencia municipal, especialmente en grandes urbes, tendieron a iniciarse políticamente en la arena local y a proyectar su carrera hacia instancias nacionales. En cambio, los gobernadores suelen haber comenzado su trayectoria en niveles intermedios de gobierno y, en mayor proporción, permanecen anclados en el ámbito regional al finalizar su mandato. A su vez, este grupo acumula un número superior de cargos institucionales y una mayor experiencia en órganos legislativos, lo que se traduce en una presencia más marcada de patrones de carrera escalonados. Todo ello repercute en los patrones de carrera, siendo para ellos más elevado el porcentaje de carreras de escalera que para los que ocuparon la presidencia municipal (Tabla 3.25).

Tabla 3.25. Tabla comparativa. Similitudes y diferencias entre aquellos que ocuparon la presidencia municipal y la regional en términos de carrera

	Presidentes municipales	Presidentes regionales
Canal de acceso	Instituciones representativas	Instituciones representativas
Primer cargo	Municipal	Regional
Último cargo	Estatal	Regional/Estatal
Duración carreras	Largas y continuas	Largas y continuas
Naturaleza cargos	Elección	Elección
Poderes	Predominantemente Ejecutivo	Predominantemente Ejecutivo (pero con incremento de la categoría Predominantemente Legislativo)
Número de niveles	Binivel	Multinivel
Salida de la política	Retiro/Otra actividad	Retiro/Otra actividad
Patrón de carrera predominante	De escalera, con dos casos de carreras estáticas	De escalera, son un caso de carrera estática con valor del 50%

Fuente: elaboración propia.

Estas diferencias no solo evidencian la existencia de caminos diversos hacia el poder, sino que también invitan a reflexionar sobre los factores que los condicionan: ¿quiénes son los individuos que acceden a estas posiciones? ¿Qué atributos personales los definen? ¿Hasta qué punto sus perfiles se asemejan a los de la ciudadanía a la que representan?

Estas preguntas nos conducen al siguiente capítulo, el cual aborda el estudio de las características sociodemográficas de las élites políticas subestatales. Así, a partir de una aproximación empírica, se explorará si es posible hablar de un perfil común entre quienes ocuparon la presidencia municipal y regional, así como también se analizará el grado de correspondencia entre sus atributos y los de la población general. De este modo, esta nueva dimensión permitirá completar la comprensión del fenómeno elitista, incorporando variables como el origen social, la formación acedémica o la pertenencia familiar al mundo político.

Sección II
CARACTERÍSTICAS Y FACTORES EXPLICATIVOS DE LAS CARRERAS POLÍTICAS EN SISTEMAS MULTINIVEL

Capítulo 4

¿Existe un perfil homogéneo del político?: los atributos de aquellos que ocuparon la presidencia municipal y regional

Tradicionalmente, los estudios sobre élites políticas han dedicado una parte de su análisis a las características sociodemográficas de sus miembros. Desde que Dahl (1961) escribiera su famoso trabajo "*Who Governs?*" ha sido numerosa la literatura académica tanto que ha teorizado sobre la composición de la élite (Genieys, 2011; Huckfeldt et al., 2013; Nagle, 2014) como que ha recogido evidencia empírica sobre los rasgos de la clase política en diferentes regiones del mundo[30]. De un lado, parte de las investigaciones se han centrado en el papel ejercido por estos rasgos en los procesos de reclutamiento de candidatos y/o en la composición sociodemográfica de la clase política[31]. Por otra parte, también cabe destacar la línea de investigación iniciada a partir de la noción de

---

30 Para una visión comparada de América Latina, ver Alcántara (2012). Para el caso europeo, los trabajos suelen focalizarse en un país. Dentro de los casos de estudio de esta investigación, para España destacan, entre otros, Coller (2006) para el estudio de las élites regionales, Jerez Mir para las parlamentarias y Rodríguez Teruel para el Ejecutivo (2011). Para Alemania, ver Borchert (2011). Por último, en Canadá son menos abundantes ya que, por lo general, las investigaciones sobre élites están más centradas en aspectos actitudinales.

31 Dentro de este grupo destacan aquellos centrados en el análisis del reclutamiento político desde una cuota de género (Alonso, 2009). Sin embargo, también existen trabajos que lo vinculan desde el enfoque de la etnia (Geisser et al, 2011) o socioeconómico (Camp, 1996; Beyme, 1997)

representación espejo de Pitkin (1967) —la cual se desarrollará en este capítulo—, centrada en las diferencias y similitudes en las características de élites y ciudadanos.

Las razones para estudiar el perfil de la élite son diversas. En primer lugar, permiten aproximarse a su figura desde una perspectiva posicional, atendiendo a su relevancia dentro del sistema político dado que son personas que ejercen cargos representativos, realizando funciones importantes y participando en el diseño y ejecución de políticas. En segundo lugar, son individuos que han sido reclutados por organizaciones partidarias y lanzados como candidatos, lo que permite identificar sus rasgos compartidos y qué características sociodemográficas diferencian a los que llegan de los que no llegan a un cargo público. Y, por último, son sujetos que por lo general no sólo acumulan capital en el ejercicio de su carrera, sino que suelen contar con un bagaje previo vinculado a su entorno familiar y su proceso de formación. Por ello, estudiar sus características sociales también facilita identificar el capital previo dominante entre la élite.

A partir de las cuestiones planteadas, este capítulo se organiza en dos bloques principales que permiten analizar los atributos sociodemográficos de la élite desde una doble óptica. En primer término, la reflexión se centra en determinar si existe un perfil sociodemográfico común entre quienes accedieron a las presidencias municipales y regionales. Para ello, se sistematiza la información correspondiente a las distintas variables incluidas en el diseño de investigación, desarrolladas en el apartado metodológico de este capítulo. De esta forma, el presente análisis facilitará la identificación de patrones en la composición del universo estudiado y, al mismo tiempo, evaluará empíricamente la validez de la cuarta hipótesis del trabajo, que sostiene que:

> H4.: *"Las variables sociodemográficas son relevantes cuando influyen de manera negativa en términos de barreras de entrada culturales o sociales. Las mujeres, las personas sin estudios y sin familiares en política van a constituir casos marginales en el universo de estudio. Asimismo, en el caso de lograr entrar, en este tipo de perfiles predominan las carreras estáticas debido a que encuentran más barreras de oportunidad".*

En la segunda parte, las características de la élite se comparan con la de los ciudadanos para ver hasta qué punto existe una representación espejo. El objetivo de ello no es entrar en una discusión normativa sobre la pertinencia o no de que exista congruencia, sino más bien corroborar si para ocupar un cargo relevante —como el de presidente municipal o regional— es necesario parecerse a los representados. Asimismo, esto también permite reflexionar sobre si la élite política está constituida por individuos que destacan respecto al resto de la población por estar mejor preparados, principalmente en términos de formación académica, y preguntarse sobre el papel de la educación en la carrera política.

Para abordar estos dos grandes bloques, el presente capítulo cuenta con la siguiente estructura. Por un lado, se realiza una breve revisión teórica sobre las cuestiones planteadas con un objetivo doble: conocer el estado de la cuestión y, simultáneamente, identificar las variables más relevantes para el estudio. Esto, a su vez, se articula en dos epígrafes diferentes: uno dedicado a las características de la élite y otro relacionando sus atributos con los de la población. Por otro lado, se presenta la metodología específica empleada en esta parte de la investigación y, a continuación, se pone en práctica a partir de los datos recogidos para el universo de estudio. Siguiendo la lógica comparativa de esta tesis, la información se presenta comparando los datos tanto entre países como entre los individuos que ocuparon la presidencia municipal y la regional. Por último, toda la información descriptiva recogida se aplica a la tipología propuesta para ver si existen diferencias destacables entre los políticos que cuentan con cada patrón de carrera.

¿EXISTE UN PERFIL SOCIODEMOGRÁFICO DEL POLÍTICO?: VARIABLES PARA TENER EN CUENTA

Existen numerosos trabajos que han abordado el perfil sociodemográfico de las élites políticas, especialmente dentro del Legislativo (Jennings y Farah, 1981; Dupoirier, 1994; Parry, 2005;

Collier, 2008; Nagle, 2014). En la mayor parte de ellos se sostiene que, si bien existen patrones que difieren con el tiempo o con el contexto territorial específico, lo cierto es que en los cargos de representación predominan los varones de mediana edad, con estudios universitarios y una temprana socialización política. Para dotar de cuerpo teórico a esta investigación y contribuir a la discusión, en los siguientes epígrafes se hace una revisión del estado de la cuestión para su posterior contrastación empírica en el análisis de los datos. En concreto, se distinguen tres grandes cuestiones. En primer lugar, se discuten condiciones biológicas y/o heredadas: género, edad y lugar de origen. En segundo lugar, cuestiones formativas y profesionales: nivel educativo y profesión de origen. Por último, se analiza el papel del entorno mediante la socialización política.

Género, edad y lugar de origen

La materia del género se ha convertido en un aspecto central dentro de la literatura sobre representación (Lovendunski y Norris, 1993; Paxton et al., 2002). Esta variable es relevante por diversas razones: remite a la noción de representación espejo, incide en la cuestión de si la política sigue siendo una actividad predominantemente "de hombres" en la que aún existen barreras de acceso para las mujeres y permite comparar si los hombres y mujeres que acceden a la política presentan perfiles similares o distintos.

Todas estas razones se engloban, a su vez, dentro de una discusión más general: una de las notas características de las democracias contemporáneas es la falta de equidad de género en el ejercicio de la representación. Para explicar esto, cabe atender tanto a cuestiones sociológicas y culturales, por una parte, como institucionales, por otra. Superar un enfoque meramente institucional es importante debido a que, pese a la adopción de cuotas de género en un número de países cada vez más amplio, las mujeres aún encuentran en los parlamentos niveles de representación inferiores respecto a los hombres, son una minoría en los gabinetes ministeriales y muy pocas han logrado ocupar la presidencia de un Estado, lo que permite concluir que la introducción de legislación sobre cuotas no es suficiente para lograr la paridad de género en el ejercicio de los cargos de representación. Sin embargo, sí que es un elemento importante ya que, si se compara la presencia de mujeres en política en la actualidad con el año 1998, punto de corte en esta investigación, la situación de desigualdad se hace aún más evidente[32].

Por ello, para abordar la relación entre género y política desde un enfoque que trasciende los límites de lo meramente institucional, Inglehart y Norris (2000) sostienen que una parte de la explicación responde a la cultura política de las sociedades postindustriales, donde aún existen reticencias hacia una plena equidad de género en el ejercicio de la función pública. Así, aunque los autores señalan que en las nuevas generaciones estos obstáculos son menores, aún existen estructuras sociales que dificultan más el salto de las mujeres que de los hombres a la esfera pública. Estas estructuras sociales se han materializado, en el pasado, en tasas superiores de desempleo, falta de recursos financieros y disparidades en el acceso educativo (Shvedova, 2002). De este modo, tradicionalmente las mujeres han tenido que demostrar más méritos que los hombres para acceder a los puestos públicos y han pagado un alto coste personal (maternidad tardía, menos hijos, soltería) para el desempeño de la política (Doña, 2005; Buvinic y Roza, 2004).

Asimismo, existen cuestiones culturales que erigen modelos de orden, relaciones jerárquicas y de posicionamiento frente al poder (Lechner, 1995). En ese sentido, Uriarte (1997:69) señala que la educación en determinados valores de sumisión y autoliderazgo, la menor experiencia política, la necesidad de luchar en un mundo masculino en el que la mujer es vista “como extraña e incluso como intrusa no bienvenida” dan lugar a una inseguridad

---

[32] Pese a algunas experiencias de leyes de cuotas a principios de 1990, fue a finales de los años noventa y sobre todo ya en el siglo XXI cuando se amplió la regulación al respecto.

que, junto a una menor ambición, contribuyen a frenar la entrada de las mujeres en la política activa en general, y en las élites en particular. Por último, cabe tener en cuenta los denominados "techos de cristal" (Heller, 2004). Esto es, las propias limitaciones que se autoimponen las mujeres para privilegiar sus roles en la familia o no animarse a dar el salto a la política. Fernández (1995) identifica limitaciones ideológico-culturales y psicológico-afectivas que actúan como motor para perpetuar ideas como que "las mujeres no son aptas para la política" o que "la política no es cosa de mujeres". De este modo, se genera un círculo vicioso en que las mujeres se excluyen de la competencia por los cargos públicos, los cuáles son limitados, en favor de los hombres. Esto se refleja en la Tabla 4.1., donde se pueden apreciar las diferencias existentes entre varones y mujeres con relación a los elementos que les disuaden de ejercer una actividad política.

Tabla 4.1. Factores que disuaden a hombres y mujeres de ejercer la actividad política

Factores que disuaden a las mujeres	Factores que disuaden a los hombres
Responsabilidades domésticas	Falta de apoyo del electorado
Actividades culturales predominantes relativas al papel de la mujer en la sociedad	Falta de recursos financieros
Falta de apoyos de sus familias	Falta de apoyo de los partidos políticos
Falta de confianza	Falta de experiencia en "funciones de representación"
Falta de recursos financieros	Falta de confianza

Fuente: UIP. Igualdad en la política. Un estudio sobre mujeres y hombres en los parlamentos (2008)

Por otro lado, y tal como se ha señalado al inicio, también existen elementos vinculados con el desarrollo de la democracia y el diseño institucional. Respecto a la primera cuestión, la literatura sostiene que a medida que se incrementa el índice de democratización de una sociedad, también lo hace el número de mujeres ocupando cargos públicos (Inglehart et al., 2002). Sin embargo, aún en los casos de democracias desarrolladas, existe una infrarrepresentación de las mujeres a la que ha tratado de poner freno en algunos países a partir de la introducción de leyes de cuotas de género. No obstante, se trata de medidas institucionales relativamente recientes en el tiempo, ya que como se observa en la Tabla 4.2., para 1998 sólo tres de los seis países estudiados contaban con leyes de cuotas: Argentina, Brasil y México[33].

Merece la pena destacar también que los tres se encuentran en la misma región, lo que denota que América Latina fue un paso por delante en el establecimiento de medidas institucionales que favorecieran la equidad de género. El primer país en adoptar esta regulación fue Argentina, donde la ley se aprobó en 1991. Para el caso de México y Brasil, la norma data de 1996 y 1997 respectivamente, por lo que sus efectos en 1998 no son constatables al no existir prácticamente margen temporal. A España no llegarían hasta el año 2007, cuando el Parlamento aprobó la ley de cuotas bajo la presidencia de José Luis Rodríguez Zapatero.

Tabla 4.2. Leyes de cuotas en los países que constituyen los casos de estudio

	Alemania	Argentina	Brasil	Canadá	España	México
Cuota para el Congreso	No	Sí (1991)	Sí (1997)	No	Sí (2007)	Sí (1996)
Cuota para el Senado	No	Sí (1991)	Sí (1997)	No	Sí (2007)	Sí (1996)
Cuota a nivel subestatal	No	Sí (1991)	Sí (1997)	No	Sí (2007)	Sí (1996)
Cuota partidos	Voluntaria	Voluntaria	No	Voluntaria	Voluntaria	Voluntaria

Fuente: Global Database of Quotas for Women. Elaboración propia.

33 Para obtener información sobre otros casos, consultar *The Quota Project* (IDEA): http://www.quotaproject.org/

Junto con el género, otra variable a tener en cuenta es la edad, pudiéndose distinguir diferentes momentos a lo largo del tiempo. Dentro de la literatura sobre élites, se suele hacer especial mención a la edad de entrada en política (Genieys, 1998; Coller, 2008; Alcántara, 2012). Este dato es relevante por dos cuestiones: permite identificar si la política profesional es una vocación temprana o si, por el contrario, se desarrolla de manera más tardía y puede servir como indicador de posibles barreras de entrada formales o informales a la política a grupos jóvenes de edad. En ese sentido, el primer tipo puede ser constatado a partir de la revisión de las condiciones de elegibilidad para los distintos cargos públicos. Empero, la segunda cuestión requiere tomar en cuenta otros indicadores como, por ejemplo, la edad media de precandidatos y candidatos que se postulan por primera vez a un cargo público.

No obstante, una variable menos explorada es la edad con la que cuentan los que ejercen la presidencia —ya sea nacional o subestatal—, la cual ha sido recogida en menos trabajos (Alcántara et al., 2016). Sin embargo, se trata de una información relevante en la medida en que aportan datos sobre la experiencia de los políticos en el momento de llegar a la presidencia del Ejecutivo. Así, es evidente que a medida que aumenta la edad también lo hace la experiencia vital y, con ello, tanto la formación como adquisición de habilidades. Tanto desde el punto de vista personal como profesional, el paso de los años incide en la acumulación de capital de diferente índole (material, educativo, profesional, social...), lo cual a su vez puede repercutir tanto en las opciones de éxito de acceder a un cargo como en las capacidades para el desempeño de este.

Por último, dentro de la literatura también se ha prestado atención a la cuestión del lugar de nacimiento, en tanto que ofrece información sobre las dinámicas internas de los países a la par que aporta datos sobre el vínculo del político con el territorio (Jerez Mir, 1982; Baras et al. 1988; Coller, 2008). En primer término, el lugar de origen es relevante debido a que los procesos de modernización han transformado la geografía de las élites políticas, dentro del clivaje urbano/rural. En ese sentido, como señala

Putnam (1976), existe una fractura en la élite política moderna, que tiende a representar a las ciudades en detrimento de las zonas rurales menos desarrolladas económicamente. Y, en segundo lugar y vinculándolo con las dinámicas internas, el predominio de políticos nacidos en las capitales y/o centros económicos es un indicador de cierto centralismo del sistema político. De este modo, existe la posibilidad de abordar relaciones centro/periferia a partir de la extracción de sus políticos, los cuales pueden proceder principalmente del centro político o de núcleos territoriales periféricos (Genieys, 2004).

Nivel educativo y perfil profesional

Junto con las características dadas, como es el caso de la edad, el género o el lugar de origen, existe otro tipo de condiciones que influyen en el perfil de los representantes y que tienen que ver con el desempeño de este en su formación académica y profesional. Este tipo de variables tienen una naturaleza particular, y es que, si bien es cierto que no son condiciones dadas ni determinadas biológicamente, se mueven en un equilibrio entre, por un lado, la situación socioeconómica en la que se desenvuelve el político en su infancia y juventud y su iniciativa y desempeño por el otro. Así, pese a la capacidad y esfuerzo individual, el primer aspecto va a influir tanto en los recursos con los que cuente para el desarrollo de su actividad formativa.

En cualquier caso, por más que se han señalado dichas diferencias, lo cierto es que la educación es un factor importante a la hora de dibujar un perfil de la élite política a pesar de que exista una formación académica específica para dedicarse a la actividad representativa. Aunque un título universitario no es un requisito en sí mismo para la entrada o permanencia en la política, invierte cierta autoridad moral a la vez que puede ser una carta de presentación para el desempeño de determinadas tareas (Alcántara, 2012).

Además, diversos estudios han demostrado que existe una correlación entre el nivel educativo y la conciencia cívica orientada al servicio público. De esta forma, a medida que se incrementa el nivel de conocimiento, también crece la sensibilidad hacia las necesidades sociales y la disposición para participar activamente en la solución de problemas comunitarios (Dee, 2004; Milligan et al., 2004).

No obstante, el nivel de estudios no sólo debe ser entendido como un indicador del grado de conocimiento técnico de la élite, sino que también es sintomático del papel socializador de las instituciones educativas. Como señalan Tiramonti et al. (2008), las ciencias sociales han estudiado extensamente el rol socializador de los centros académicos y su papel en la construcción de estatus o generación de capital.

En ese sentido, tanto escuelas como universidades son ámbitos propicios para el establecimiento de lazos que pueden desembocar en una agenda de posibles contactos a recuperar a lo largo de la trayectoria política. Asimismo, como señala Giorgi (2014:256), algunas instituciones educativas son propicias a generar un compromiso con la cosa pública que sirve como canal para el desarrollo de empresas colectivas.

Con todo, cabe recalcar que el nivel educativo no es el único indicador de formación, sino que también es necesario atender a la profesión de origen. A este respecto, puede decirse que nadie nace siendo político y, menos, actuando en la política partidaria (Levita, 2015:49). Por ello, el acceso al primer cargo público, por lo general, se produce después del ejercicio de otras profesiones previas. En cualquier caso, si se asume que la formación académica y el desarrollo profesional permiten el crecimiento de habilidades y capacidades, lo cierto es que dentro de la élite política suele haber un porcentaje considerable de juristas. Circunstancia que puede deberse a que este tipo de perfil académico-profesional facilita tanto el conocimiento del sistema legal como de la administración pública. Asimismo, desarrolla habilidades como la oratoria o el poder de persuasión, fácilmente trasladables al campo de la política (Besley y Reynal-Querol, 2011). Pero esto no es todo, ya que el ejercicio del Derecho ofrece flexibilidad laboral a la par que fomenta la creación de redes que posteriormente pueden ser útiles en una posterior carrera política (Alcántara et. al 2016). Condición similar a la de los burócratas o servidores públicos, los cuales cuentan con un perfil semejante a la hora de saltar al ámbito de la representación. Por último, también destacan las conexiones entre empresa y política, siendo habitual la existencia de individuos que se inician profesionalmente en el ámbito privado en tareas directivas o de gestión, y que posteriormente saltan al ámbito público.

Socialización política y entorno familiar

Para cerrar la discusión teórica sobre el perfil de las élites, junto con sus atributos y formación cabe atender a su entorno más próximo. En esta línea, una de las premisas asumidas en este capítulo es que los miembros de la élite política son el resultado de procesos de socialización singulares caracterizados por una temprana toma de contacto con la política. Se sostiene, por tanto, que son personas con una especial vinculación con lo público y un proceso de aprendizaje conectado desde temprana edad con el quehacer político.

Así, la familia constituye el primer ámbito de socialización política y puede ser entendida como una fuente de recursos para el desarrollo de la actividad pública, lo que permite hablar de estructuras de parentesco que generan "herederos políticos" (Giorgi, 2014: 253). Es decir, individuos que provienen de entornos familiares en los que parte de sus miembros se han dedicado a la actividad política.

Esto es importante a la hora de explicar el posterior desarrollo de la trayectoria política, tanto en términos de adquisición de competencias como en el establecimiento de redes. De este modo, el hecho de vivir de cerca la política desde la infancia permite que los individuos se desempeñen con familiaridad en el ámbito de lo público. Así, aunque la democratización de las sociedades ha permitido la igualdad legal en el acceso a la postulación a cargos públicos, la pertenencia a una dinastía política sigue siendo una ventana de oportunidad que facilita el ejercicio de la actividad representativa.

No obstante, la familia no sólo es importante como agente socializador, sino que también juega un papel importante para discutir un aspecto menos abordado por la literatura: la conciliación entre la actividad política y la vida familiar. Si se toma en cuenta el estrés y la responsabilidad asociados al ejercicio de la actividad representativa, es importante abordar su impacto en la estructura familiar de los políticos profesionales (Alcántara, 2012). Ello es relevante sobre todo para el caso de las mujeres, donde como ya se ha señalado existen más dificultades para conciliar la vida pública y la privada por los costes de oportunidad asociados a la decisión. A este respecto, se considera pertinente atender a indicadores como el porcentaje divorcios y el número de hijos.

EL PERFIL DE LA REPRESENTACIÓN: ¿HASTA QUÉ PUNTO SE PARECEN REPRESENTANTES Y REPRESENTADOS?

Las características de la élite permiten, por un lado, abordar si sus miembros constituyen un grupo homogéneo o si existen algunos atributos que facilitan la entrada en el ejercicio de la representación. Pero, por otro también, proporcionan información sobre los vínculos entre representantes y representados. En ese sentido, cabe tomar como punto de partida que la noción de representación entra en conflicto con la de democracia en la medida en que, mientras que esta última es concebida como el gobierno de todos, la idea de elegir a un representante es opuesta a este principio (Manin, 1998), dando lugar a procesos de elección de representantes en los que, junto con los diseños institucionales para articular la competencia y el ejercicio de la actividad pública, entran en juego otras variables.

Tal como señaló Pitkin (1967), existen cinco dimensiones de la representación:

A) La representación como autorización, en la cual el representante es alguien autorizado para actuar en nombre del representado.

B) La representación como responsabilidad, entendida como la rendición de cuentas (accountability) en una relación de agencia entre representante y representado.

C) La representación como actuación por otro, actuando en nombre del representado en su interés o como su agente.

D) La representación como correspondencia, descripción o reflejo, en la que el representante suple al representado por medio de una correspondencia de características.

E) La representación como identificación simbólica, en la que el representante suple al representado tratando de proyectar las actitudes y creencias de la gente.

Mientras que las tres primeras son de carácter procedimental, las dos últimas conectan directamente a representantes y representados en términos de diferencia o similitud en sus características personales, de cercanía o lejanía con base a actitudes y creencias. Dada la naturaleza de esta investigación, y debido a la necesidad de delimitar el objeto de estudio, la atención se focalizará en la representación descriptiva. Y, por tanto, ello lleva a preguntarse si los representados buscan un reflejo en sus representantes.

Generalmente, el debate sobre la representación descriptiva ha focalizado su interés en la cuestión del género (Matland, 1998; Mateos Díaz, 2004; Mackay, 2004). No obstante, existen otras variables sociodemográficas que inciden en la representación descriptiva como pueden ser la edad o el lugar de origen. Asimismo, otro aspecto a tener en cuenta a la hora de analizar la representación espejo es el nivel educativo de la población. Desde esta perspectiva, comparar el nivel educativo de élites y ciudadanos permite abordar si a los cargos de representación llegan individuos con un grado de formación superior a la media. De este modo, la élite ya no sólo se distinguiría por su posición en el ámbito público, sino también por sus conocimientos y formación.

METODOLOGÍA APLICADA

Los aspectos señalados hasta el momento van a ser desarrollados empíricamente en dos grandes bloques. En primer lugar, se presentan los datos de naturaleza descriptiva recogidos para las variables desarrolladas en la discusión teórica (Tabla 4.3). Al igual que en el capítulo anterior, esta información se sistematiza permitiendo la tanto comparación entre países como entre cargos, organizando la información por grupos: a nivel agregado del universo de estudio, para el caso de los que ocuparon la presidencia municipal y para los que ejercieron la presidencia regional.

Tabla 4.3. Variables e indicadores sociodemográficos

Variable	Indicador (es)
Género	Género
Edad	Edad en 1998
Origen	Lugar de nacimiento
Formación	Nivel superior de estudios alcanzado / estudios cursados
Profesión	Actividad profesional de origen
Socialización política familiar	Parientes próximos con cargos relevantes
Vida familiar	Estado civil/número de hijos

Fuente: elaboración propia.

Los objetivos de introducir esta parte descriptiva son tres. La primera es mostrar las características de las élites de los países de estudio. Ello permite medir cuán homogénea es la élite en cada caso y si la posesión de ciertos atributos puede favorecer integrarse en ella o si, por el contrario, el grado de apertura es tal que admite la entrada de perfiles muy heterogéneos. Y esto es relevante por cuanto que la posesión de ciertas características puede actuar como oportunidad o barrera para que un ciudadano pueda acceder a un puesto de representación. Es decir, incide en la conformación de élites que actúan como grupos cerrados de difícil acceso o de grupos más plurales con un mayor grado de apertura. Pero, además, este tipo de información también es un instrumento para identificar regularidades y diferencias a nivel geográfico y ver si, en términos sociodemográficos, existen patrones comunes entra la élite.

Dentro de esta parte, también se realiza una comparación entre el perfil de representantes y representados. En concreto, se han seleccionado tres variables: el género, la edad y el nivel de estudios. A este respecto, cabe señalarse que no existen datos a nivel municipal para todos los casos estudiados, por lo que se usan los recogidos para las regiones. Ello supone un sesgo, por lo que los hallazgos de esta parte del trabajo son meramente exploratorios. Respecto al resto de variables desarrolladas para la élite, la profesión de origen para el caso de la población se ha excluido debido a la imposibilidad de encontrar datos con categorías comparables para todas las entidades regiones y la socialización política de los ciudadanos no se ha incluido ya que no interviene en la representación espejo.

A partir de los referentes empíricos concretos de la parte descriptiva, se verifica o refuta la hipótesis central de este capítulo:

> H4.: *"Las variables sociodemográficas son relevantes cuando influyen de manera negativa en términos de barreras de entrada culturales o sociales. Las mujeres, las personas sin estudios y sin familiares en política van a constituir casos marginales en el universo de estudio. Asimismo, en el caso de lograr entrar, en este tipo de perfiles predominan las carreras estáticas debido a que encuentran más barreras de oportunidad"*

A partir de esta hipótesis general, se plantean las siguientes hipótesis secundarias:

> H4.1.: *"Aún existen barreras culturales, sociales e institucionales para la equidad de género en los puestos de representación, por lo que el número de hombres es sustantivamente superior al de mujeres. Sólo en los casos en los que existan leyes de cuotas aumenta el porcentaje de mujeres".*

H4.2.: *"La presidencia regional o municipal de grandes ciudades es un paso importante dentro de la carrera política que requiere de tiempo y experiencia. Por ello, los que llegan allí son personas de una edad, como mínimo, igual o superior a 35 años".*

H4.3.: *"En los sistemas multinivel, existe una relación de proximidad entre el lugar de origen y el territorio en el que se ejerce el poder. Por ello, la mayoría de los presidentes municipales y regionales ejercen el cargo en su ciudad o región de nacimiento".*

H4.4.: *"Por lo general, estos cargos son ocupados por personas con elevados niveles educativos, generalmente universitarios. Ello les permite contar con conocimientos técnicos, pero también acceder a redes y recursos inmateriales fruto del proceso de socialización política en centros de formación. Es menos frecuente contar con individuos con posgrado ya que la actividad pública dificulta prolongar la carrera académica".*

H4.5.: *"En su mayoría, su profesión de origen está vinculada con el ejercicio del Derecho. Ello les permite tener un conocimiento técnico del funcionamiento del Estado y sus instituciones".*

H4.6.: *"Los miembros de la élite política son el resultado de procesos de socialización singulares, caracterizados por una temprana toma de contacto con la política generalmente derivada de la existencia de familiares dedicados a esta actividad".*

H4.7.: *"La conciliación de la vida familiar y política es más frecuente en el caso de los hombres que de las mujeres, siendo más habitual que estos estén casados y tengan hijos".*

H4.8.: *"En principio, presidentes municipales y regionales presentan perfiles homogéneos. La principal diferencia es la edad de llegada al cargo, siendo ligeramente superior en el caso de los gobernadores debido que llegar a la presidencia regional requiere, por lo general, una trayectoria más larga que para el caso municipal".*

Por último, con relación a la relación entre las características entre élites y ciudadanos, la hipótesis de trabajo es que:

H4.9.: *"Representantes y representados no reproducen un perfil homogéneo en términos de características sociodemográficas. En los primeros hay una sobrerrepresentación de hombres de mediana edad con estudios superiores"*

ANÁLISIS DESCRIPTIVO: ¿QUÉ CARACTERÍSTICAS POSEEN LAS ÉLITES EN SISTEMAS MULTINIVEL?

El perfil sociodemográfico de los que ocuparon la presidencia municipal y regional

A) Género, edad y lugar de origen

Al observar los datos agregados sobre género (Tabla 4.4.), la primera evidencia es que se mantiene el fuerte predominio de hombres en los cargos de representación. Pese a que la democratización de las sociedades tiende a incrementar el número de mujeres en política (Inglehart et al. 2002), tres cuartas partes de los que ocupan la presidencia son varones. Esto incluso se da en Canadá, donde aun con un "10" en el Índice de Polity IV[34], más del 95% de los que ocuparon la presidencia municipal o regional son varones.

Tabla 4.4. Género de los que ostentaron la presidencia municipal y regional en 1998 (%)

	Alemania		Argentina		Brasil		Canadá		España		México		Total	
	P. M.	P. R.	P. M.	P. R.	P. M.	P. R.	P. M.	P. R.	P. M.	P. R.	P. M.	P. R.	P. M.	P. R.
Hombres	89,7	93,8	67,4	100,0	98,7	96,3	96,9	92,3	80,6	92,3	93,5	96,9	79,8	98,5
Mujeres	10,3	6,3	32,6	0,0	1,3	3,7	3,1	7,7	19,4	7,7	6,5	3,1	20,2	1,5
(N)	26	16	46	24	52	27	26	13	34	19	62	32	246	131

Fuente: base de datos de la autora, a partir de información de fuentes institucionales sobre presidentes municipales y regionales.

34 Polity IV es un índice que mide la calidad de la democracia en función del grado de apertura y competitividad de las elecciones, la naturaleza de la participación política y los mecanismos de control al Poder Ejecutivo. Toma valores entre -10 y +10. De -10 a -6 se consideran regímenes autoritarios, de -6 a +6 regímenes híbridos y de +6 a +10, democracias

Argentina es el país donde se encuentra el mayor porcentaje de mujeres que ocuparon la presidencia municipal o regional, con un total del 21,1%. Estos datos corroboran la hipótesis 4.1. ya que, por un lado, evidencian el predominio de varones y, por otro, dan consistencia a que la introducción de leyes de cuotas de género incrementa el número de mujeres en cargos públicos. Así, se retoma la información presentada en la Tabla 4.2., Argentina es el primer país de los casos estudiados en contar con una ley de cuotas, la cual fue aprobada en 1991. México y Brasil, en cambio, las aprobaron en 1996 y 1997 respectivamente, con lo que para la elección en la que los miembros de la muestra fueron electos aún no aplicaba.

Ello hace retomar la influencia tanto de las variables socioculturales como de las institucionales. Las primeras van a explicar que, pese a la existencia de regulación —como se da en el caso argentino—, existen barreras no institucionales y techos de cristal que impiden una presencia mayor de mujeres en cargos Ejecutivos. Las segundas, sin embargo, vienen a evidenciar que, aun existiendo sociedades con un mayor grado de democratización, la ausencia de regulación sobre equidad de género en la representación actúa como una barrera de entrada. Aunque sociedades como la alemana o la canadiense en principio pudieran parecer sociedades más proclives a la equidad de género que las latinoamericanas, donde aún existe un fuerte patriarcalismo (Archenti y Tula, 2007), el caso en el que se alcanzan mayores niveles de representación femenina es Argentina, donde existía regulación legal en términos de equidad desde inicios de la década de 1990.

Por lo que respecta a la edad de entrada en política, entendida como acceso al primer cargo público, la Tabla 4.5. muestra que la edad media es de 40 años. Al desagregar por grupos de edad, los mayores porcentajes se concentran entre los 30 y 50 años. Estos datos proporcionan diferente tipo de información. Por un lado, indican que pese a que los individuos han podido militar en un partido desde más temprana edad[35], la mayor parte de ellos no ocupó un cargo hasta pasados los treinta, lo que supone una edad más avanzada que para otro tipo de actividades. Esto conlleva pensar en la política como una actividad que requiere de una preparación previa, en la que los individuos acumulan recursos y redes a lo largo del tiempo, lo que entra en consonancia con lo sostenido en la literatura sobre acumulación de capital en la carrera política (Joignant, 2015).

Tabla 4.5. Edad de entrada en política de los que ostentaron la presidencia municipal y regional en 1998 (%)

	Alemania		Argentina		Brasil		Canadá		España		México		Total	
	P. M.	P. R.	P. M.	P. R.	P. M.	P. R.	P. M.	P. R.	P. M.	P. R.	P. M.	P. R.	P. M.	P. R.
<30	17,6	13,3	10,0	13,6	5,3	18,2	0,0	22,2	0,8	23,1	47,6	20,7	15,2	18,2
30-40	23,5	40,0	50,0	50,0	31,6	40,9	45,5	22,2	38,5	30,8	19,0	41,4	33,3	40,0
41-50	41,2	40,0	30,0	27,3	26,3	27,3	9,1	55,6	30,8	30,8	28,6	27,6	28,6	31,8
>50	17,6	6,7	10,0	9,1	36,8	13,6	45,5	0,0	26,9	15,4	4,8	10,3	22,9	10,0
Media	41,9	39,2	41,3	39,5	45,8	37,9	45,1	35,6	42,9	38,9	34,7	37,3	41,6	38,2
(N)	26	16	46	24	52	27	26	13	34	19	62	32	246	131

Fuente: base de datos de la autora, a partir de información de fuentes institucionales sobre presidentes municipales y regionales.

Al distinguir entre países se observa que México es el único caso en el que el mayor porcentaje de presidentes municipales y regionales se iniciaron en política antes de los treinta años. No obstante, esto se explica por razones contextuales ya que, desde finales de la década de 1980, el país experimentó un proceso de reforma política que favoreció la renovación de las élites (Espinosa y Madrid, 2010). Así, la década siguiente generó nuevas estructuras de oportunidad política para los partidos de oposición

35 En esta investigación no se incluye el dato sobre la edad en la que se inicia la militancia política debido a la dificultad de acceder a esa información.

al PRI, a la par que se produjeron cambios en el interior de los partidos que generaron espacios de entrada a la política de nuevas generaciones.

Respecto a la edad en 1998, la Tabla 4.6. refuerza el argumento planteado y corrobora la hipótesis 4.2. ya que, en todos los casos, los que ocuparon la presidencia regional o municipal contaban con más de 35 años. Si se observan las edades medias, la horquilla se sitúa entre los 41,2 años de México y los 55,9 de Alemania. Ello permite afirmar que, en términos generales, el universo de estudio lo componen individuos de mediana edad que, en principio, han ido acumulando experiencia en otros cargos y que llegan al Ejecutivo municipal o regional con un bagaje previo.

Sin embargo, al desagregar los datos según franjas etarias, se distinguen dos patrones claramente diferenciados entre los países analizados. Por un lado, Alemania, Argentina, Brasil y Canadá concentran la mayor proporción de casos en el grupo de entre 35 y 50 años. Por otro, España y México registran los porcentajes más elevados en el intervalo de 51 a 65 años.

Este comportamiento sugiere que en los contextos mexicano y español existe una trayectoria ascendente en la participación política, lo que en muchos casos se traduce en la aspiración a cargos de mayor jerarquía, como los de alcance nacional. Tal dinámica implica que los liderazgos locales o regionales tienden a alcanzarse en etapas relativamente tempranas de la vida.

En contraste, Alemania y Canadá exhiben trayectorias más estables y horizontales, donde quienes acceden a las máximas responsabilidades ejecutivas en los niveles subnacionales suelen contar con mayor experiencia y, por ende, con una edad más avanzada. Una tendencia similar se observa en Argentina, donde predomina una marcada continuidad en el ejercicio de las presidencias municipales.

Tabla 4.6. Edad en 1998 de los que ostentaron la presidencia municipal y regional en ese año (%)

	Alemania		Argentina		Brasil		Canadá		España		México		Total	
	P. M.	P. R.	P. M.	P. R.	P. M.	P. R.	P. M.	P. R.	P. M.	P. R.	P. M.	P. R.	P. M.	P. R.
<35	4,5	0,0	0,0	26,1	4,0	22,2	0,0	7,7	0,0	21,1	10,5	21,9	3,5	18,5
35-50	18,2	12,5	27,3	39,1	40,0	25,9	27,3	46,2	44,4	52,6	89,5	40,6	42,6	36,2
51-65	72,7	75,0	54,5	34,8	40,0	40,7	63,6	38,5	51,9	21,1	0,0	34,4	46,1	39,2
>65	4,5	12,5	18,2	0,0	16,0	11,1	9,1	7,7	3,7	5,3	0,0	3,1	7,8	6,2
Media	54,9	57,6	56,4	37,7	53,7	43,3	56,3	47,5	52,6	39,1	42,4	39,4	52,3	42,9
(N)	26	16	46	24	52	27	26	13	34	19	62	32	246	131

Fuente: base de datos de la autora, a partir de información de fuentes institucionales sobre presidentes municipales y regionales.

Por último, para abordar la relación con el territorio, se presentan dos tipos de datos. En primer lugar, la Tabla 4.7. recoge el lugar de nacimiento de las élites para estudiar el grado de centralización en la extracción de los que ocuparon la presidencia municipal o regional. Se distingue entre los nacidos en las capitales de los países, en las capitales de las entidades federadas o en otras ciudades. En todos los casos, tanto en términos agregados como por país, los datos evidencian el bajo grado de centralización tanto a nivel nacional como, dentro de cada entidad subestatal. Por ello, los nacidos en la capital del país son el grupo menos numeroso. Pero, a la vez, sorprende que ni siquiera predominan los nacidos en las capitales de las regiones o entidades federadas.

Tabla 4.7. Lugar de nacimiento de los que ocuparon la presidencia municipal y regional en 1998 (%)

	Alemania		Argentina		Brasil		Canadá		España		México		Total	
	P. M.	P. R.	P. M.	P. R.	P. M.	P. R.	P. M.	P. R.	P. M.	P. R.	P. M.	P. R.	P. M.	P. R.
Capital país	4,5	0,0	0,0	0,0	0,0	0,0	0,0	0,0	7,4	11,8	15,4	10,0	5,5	5,9
Capital estado	36,4	30,8	50,0	40,9	42,3	52,0	68,8	50,0	40,7	35,3	34,6	13,3	43,3	33,6
Otro municipio	59,1	69,2	50,0	59,1	57,7	48,0	31,3	50,0	51,9	52,9	50,0	76,7	51,2	60,5
(N)	26	16	46	24	52	27	26	13	34	19	62	32	246	131

Fuente: base de datos de la autora, a partir de información de fuentes institucionales sobre presidentes municipales y regionales.

El hecho de que la mayoría de los que ejercieron la presidencia municipal nacieran en otros municipios puede ser interpretado como un indicador de que, en sistemas multinivel, el reclutamiento y selección de las élites se produce de manera descentralizada. No obstante, un individuo puede haber nacido en un lugar y posteriormente haberse trasladado a otro para desarrollar su carrera política. Por esta razón, y con el fin de analizar el vínculo con el territorio, en la Tabla 4.8. se relaciona el lugar de nacimiento con aquel en el que se ejerció la presidencia. En ese sentido, tanto en términos agregados como en cada país, vuelven a predominar los políticos que ejercieron el cargo en su ciudad o región de nacimiento.

Tabla 4.8. Presidentes municipales y regionales en el ejercicio del cargo en 1998 que nacieron en el mismo lugar donde ejercieron la presidencia (%)

	Alemania		Argentina		Brasil		Canadá		España		México		Total	
	P. M.	P. R.	P. M.	P. R.	P. M.	P. R.	P. M.	P. R.	P. M.	P. R.	P. M.	P. R.	P. M.	P. R.
Sí	40,9	84,6	30,0	68,2	30,8	72,0	50,0	50,0	48,1	76,5	51,0	73,3	43,0	71,4
No	50,1	15,4	70,0	31,8	69,2	28,0	50,0	50,0	51,9	23,5	48,1	26,7	57,0	28,6
(N)	26	16	46	24	52	27	26	13	34	19	62	32	246	131

Fuente: base de datos de la autora, a partir de información de fuentes institucionales sobre presidentes municipales y regionales.

Estos datos corroboran la hipótesis 4.3., por la que la mayoría de los jefes del Ejecutivo desarrollaron el cargo en su ciudad o región de nacimiento, a la par que evidencian que parece existir una descentralización en términos de formación de las élites, predominando los casos en los que el poder se ejerce por personas nacidas en el lugar de origen y, muy probablemente, socializados políticamente —al menos durante una parte de su carrera— en ese territorio. Así, aun en los casos en los que los individuos ejercieran parte de su trayectoria o formación en otros territorios, existe un retorno al lugar de origen para el ejercicio de la presidencia del Ejecutivo. Asimismo, más allá de la dimensión institucional, también son un indicio de que, en sistemas con diferentes niveles de gobierno, las élites suelen vincular la acumulación de capital y el establecimiento de redes a su lugar de origen sin que ello sea óbice para que posteriormente capitalicen estos recursos en un salto hacia otro nivel de gobierno.

B) Nivel educativo y perfil profesional

Por lo que respecta al nivel de formación, la Tabla 4.9 corrobora lo ya señalado tanto en la literatura como en las hipótesis 4.4.: la preeminencia de gobernadores y alcaldes con estudios universitarios: en todos los casos más del 75% del universo de estudio cuenta con licenciaturas. Asimismo, también se corrobora el bajo porcentaje de políticos con título de master o doctorado, siendo Alemania y Canadá las que muestran, a nivel comparado, las cifras más elevadas.

Tabla 4.9. Nivel de estudios de los que ocuparon la presidencia municipal y regional en 1998(%)

	Alemania		Argentina		Brasil		Canadá		España		México		Total	
	P. M.	P. R.	P. M.	P. R.	P. M.	P. R.	P. M.	P. R.	P. M.	P. R.	P. M.	P. R.	P. M.	P. R.
Secundaria	0	0,0	2,2	8,3	1,9	7,4	3,8	0,0	2,8	0,0	0,0	9,4	1,6	5,3
Formación profesional	3,4	6,2	0,0	0,0	0,0	0,0	0,0	0,0	0,0	0,0	0,0	0,0	0,4	0,8
Licenciatura	86,3	68,8	93,5	87,5	94,3	88,9	92,3	76,9	80,6	84,2	96,8	65,6	86,1	78,6
Doctorado	0	0,0	2,0	0,0	3,8	0,0	3,8	23,1	8,3	5,3	3,2	12,5	3,6	7,5
Doctorado	10,3	25,0	2,2	4,2	0,0	3,7	0,0	0,0	8,3	10,5	0,0	6,3	2,8	7,8
(N)	26	16	46	24	52	27	26	13	34	19	62	32	246	131

Fuente: base de datos de la autora, a partir de información de fuentes institucionales sobre presidentes municipales y regionales.

Respecto al perfil profesional, la Tabla 4.10. recoge un claro predominio de aquellos que estudiaron Leyes. Se trata, por tanto, de personas que en principio cuentan con capacidad de expresión, de persuasión y de toma de decisiones, aparte de un conocimiento técnico sobre el funcionamiento de las instituciones. Asimismo, se les presuponen redes profesionales con individuos vinculados a la Administración Pública y de los principales órganos del Estado.

Tabla 4.10. Profesión de origen de los que ocuparon la presidencia municipal y regional en 1998 (%)

	Alemania		Argentina		Brasil		Canadá		España		México		Total	
	P. M.	P. R.	P. M.	P. R.	P. M.	P. R.	P. M.	P. R.	P. M.	P. R.	P. M.	P. R.	P. M.	P. R.
Derecho	62,1	43,8	84,4	79,2	62,3	55,6	65,4	46,2	52,8	63,2	72,6	43,8	67,9	55,7
Medicina	3,4	0,0	0,0	0,0	7,5	11,1	0,0	0,0	5,6	0,0	1,6	3,1	3,2	3,1
Economía	3,4	6,3	2,2	0,0	5,7	3,7	19,2	38,5	11,1	5,3	6,5	15,6	7,1	9,9
Periodismo	0,0	6,3	0,0	0,0	1,9	3,7	3,8	0,0	0,0	0,0	3,2	0,0	1,6	1,5
Ingeniería	24,1	6,3	6,5	8,3	9,4	14	0,0	7,7	5,6	21,1	9,7	0,0	9,1	9,2
Arquitectura	0,0	0,0	2,2	0,0	3,8	3,7	0,0	0,0	2,8	0,0	1,6	0,0	2,0	0,8
Otros	6,9	37,5	4,3	12,5	9,4	7,4	11,5	7,7	22,2	10,5	4,8	37,5	9,1	19,8
(N)	26	16	46	24	52	27	26	13	34	19	62	32	246	131

Fuente: base de datos de la autora, a partir de información de fuentes institucionales sobre presidentes municipales y regionales.

C) Socialización política y entorno familiar

Tal como ya se ha expuesto en la discusión teórica, la familia constituye un entorno de socialización política primaria y un agente de capitalización. De esta forma, la pertenencia a una dinastía o clan político permite conocer desde una temprana edad los entresijos de la vida política a la par que abre la oportunidad al establecimiento de redes heredadas a través de la familia.

En ese sentido, si bien en sus orígenes las élites políticas eran círculos cerrados dominados por un reducido número de familias, los procesos de modernización y democratización abrieron la puerta al acceso de cargos públicos a nuevos grupos sociales. Circunstancia que se hace patente en la Tabla 4.11. donde se aprecia como la amplia mayoría de presidentes municipales y regionales no contaron con ningún familiar en política. Esta situación refuta la hipótesis 4.6., en la que se afirma que la mayoría de los que ocupan la alcaldía o gubernatura cuentan con familiares en política a la par que transforma el papel otorgado a la familia. Así, pese a que se reconoce que es un agente que puede facilitar oportunidades políticas, tiene un peso relativo si se atiende al porcentaje del universo de estudio que no cuenta con ningún pariente en política.

Tabla 4.11. Familiares en política de los que ocuparon la presidencia municipal y regional en 1998 (%)

	Alemania		Argentina		Brasil		Canadá		España		México		Total	
	P. M.	P. R.	P. M.	P. R.	P. M.	P. R.	P. M.	P. R.	P. M.	P. R.	P. M.	P. R.	P. M.	P. R.
Sí	3,8	0,0	2,2	16,7	13,5	11,1	3,8	7,7	2,9	31,6	6,5	12,5	5,7	13,7
No	96,2	100,0	97,8	83,3	86,5	88,9	96,2	92,3	97,1	68,4	93,5	87,5	94,3	86,3
(N)	26	16	46	24	53	27	26	13	34	19	62	32	246	131

Fuente: base de datos de la autora, a partir de información de fuentes institucionales sobre presidentes municipales y regionales.

Por último, la familia también es contemplada en esta investigación desde la perspectiva de la conciliación con la actividad política. Como se observa en la Tabla 4.12. prácticamente la totalidad de los presidentes municipales y regionales están casados, siendo mínimo el porcentaje de solteros, divorciados o viudos en todos los países. Ello ofrece dos lecturas: la primera es que, para la generación estudiada, la conciliación de la vida familiar y el desempeño de la actividad política es una realidad al contar tanto con medios económicos como con otros recursos-redes familiares, cobertura de guarderías, etc.—. No obstante, puesto que el mayor porcentaje del universo lo constituyen hombres se puede hacer una segunda lectura: que son las mujeres las que se hacen responsables de manera mayoritaria del entorno familiar facilitando a los hombres la entrada y/o permanencia en la política (Ríos, 2008).

Tabla 4.12. Estado civil de los que ocuparon la presidencia municipal y regional en 1998 (%)

	Alemania		Argentina		Brasil		Canadá		España		México		Total	
	P. M.	P. R.	P. M.	P. R.	P. M.	P. R.	P. M.	P. R.	P. M.	P. R.	P. M.	P. R.	P. M.	P. R.
Soltero/a	0,0	4,2	0,0	4,2	0,0	0,0	7,6	0,0	2,8	0,0	0,0	9,4	1,2	3,8
Casado/a	93,1	95,8	100,0	95,8	100,0	100,0	92,3	84,6	91,7	73,7	98,5	81,3	97,2	90,8
Divorciado/a o separado/a	3,4	0,0	0,0	0,0	0,0	0,0	0,0	15,4	5,6	15,8	1,5	6,2	1,2	3,1
Viudo/a	3,4	0,0	0,0	0,0	0,0	0,0	0,0	0,0	0,0	10,5	0,0	3,1	0,4	2,3
(N)	26	16	46	24	52	27	26	13	34	19	62	32	246	131

Fuente: base de datos de la autora, a partir de información de fuentes institucionales sobre presidentes municipales y regionales.

Cuando se analiza el estado civil de los sujetos estudiados, filtrando por la variable género, los resultados recogidos fueron los expuestos en la Figura 4.1. Para el universo estudiado, los datos refutan la hipótesis 4.7., en la cual se sostiene que es más difícil conciliar la vida política para las mujeres que para los hombres, siendo mayor el número de hombres que de mujeres casadas en política. No obstante, debido a que el número de mujeres que ocuparon la presidencia municipal o regional es considerablemente inferior que el de hombres, se concluye que es más complicado para las mujeres entrar en política pero que, en el caso de las que lo hacen, los patrones en la estructura familiar no difieren mucho del de los hombres[36].

---

36 Debido a que a que el 100% de las mujeres del universo de estudio se encuentran en la categoría "casadas", esta gráfica no se reproducirá por separado para las que ocuparon la presidencia municipal o regional.

Figura 4.1. Estado civil, por sexo, de los que ocuparon la presidencia municipal y regional

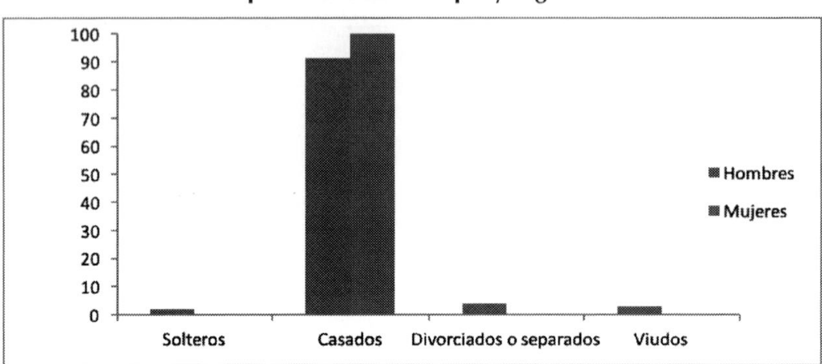

Fuente: base de datos de la autora, a partir de información de fuentes institucionales sobre presidentes municipales y regionales.

Por último, merece la pena resaltar que en todos los casos el número medio de hijos es superior a las tasas de natalidad de los respectivos países para ese período (Tabla 4.13.). Ello permite inferir que se trata de hogares con un nivel socioeconómico superior a la media, con recursos tanto materiales como inmateriales suficientes para facilitar la crianza de hijos.

Tabla 4.13. Número de hijos de los que ocuparon la presidencia municipal y regional en 1998

	Alemania		Argentina		Brasil		Canadá		España		México		Total	
	P. M.	P. R.	P. M.	P. R.	P. M.	P. R.	P. M.	P. R.	P. M.	P. R.	P. M.	P. R.	P. M.	P. R.
Mínimo	1	1	1	2	2	1	0	2	0	1	1	1	0	1
Máximo	6	5	3	5	3	10	4	5	4	7	7	6	7	10
Media	2,9	2,57	2,5	3,53	2,3	2,85	2,1	2,75	1,9	3,6	2,6	2,62	2,1	2,88
(N)	26	16	46	24	52	27	26	13	34	19	62	32	246	131

Fuente: base de datos de la autora, a partir de información de fuentes institucionales sobre presidentes municipales y regionales.

SIMILITUDES Y DIFERENCIAS SOCIODEMOGRÁFICAS ENTRE ÉLITES Y CIUDADANOS

Tras estudiar las características de la élite, en esta parte de la investigación se ponen en relación los atributos de los políticos con los de la población con el fin de comprobar si se da o no una representación espejo. Debido a la imposibilidad de encontrar datos para todas las ciudades incluidas en el estudio, sólo se presentan datos a nivel regional y esta información no se aplica a la tipología propuesta.

La primera variable abordada para el estudio de la representación espejo es el género. En ese sentido, vuelve a ponerse de manifiesto la elevada sobrerepresentación de los hombres en los cargos de representación a nivel subestatal. Tal como se observa en la Tabla 4.14, la distribución de género en las entidades subestatales de los países estudiados muestra una división homogénea, con un porcentaje ligeramente superior de mujeres que de hombres. Esto se debe principalmente a dos fenómenos demográficos: el mayor número de nacimientos de mujeres que de hombres y la menor esperanza de vida de los hombres[37].

Tabla 4.14. Comparativa de la distribución por género media a nivel regional entre presidentes y ciudadanos (%)

	Alemania	Argentina	Brasil	Canadá	España	México	Total
CIUDADANOS							
Hombres	49,1	48,7	49,2	49,0	49,5	48,6	48,8
Mujeres	50,9	51,3	50,8	51,0	50,5	51,4	51,2
ELITES							
Hombres	91,3	78,3	97,9	95,4	87,6	94,9	86,3
Mujeres	8,7	21,7	2,1	4,6	12,4	5,1	13,7
(N)	16	24	27	13	19	32	131

Fuente: elaboración propia. Fuentes varias.

[37] Datos de Naciones Unidas.

Para interpretar este este desequilibrio, la explicación debe ser abordada más desde el punto de vista de la oferta que de la demanda. Así, por un lado, los costes de oportunidad para conciliar la vida pública y privada por lo general son superiores para las mujeres. Además, existe cierto *path dependence* en la propia organización interna de los partidos, existiendo una preeminencia de hombres en las cúpulas de estos.

En cualquier caso, si se aborda desde el lado de la demanda, el claro desequilibrio entre hombres y mujeres evidencia que, en 1998, las reivindicaciones de equidad de género aún no habían logrado penetrar en el seno de las organizaciones partidarias y en la selección de sus candidatos, lo que permite extraer dos conclusiones principales: en términos de género no se da una representación espejo en ninguno de los países de estudio y existe una masculinización de la política que favorece el acceso de los hombres a la representación.

La segunda variable incluida para analizar la representación espejo es la edad. ¿Existen considerables diferencias generacionales entre la élite política y la edad media de la población?, ¿prima la experiencia que trae aparejada la madurez a la hora de ejercer un cargo político o la juventud no es óbice para acceder a los cargos?, ¿va a existir una variación destacable en la edad entre los diferentes patrones de carrera?

Un primer dato que observar es que la edad media de los que ostentaron la presidencia regional es considerablemente mayor a la de la población, independientemente de que la estructura poblacional de los distintos países muestre un mayor o menor nivel de envejecimiento. Así, incluso en países como México, Brasil o Argentina donde el mayor porcentaje de población cuenta con menos de treinta y cinco años, los gobernadores cuentan con una edad media considerablemente superior. Esto vuelve a remitir a la noción de capital (Alcántara, 2012; Joignant, 2015) y la consideración de la política como una carrera que requiere una inversión de tiempo para adquirir experiencia, redes y recursos. Por ello, las oportunidades de carrera se incrementan a medida que lo hace la edad de los individuos que hacen de la política su profesión desde la juventud.

Tabla 4.15. Comparativa de la distribución por edad a nivel regional entre presidentes y ciudadanos

	Alemania	Argentina	Brasil	Canadá	España	México	Total
CIUDADANOS							
<35	24,5	59,8	53,3	45,8	45,2	62,6	54,2
35-50	18,1	16,9	25,9	17,8	21,9	17,3	20,6
51-65	36,8	11,6	15,0	16,5	15,9	15,1	18,0
>65	20,6	8,0	5,8	20,0	17,0	5,0	7,2
ELITES							
<35	2,8	8,9	10,1	2,6	7,6	15,1	9,2
35-50	16,0	29,7	35,2	33,6	47,3	67,7	41,8
51-65	73,7	50,5	40,2	55,2	40,8	13,9	41,0
>65	7,5	10,9	14,5	8,6	4,3	1,3	8,0
Media	55,9	46,8	50,2	53,4	47,8	41,2	48,1
(N)	16	24	27	13	19	32	131

Fuente: elaboración propia. Fuentes varias.

Por último, junto con la edad y el género, los cuáles son atributos intrínsecos al individuo, se ha incluido el nivel de estudios (Tabla 4.16). En ese sentido, a pesar de que ha sido imposible acceder a datos para todos los casos, y aunque las categorías no son homogéneas para élites y ciudadanos, cuando se compara el nivel de estudios puede apreciarse a simple vista la brecha existente entre ambos grupos. Así, para el año 1998, los jefes del Ejecutivo contaban con niveles de estudios sensiblemente superiores a los de la población que representan. Fenómeno que viene a reflejar una situación que trasciende regiones pues, aunque con variaciones en los porcentajes, es un hecho que se da tanto en España como en México y en Argentina. Ello corrobora el argumento de Alcántara (2012), el cual sostiene que, pese a que la posesión de un título universitario no es un requisito para la entrada en política, sí que puede ser utilizado como una carta de presentación y de dotar de autoridad moral.

Tabla 4.16. Comparativa del nivel de estudios entre presidentes y ciudadanos a nivel regional

	Alemania	Argentina	Brasil	Canadá	España	México	
CIUDADANOS							
Primaria	—	59,1	—	—	29,7	55,9	
Secundaria	—	21,3	—	—	27,2	24,3	
Bachillerato	—	13,3	—	—	18,0	10,1	
Universitaria	—	6,3	—	—	25,2	9,7	
ELITES							
Secundaria o inferior	0,0	4,3	3,8	2,5	1,8	3,8	3,06
Formación profesional	4,5	0,0	0,0	0,0	0,0	0,0	0,01
Licenciatura	79,6	92,0	92,5	87,3	81,9	86,6	89,6
Master	0,0	1,4	2,5	10,2	7,2	7,1	2,9
Doctorado	15,9	2,3	1,2	0,0	9,1	2,5	4,4
(N)	16	24	27	13	19	32	131

Fuente: elaboración propia. Fuentes varias.

Estos datos confirman la hipótesis 4.9, por la que los políticos presentan un perfil diferenciado respecto a la población e invitan a pensar que a la hora de explicar las características que poseen los representantes, prima un ideario mental de atributos que debe poseer el político profesional en lugar de un principio de representación reflejo. Por un lado, estos atributos son consecuencia de cierta dependencia hacia el pasado: una visión en la que la política era ejercida mayoritariamente por hombres con una edad media comprendida entre los cuarenta y cincuenta años, con formación superior. Es decir, se crea un imaginario en torno al político profesional como un varón de mediana edad y con estudios superiores. Atributos que le sitúan, además, en un plano diferenciado al del grueso de la población, dotándole de manera consciente o inconsciente de ciertas cualidades que lo hacen más capacitado respecto al resto para ejercer el cargo. Por tanto, no se busca tanto la semejanza como la diferencia; proyectando en ocasiones en el político características que el grueso de la población no posee.

¿CÓMO IMPACTAN ESTOS RASGOS EN LOS PATRONES DE CARRERA PROPUESTOS EN LA TIPOLOGÍA?

Los datos presentados en el epígrafe anterior han permitido identificar, de manera descriptiva, las características de los individuos de la muestra distinguiendo tanto entre países como entre individuos que ocuparon la presidencia municipal o la regional. Como principales conclusiones se ha corroborado la hipótesis central de este capítulo: existe una alta homogeneidad en el perfil de la élite, siendo marginales las diferencias tanto entre países como entre las muestras aplicadas a diferentes niveles de gobierno. De este modo, se ha constatado el predominio de hombres de mediana edad, con estudios superiores relacionados generalmente con el derecho. Respecto a su entorno familiar, la mayoría están casados/as y con hijos. Sin embargo, la mayor presencia de hombres apunta a hablar más de separación de roles que de conciliación entre la política profesional y la familia.

Cuando estas características se aplican a los diferentes patrones de carrera, se observa que, por lo general, la mayoría de las variables reproducen pautas similares. La única excepción la constituyen dos tipos de variables: las vinculadas con la edad y con el lugar de origen. Respecto a las primeras, aquellos que desarrollan una carrera "de escalera" se inician en política mucho más jóvenes que el resto mientras que los que los que tienen carreras "estáticas" cuentan con la mayor edad media. Esto puede interpretarse desde un enfoque estratégico que distingue a las trayectorias de escalera como carreras de fondo en las que los individuos se inician más jóvenes siguiendo, probablemente, una ambición progresiva que los lleva a ir acumulando diferente tipo de capital y recursos para ir posicionándose en distintos niveles de gobierno.

Por su parte, las carreras estáticas demandan de una mayor especialización y conocimiento del territorio específico a la par que requieren de otros tiempos: ya no existe la "urgencia" de ir acumulando capital que permita saltar entre diferentes niveles, sino que más bien necesita de la acumulación de recursos que consientan competir con otros políticos también bien posicionados a nivel subestatal y con ambición estática. Ello puede desembocar, por ejemplo, en esperar un turno dentro del partido para ser nominado como candidato a la presidencia del Ejecutivo o en adquirir notoriedad suficiente entre los electores para ser electo.

Otro dato curioso con relación a la variable edad se observa en las carreras instrumentales, donde la diferencia entre la edad de entrada a la política y de llegada a la presidencia municipal o regional alcanza el valor mínimo. Esto corrobora la propia lógica de la categoría. Es decir, individuos que entran en política generalmente no a una edad muy avanzada y que utilizan esta como un medio para saltar a otra actividad o como un complemento a su carrera. Ello genera que el lapso hasta ocupar un cargo ejecutivo no sea excesivamente largo, ya que el coste de oportunidad que están dispuestos a pagar en términos temporales para acceder a un cargo es previsiblemente menor que el de los individuos que hacen de la política su único oficio.

En cuanto a las variables relacionadas con el lugar de origen, se subrayan dos elementos. El primero es que, con excepción de las carreras instrumentales, en el resto de patrones de carrera la mayor parte de los individuos de la muestra nacieron en el mismo lugar en el que ejercieron la presidencia, lo que lleva a concluir que, mientras que por lo general los políticos suelen aspirar a un cargo dentro del entorno territorial en el que han nacido y se han socializado políticamente, aquellos que utilizan la política como algo instrumental priorizan los espacios que posean más atractivo y visibilidad o que les ofrezcan más oportunidades para saltar a otra actividad. En su defecto, también pueden optar por las ciudades o regiones en los que existan menos barreras de entrada para acceder al cargo.

Por último, destaca el elevado porcentaje de nacidos en la capital del país para el caso de las carreras de aparato. Esto puede ser explicado a partir de la propia estructura de los partidos políticos, los cuales en ocasiones muestran menor grado de descentralización que los sistemas políticos en los que están inmersos. Por tanto, las capitales de los países aún se mantienen como un centro neurálgico de la actividad del partido y, quien desee hacer carrera dentro de la organización, previsiblemente tenga más oportunidades desde la capital.

Tabla 4.17. Perfil sociodemográfico según patrón de carrera (%)

	Estáticas	De escalera	De aparato	Instrumentales
Género	**Hombre:** 94,0 **Mujer:** 6,0	**Hombre:** 93,5 **Mujer:** 6,5	**Hombre:** 93,3 **Mujer:** 6,7	**Hombre:** 91,7 **Mujer:** 8,3
Edad entrada política	**<30:** 5,8 **30-40:** 28,8 **41-50:** 32,7 **>50:** 32,7 **Media:** 44,8	**<30:** 19,3 **30-40:** 43,7 **41-50:** 27,4 **>50:** 9,6 **Media:** 31,8	**<30:** 28,6 **30-40:** 14,3 **41-50:** 50,0 **>50:** 7,1 **Media:** 38,7	**<30:** 18,2 **30-40:** 27,3 **41-50:** 36,4 **>50:** 18,2 **Media:** 40,3
Edad presidencia municipal/ regional	**<35:** 2,0 **35-50:** 26,5 **51-65:** 55,1 **>65:** 16,3 **Media:** 55,5	**<35:** 0,8 **35-50:** 48,5 **51-65:** 44,6 **>65:** 6,2 **Media:** 52,0	**<35:** 7,1 **35-50:**42,9 **51-65:**42,9 **>65:** 7,1 **Media:** 51,0	**<35:** 0,0 **35-50:** 77,8 **51-65:** 22,2 **>65:** 0,0 **Media:** 46,3
Lugar de nacimiento	**Capital país:** 3,5 **Capital estado:** 42,1 **Otra ciudad:** 54,4	**Capital país:** 6,2 **Capital estado:** 35,9 **Otra ciudad:**57,9	**Capital país:** 15,4 **Capital estado:** 38,5 **Otra ciudad:** 46,2	**Capital país:** 0,0 **Capital estado:** 63,6 **Otra ciudad:** 36,4
Coincidencia lugar de nacimiento y ejercicio cargo	**Sí:** 57,9 **No:** 42,1	**Sí:** 57,2 **No:** 42,8	**Sí:** 64,3 **No:** 35,7	**Sí:** 36,4 **No:** 63,6

	Estáticas	De escalera	De aparato	Instrumentales
Nivel de estudios	Secundarios: 4,2 F. profesional: 2,1 Licenciatura: 77,1 Master: 8,3 Doctorado: 8,3	Secundarios: 6,0 F. profesional: 0,8 Licenciatura: 77,4 Master: 7,5 Doctorado: 8,3	Secundarios: 0,0 F. profesional: 0,0 Licenciatura: 92,9 Master:7,1 Doctorado: 0,0	Secundarios: 0,0 F. profesional: 0,0 Licenciatura: 88,9 Master: 11,1 Doctorado: 0,0
Profesión de origen	Derecho: 36,4 Medicina: 4,5 Economía: 18,2 Periodismo:4,5 Ingeniería:13,6 Arquitectura:0,0 Otros:22,7	Derecho: 39,2 Medicina: 4,8 Economía: 12,0 Periodismo: 2,4 Ingeniería: 14,4 Arquitectura: 4,0 Otros: 23,2	Derecho: 23,1 Medicina: 0,0 Economía: 23,1 Periodismo: 0,0 Ingeniería:30,8 Arquitectura: 0,0 Otros: 23,1	Derecho: 14,3 Medicina: 28,6 Economía: 28,6 Periodismo: 14,3 Ingeniería: 14,3 Arquitectura: 0,0 Otros: 0,0
Estado civil	Soltero/a: 7,1 Casado/a: 78,6 Divorciado/a o separado/a: 14,3 Viudo/a: 0,0	Soltero/a: 1,3 Casado/a: 93,8 Divorciado/a o separado/a: 2,6 Viudo/a: 2,5	Soltero/a: 0,0 Casado/a: 80,0 Divorciado/a o separado/a: 0,0 Viudo/a: 20,0	Soltero/a: 0,0 Casado/a: 100,0 Divorciado/a o separado/a: 0,0 Viudo/a: 0,0
Número de hijos	Mínimo: 1 Máximo: 6 Media: 2,6	Mínimo: 0 Máximo: 10 Media: 2,7	Mínimo: 1 Máximo: 5 Media: 2,7	Mínimo: 1 Máximo: 3 Media: 2,0
(N)			377	

Fuente: base de datos de la autora, a partir de información de fuentes institucionales sobre presidentes municipales y regionales.

RECAPITULACIÓN Y CONCLUSIONES

El análisis de las características sociodemográficas de quienes accedieron a la alcaldía o a la presidencia regional pone de relieve un patrón de homogeneidad notable en el seno de las élites políticas. Pese a las transformaciones sociales que han redefinido los parámetros de representación —como la creciente visibilización de las demandas feministas o el protagonismo juvenil en el espacio público—, los perfiles de quienes efectivamente llegan a posiciones de poder siguen respondiendo a una lógica institucional e informal que reproduce esquemas tradicionales.

De esta forma, aun cuando los marcos normativos actuales permiten que cualquier ciudadano sea formalmente elegible, persisten mecanismos no escritos que favorecen a ciertos tipos de candidatos: varones, de mediana edad, con formación universitaria —mayoritariamente jurídica—, casados y con hijos (Tabla 4.18). Este perfil se repite con escasas variaciones tanto en el nivel municipal como en el regional, así como entre los países analizados. En consecuencia, la política, más que ser un fiel reflejo de la pluralidad social, se presenta así como un campo relativamente cerrado, donde la diversidad avanza, pero lo hace con lentitud y muchas veces desde los márgenes.

No obstante, la comparación entre alcaldes y gobernadores permite matizar esta aparente uniformidad. El acceso más temprano a cargos regionales, así como una relación territorial ligeramente distinta con el espacio de origen —más flexible en el ámbito municipal—, muestran que dentro de la élite también existen trayectorias diferenciadas que responden a las particularidades de cada nivel de gobierno. Así, mientras los municipios suelen ofrecer oportunidades a quienes buscan visibilidad desde ciudades más grandes que sus lugares de nacimiento, las presidencias regionales se insertan en carreras más estructuradas, de alcance multinivel, en las que el tiempo es un recurso estratégico.

En suma, los datos muestran que las élites políticas subestatales, si bien menos dinásticas y más accesibles que en el pasado, continúan reproduciendo lógicas de exclusión sutil, donde el mérito convive con inercias sociales, culturales y organizativas que condicionan el acceso al poder. Lo que parece en juego no es solo quién llega, sino bajo qué condiciones, con qué redes y desde qué territorios.

Estas constataciones invitan a mirar más allá del individuo. Si bien los atributos personales permiten trazar un primer retrato de la élite, comprender verdaderamente su configuración y persistencia requiere observar el contexto: las dinámicas territoriales, los entramados institucionales, las relaciones sociales y simbólicas que rodean a quienes ocupan el poder. Con dicho fin, el capítulo siguiente profundiza en las variables contextuales o etnográficas, abriendo la puerta a un análisis más situado y relacional de las trayectorias políticas. Porque solo atendiendo a los entornos en los que estas élites se forman, actúan y se legitiman, podremos comprender por qué, pese a los cambios, tanto permanece igual.

Tabla 4.18. Tabla comparativa. Similitudes y diferencias sociodemográficas entre aquellos que ocuparon la presidencia municipal y la regional

	Presidentes municipales	Presidentes regionales
Género	Predominio hombres	Predominio hombres
Edad media entrada en política	41,6	32,8
Edad media 1998	52,3	42,9
Lugar de nacimiento	Municipio distinto a la capital del país o de la región	Municipio distinto a la capital del país o región
Lugar Presidencia	Menor porcentaje de los nacidos en el mismo lugar	Mayor porcentaje de los nacidos en el mismo lugar
Nivel de estudios	Universitarios	Universitarios
Profesión de origen	Juristas	Juristas
Familiares en política	Tendencia minoritaria	Tendencia minoritaria aunque con valores superiores a la de los alcaldes
Estado civil	Casados	Casados
Número de hijos	2,1	2,9

Fuente: elaboración propia.

Capítulo 5

Variables de contexto o etnográficas: la importancia del entorno en el desarrollo de la carrera

Por lo general, el estudio de los contextos en los que se desarrolla la carrera política se concentra fundamentalmente en variables institucionales: cuál es el diseño del sistema electoral (Nohlen, 1998; Lijphart,1995; Cox, 1997), cómo se articula el sistema de partidos (Sartori, 1976; Kitschelt, 1992; Lijphart, 1995; Lijphart y Aitkin, 1995) o cuál es la relación entre poderes (Mainwaring y Scully, 1995) son solo algunos de los aspectos abordados por la literatura.

Sin embargo, junto con las reglas del juego bajo las que se articula la competición en sistemas democráticos, las cuales se abordan en el siguiente capítulo de esta investigación, existen otro tipo de factores contextuales que pueden incidir tanto en la ambición de los profesionales de la política como en sus probabilidades de éxito electoral. Se trata de aquellos relacionados con cuestiones socioeconómicas y con la identidad territorial, sobre todo en términos de su reflejo en la política partidaria e institucional. Mediante su análisis, se somete a verificación empírica la hipótesis número cinco de esta investigación, la cual dice:

> H5.: *"Los territorios en los que es más habitual el desarrollo de carreras estáticas son aquellos que cuentan con mejores datos económicos respecto al resto del país o cuentan con partidos de ámbito no estatal con porcentajes de voto iguales o superiores al 25% del total".*

Se trata de factores que, por una parte, pueden ser compartidos por países con diseños institucionales muy diversos y que, por el otro, son susceptibles de presentar variaciones dentro de un mismo Estado. Por tanto, requieren ser estudiados de manera separada, aportando información sobre los territorios que, en principio, pueden resultar más atractivos para el cargo o favorecen patrones de carrera más regionalizados.

En ese sentido, los datos económicos aportan datos sobre los recursos disponibles, tanto a nivel agregado como con relación a la manera en que se distribuye entre los individuos que componen la sociedad, constituyendo indicadores del nivel de bienestar de una sociedad (Duarte y Jiménez, 2007). Esto repercute, a su vez, en el ámbito político mediante la capacidad de los votantes para reaccionar a una mala situación económica castigando a los *incumbents* mediante un voto económico (Williams et al., 2016).

Por su parte, la existencia de variables identitarias da cuenta de realidades culturales diferenciadas que pueden o no trasladarse al ámbito de la política partidaria e institucional. Por ejemplo, la lengua es un elemento identitario que puede constituir una base para el desarrollo de demandas de mayor autonomía política (Edwards, 2009). En consecuencia, los partidos de ámbito no estatal se convierten en espacios en los que profesionalizarse y poder generar incentivos para el desarrollo de carreras electorales entre sus miembros, siempre y cuando cuenten con opciones para convertirse en candidatos y resultar electos para cargos de representación.

En ese sentido, este conjunto de variables representa una contribución sustantiva al estudiado de las trayectorias política debido a que, por lo general, no suelen ser tomados en cuenta en la literatura sobre élites y profesionalización. Al introducir dimensiones como la economía, la identidad territorial o la misma demografía, se amplía el marco analítico tradicional y se incorporan factores que pueden condicionar, de forma decisiva, el atractivo de ciertos cargos políticos y las estrategias de quienes aspiran a ellos. De este modo, nacen nuevas preguntas que responden a estas incógnitas. ¿Es el bienestar económico un ancla que favorece carreras políticas locales? ¿Hasta qué punto las identidades territoriales influyen en la profesionalización dentro de partidos no estatales? ¿Cómo se reflejan estas dinámicas en los patrones de carrera?

Para desarrollar estas cuestiones de manera sistematizada, el capítulo reproduce la misma estructura que el anterior. En primer lugar, se lleva a cabo una revisión literaria para identificar las variables más relevantes para esta parte de la investigación, así como justificar su importancia en el desarrollo de las carreras políticas y describir las posibles relaciones entre variables. A continuación, se explican los aspectos metodológicos específicos para el tratamiento de las variables de contexto y, posteriormente, se pasa al procesamiento de los datos y a la verificación de las hipótesis. Por último, se examina el modo en que estas variables contextuales interactúan con los distintos tipos de carrea política, desvelando así las regularidades y excepciones que marcan el camino hacia el poder en espacios territorialmente diferenciados.

PORQUÉ EL CONTEXTO IMPORTA: LA INFLUENCIA DEL ENTORNO EN LA CARRERA POLÍTICA

Una de las características del nuevo orden mundial surgido tras la caída del muro de Berlín y el desarrollo de la globalización es la aparición de nuevas geografías de poder que han reconfigurado el papel del Estado (Romero, 2007). En 1989 se inició un tránsito desde la geografía de los bloques a la geografía de las regiones en la que las entidades subestatales se convertían en espacios con dinámicas económicas, político-culturales y con discursos de identidad propias (Gómez Mendoza, 2001). Situación que se ha materializado institucionalmente en el desarrollo de procesos de descentralización política y en la configuración de sistemas de partidos en el ámbito subestatal con dinámicas que no siempre reproducen las identificadas en el nivel central. Pero, además, la descentralización también se ha traducido en la emergencia de dinámicas diferenciadoras entre territorios, tanto en términos económicos como en la cuestión del tratamiento de las identidades y su vinculación con el ejercicio de la representación. Por ello, en los dos epígrafes siguientes se desarrolla cómo las características socioeconómicas y de identidad no solo son variables relevantes para entender el funcionamiento de los sistemas políticos multinivel, sino que también ejercen influencia en los incentivos y cálculos estratégicos de los políticos profesionales.

Características socioeconómicas

Una de las explicaciones que tradicionalmente se ha otorgado al éxito o fracaso electoral es la capacidad del *incumbent* para satisfacer demandas y proporcionar bienes y servicios (Gelman y King, 1990; Lewitt y Wolfram, 1997). No obstante, cabe tener en cuenta que más allá de la habilidad del político profesional para ejercer la labor de la representación, existen diferentes puntos de partida. Y, en ese sentido, los indicadores económicos constituyen un elemento importante en la medida en que dan cuenta de la riqueza generada por el territorio, así como de la manera en la que esta se distribuye entre la población (Duarte y Jiménez, 2007).

Sin embargo, antes de profundizar en esta cuestión, es necesario hacer una breve referencia a los modelos de financiación vigentes para conocer cómo la legislación articula las competencias del Estado y de las entidades subestatales sobre los recursos económicos disponibles (Tabla 6.1.) En esta línea, es necesario insistir que todos los procesos de descentralización de funciones entre diferentes niveles de gobierno, con estructura federal o no, han ido acompañados de mecanismos de descentralización financiera, lo que se ha materializado en diferentes modelos que, en todos los casos estudiados, contemplan la descentralización del gasto como consecuencia de la cesión de competencias a las entidades subestatales.

Tabla 5.1. Modelos de descentralización financiera por país

	Alemania	Argentina	Brasil	Canadá	España	México
Descentralización gasto	Sí	Sí	Sí	Sí	Sí	Sí
Mecanismos de recaudación	Impuestos compartidos	Transferencias generales	Impuestos compartidos	Impuestos compartidos	Transferencias generales*	Transferencias generales
Mecanismos de compensación interterritorial	Sí	Sí	Sí	Sí	Sí	Sí
(N)	16	24	27	13	19	38

* Con la excepción de la Comunidad Foral de Navarra y el País Vasco.

Fuente: elaboración propia a partir de la legislación fiscal de cada país.

Sin embargo, los mecanismos de recaudación de impuestos son los que permiten identificar dos grupos de países: aquellos que cuentan con sistemas de impuestos superpuestos y los que se basan en modelos de transferencias generales. El primero, vigente en Alemania, Brasil y Canadá, establece un modelo mixto en el que tanto el Gobierno central como las entidades federadas cuentan con potestad para recaudar impuestos. Así, pese a las diferencias en la proporción de los impuestos recaudados directamente por las entidades subestatales[38], ambos niveles de gobierno cuentan con potestades fiscales.

El segundo, aplicado en Argentina, España y México, es el Gobierno central el que tiene potestades sobre las bases tributarias esenciales y más amplias, siendo el principal encargado de recaudar impuestos que luego distribuye entre las entidades estatales para la ejecución de las competencias. Por último, en todos los casos, con mayor o menor intensidad, se aplican fondos de nivelación como mecanismo de solidaridad con los territorios que cuentan con menor renta.

---

38 Canadá constituye el caso en el que las entidades subestatales cuentan con más capacidad fiscal. Le sigue Alemania y, por último, Brasil.

Esta información, que se mantiene constante por país, no va a producir variaciones en los patrones de carrera a nivel subestatal. Sin embargo, sirve como marco legal en el que encuadrar las variables económicas comúnmente aceptadas para medir el desarrollo de un país, región o ciudad. La primera de ellas tiene que ver con la riqueza generada por un territorio, la cual se mide a partir de su Producto Interior Bruto[39]. A través del análisis de la producción, gastos e ingresos de un territorio, se pueden identificar cuáles son las regiones con un mayor dinamismo económico. No obstante, este es un dato agregado, por lo que es necesario observar cómo el rendimiento económico impacta en el bienestar de la sociedad. Para ello se toma el PIB o renta per cápita. Así, existen evidencias de que este indicador tiene una correlación positiva con la calidad de vida, sobre todo en los casos de países o regiones con menor renta (Inglehart, 2001)[40].

Empero, respecto a este último indicador, hay que tomar en cuenta que la distribución del nivel de ingresos no es homogénea entre todos los individuos que componen una sociedad. Por esta razón, es necesario incluir mecanismos para medir el grado de desigualdad, siendo el más utilizado el coeficiente de Gini. Con ello, se puede contrastar si la riqueza del país se distribuye de manera equitativa entre la población o si por el contrario se concentra sólo en una parte de ella. Finalmente, indicadores como la tasa de desempleo permiten proporcionar una visión más global de la situación socioeconómica de un territorio al suministrar información sobre la configuración del mercado de trabajo. De esta forma, el funcionamiento de estas variables no es ajeno al funcio-

39 Pese a que existen trabajos, como el de Stiglitz (2002), que subrayan las limitaciones del PIB como indicador de riqueza, entendiendo que esta no se puede medir únicamente en términos monetarios, en este trabajo se toma al considerarlo un instrumento de medición de la riqueza compartido porla comunidad internacional y los Estados que la componen.

40 En los países o regiones más pobres, el incremento en el nivel del PIB per cápita impacta positivamente en el bienestar de la población. Sin embargo, en los países o regiones con una renta per cápita más elevada, su utilidad es más limitada.

namiento de la política, tanto desde la perspectiva de los votantes como de las élites.

Por un lado, los factores económicos son uno de los determinantes del voto. Bajo la hipótesis de la responsabilidad, los electores responsabilizan al Gobierno por la situación económica del país premiando al Gobierno cuando la situación es buena y dando el voto a la oposición cuando es mala (Nannestad y Paldam, 1994). Por su parte, es probable que los políticos encuentren más atractivo desempeñar un cargo en aquellas regiones en las que los indicadores socioeconómicos presenten mejores valores. Si bien, el atractivo del cargo debe ir acompañado de condiciones óptimas en la accesibilidad al mismo por lo que, aunque un determinado puesto sea muy codiciado en términos generales, en principio sólo competirán por él los que cuenten con probabilidades de victoria.

Identidad territorial

Junto con las características socioeconómicas, cabe prestar atención a la configuración de la propia sociedad en términos de identidad territorial. Así, pese a que en la mayoría de los trabajos esta dimensión ha sido abordada desde la noción de clivaje en el estudio de los sistemas de partidos, el hecho de que la representación se articule en su mayoría en términos de organizaciones partidarias, invita a incluirlo como una variable a tomar en cuenta a la hora de estudiar los patrones de carrera.

En ese sentido, el argumento se construye a partir de la premisa de que si la competencia se organiza en la relación del sistema partidario con los conflictos salientes de la estructura social (Lipset y Rokkan, 1967), las estrategias de los actores a la hora de diseñar su carrera también pueden verse afectados por la articulación de las identidades en la sociedad. De hecho, aunque la existencia de múltiples identidades dentro de un mismo Estado se da en un amplio número de casos, esta cuestión parece adquirir mayor relevancia en el caso de los estados descentralizados, donde la propia organización territorial facilita trasladar a la esfera política sentimientos identitarios desarrollados en otras esferas como la social o la cultural.

De este modo, el impacto de la descentralización a la hora de articular las relaciones centro-periferia ha generado dinámicas subestatales diferenciadas y ha puesto en discusión el tradicional modelo de organización del Estado-Nación. Apoyándose en argumentos económicos y/o culturales, casos como los de Quebec, Cataluña, País Vasco o Baviera son ejemplos de entidades subestatales que, mediante diferentes fórmulas y demandas concretas, reaccionan frente al Estado central reivindicando un mayor grado de autonomía. Para ello, ha sido importante la configuración de partidos de ámbito no estatal (PANE) o regionalistas, los cuales han permitido la articulación de demandas y autoridad propia más allá de las directrices del Estado (Lynch, 1996; Keating, 2001; McGarry y Keating, 2006).

Este tipo de partidos desarrollan estrategias políticas y organizativas para adaptar su programa a la arena electoral subestatal (De Oger, 2011). Dado que la capacidad para ganar votos de un partido depende de su habilidad para interpretar las dimensiones que son relevantes para el electorado y que los votantes eligen a las organizaciones partidarias con más credibilidad y/o competencia para defender estas cuestiones (Stokes, 1963:371; Petrocik (1996), los PANE llevan a cabo un énfasis selectivo de los aspectos más relevantes para las regiones en las que compiten. Frente a esto, los partidos de ámbito estatal pueden reaccionar con procesos de acomodación desarrollando intereses institucionales propios a nivel subestatal (Van Houten, 2000; Martínez-Herrera, 2002). Sin embargo, también pueden optar por la estrategia contraria y tratar de concentrar sus esfuerzos en la arena nacional.

Ello repercute, a su vez, en las estrategias, incentivos y oportunidades de las élites puesto que, como ya se ha señalado, la representación se articula fundamentalmente a través de los partidos políticos, los miembros de los PANE con fuerte apoyo electoral a nivel subestatal pueden contar con incentivos para desarrollar carreras estáticas. En ese sentido, ello vincularía con el modelo de regionalización de Stolz (2011), según el cual la configuración de los sistemas políticos subestatales puede generar espacios diferenciados que pongan en discusión el principio de ambición progresiva de Schlesinger (1966). Por su parte, en aquellos lugares en los que los PANE reciban un menor porcentaje de votos o entre los miembros de los partidos nacionales puede ser más frecuente el desarrollo de carreras de escalera.

METODOLOGÍA APLICADA

El presente capítulo agrupa dos grandes tipos de variables: a) económicas y b) identitarias. En concreto, se contienen indicadores que permitan medir las dimensiones desarrolladas en los epígrafes anteriores con el objetivo de hacer una fotografía general de las principales características de los territorios donde los políticos ejercen su carrera y de los posibles incentivos asociados a los mismos. En concreto, la Tabla 5.2. recoge las variables e indicadores desarrollados en esta parte de la investigación.

Tabla 5.2. Variables e indicadores de contexto o etnográficas

Variable	Indicador (es)
Socioeconómicas	PIB
	PIB per cápita
	Índice de Gini
	Tasa desempleo
Identidad	Número de lenguas habladas
	Partidos de Ámbito no estatal (PANE)
	%Votos partidos ámbito no estatal
	Estatus diferenciado

Fuente: elaboración propia a partir de fuentes oficiales.

Los datos son recogidos para 1998, momento en el que los individuos que conforman el universo de estudio estaban en el ejercicio del cargo. La decisión de tomar la información para ese año responde a dos razones: conocer el contexto en el que se desenvolvieron en la presidencia para observar cómo el entorno pudo afectar a sus opciones de carrera posteriormente y dado que se reconstruye la carrera completa de estos individuos, existen diferentes momentos de entrada y salida de la política para cada uno de ellos, por lo que es difícil fijar otro año de referencia.

Para el caso de las variables económicas, los valores que toman los indicadores en la parte empírica no han sido calculados por la autora, sino que provienen de institutos estadísticos. Debido a la imposibilidad de acceder a información respecto al nivel municipal para todos los casos, en la parte empírica únicamente se presentan resultados a nivel regional. Así, para evitar caer en una falacia ecológica infiriendo que las características de las regiones son extrapolables a los municipios que la conforman, las conclusiones extraídas sólo son aplicables para aquellos que ocuparon la presidencia regional. Por tanto, para esta parte del análisis el universo de estudio excluye a los que ejercieron la alcaldía.

Por su parte, los datos para el segundo grupo de variables proceden de fuentes diversas. Para la variable relacionada con las lenguas, se han consultado tanto las lenguas oficiales recogidas en el ordenamiento jurídico como literatura especializada para identificar lenguas que, pese a no ser oficiales, poseen arraigo en algunas regiones. Para el caso de los partidos de ámbito no estatal y el porcentaje de votos recibido, la información se ha obtenido de las instituciones encargadas del proceso electoral, ya sean Tribunales electorales o ministerios. Por último, la existencia de estatus diferenciados para algunas regiones proviene de una revisión de sus Constituciones. En este contexto, dado que para las variables económicas no se han conseguido datos a nivel municipal, para estos indicadores se reproduce el mismo patrón limitando el análisis al contexto regional.

A partir de estas variables e indicadores, la hipótesis central de este capítulo es:

> H5.: *"Los territorios en los que es más habitual el desarrollo de carreras estáticas son aquellos que cuentan con mejores datos económicos respecto al resto del país o cuentan con partidos de*

ámbito no estatal con porcentajes de voto iguales o superiores al 25% del total. El tamaño de la población no se considera una variable relevante".

De ella se derivan las siguientes hipótesis secundarias:

H5.1.: *"Los territorios que cuentan con PIB y PIB per cápita alto, y bajos niveles de desigualdad y tasas de desempleo, son más ambicionados y, por tanto, favorecen el desarrollo de carreras estáticas"*

H5.2.: *"La existencia de diferencias lenguas y/o partidos de ámbito no estatal no incide en los patrones de carrera. El factor determinante es el apoyo electoral recibido por los PANE. Cuando estos reciben en conjunto al menos el 25% de los votos, se incrementa la presencia de carreras estáticas al desincentivarse el salto de las élites regionales a la política estatal".*

Para verificar las hipótesis planteadas, en los siguientes epígrafes se presentan los datos de manera sistematizada, permitiendo la comparación entre países. Posteriormente, esta información se aplica a la tipología desarrollada para ver si determinadas condiciones contextuales están más o menos presentes en los diferentes patrones de carrera.

ANÁLISIS DESCRIPTIVO: CARACTERÍSTICAS DEL ENTORNO

Variables económicas

En este apartado se presentan los valores de cuatro indicadores económicos básicos: el PIB, el PIB per cápita, el Índice de Gini y la tasa de desempleo. Para la primera variable, el PIB regional, se ha optado por presentar los datos en relación con el pocentaje que cada uno de ellos representa sobre el total del país (Tabla 5.3.). Con ello, se permite la comparación entre países que presentan diferencias sustantivas en sus economías. Así, si se hubieran tomado los datos absolutos, existirían sesgos comparativos en los resultados que distorsionarían las conclusiones extraídas.

Tabla 5.3. Distribución de las regiones en función del PIB aportado sobre el total del país en 1998(%)

	Alemania	Argentina	Brasil	Canadá	España	México
<1%	0,0	16,7	40,7	30,8	68,4	15,6
1-4,9%	75,0	58,3	40,7	38,4	5,3	71,9
5%-14,9%	12,5	20,8	14,8	15,4	26,3	9,4
15%-25%	12,5	4,2	0,0	7,7	0,0	3,1
>25%	0,0	0,0	3,8	7,7	0,0	0,0
(N)	16	24	27	13	19	32

Fuente: elaboración propia a partir de datos oficiales de los Institutos Nacionales de Estadística de cada país.

Al observar los datos, se identifican diferencias entre los países. En primer lugar, Alemania es el único caso en el que ninguna región representa menos del 1% del PIB, lo que en principio la sitúa como la economía con mayor capacidad para generar riqueza a nivel subestatal. Con una economía sustentada en un setenta por ciento en el sector servicios y con una industria fuerte, el modelo de desarrollo económico impulsado desde la federación facilita la aparición de diferentes centros económicos y disminuye la existencia de fuertes desequilibrios territoriales (Wagner et al. 2007). No obstante, los Estados con mayor PIB se sitúan en el sur del país, destacando Baviera, Baden Würtemberg y Hesse. Junto a esto, también cabe hacer mención a la existencia de las dos Alemanias antes de la reunificación, con un claro predominio de la occidental sobre la oriental. Tras 1990, pese a que los procesos de modernización e integración han reducido las diferencias entre los distintos territorios, hoy persiste una mayor concentración de la riqueza en la parte occidental.

En segundo lugar, Brasil y España son los casos en los que se alcanza un porcentaje superior de regiones que constituyen menos del 1% del PIB total. Ello se debe a que en ambos países la riqueza se concentra en un número limitado de polos de desarrollo. En el caso de Brasil, pese a contar con abundantes recursos naturales y una estructura económica diversificada, presenta fuertes desequilibrios regionales en términos de riqueza. Las provincias del norte y nordeste son las que cuentan con un menor nivel de PIB, si bien son las más pobladas. El centro-oeste del país es el área que muestra un mayor equilibrio, con un crecimiento en términos de riqueza y una mayor diversificación económica. Por último, en el sur se da la tendencia opuesta al norte: altos niveles de PIB y baja densidad demográfica. (Pacheco, 2016). Situación similar a la de España, donde predomina una economía terciarizada tras los procesos de reconversión industrial de la década de 1980. En este caso, el país también muestra asimetrías sustantivas entre las regiones, concentrándose los principales ejes de desarrollo y dinamismo económico en Cataluña, Madrid, País Vasco y Navarra. Le siguen el resto de las comunidades integradas en el Eje Mediterráneo, con un especial peso de la Comunidad Valenciana y Andalucía. Finalmente, el interior y resto de la franja norte muestran los valores más bajos de PIB.

Por último, Argentina, Canadá y México son los casos en los que la mayor parte de sus regiones cuentan con un PIB que representa entre el 1% y el 4,9% del total. En el caso de Argentina, su economía se sustenta en gran medida en el sector primario con una explotación agrícola de avanzada tecnología (Basualdo, 2006). En ese sentido, la exportación de cereales, oleaginosas y soja ha sido tradicionalmente una de las actividades económicas principales del país. Junto a esto, cabe destacar la importancia de la ganadería bovina. No obstante, es la industria manufacturera el sector con una mayor aportación al PIB nacional. En cuanto a la distribución territorial, la mayor parte de la riqueza se concentra en el Gran Buenos Aires y las provincias del sur, especialmente en Tierra del Fuego. Le siguen las ubicadas en el centro —Córdoba, Mendoza, San Luis y Santa Fe—, mientras que el norte es considerado el área más pobre del país. En ese sentido, Tucumán constituye la principal excepción.

Canadá cuenta con una economía diversificada en la que destaca el peso de industrias como la forestal, la minería, la energía, la agricultura y la pesca (Hamit-Haggar, 2012). En el centro, sobre todo en Ontario y Quebec, se concentran la mayor parte de los servicios e industrias manufactureras. Respecto a las provincias atlánticas —Nueva Brunswick, Isla del Príncipe Eduardo, Nueva Escocia y Terranova y Labrador—, destaca la industria pesquera. Sin embargo, en los últimos años han experimentado una diversificación de su economía enfocándose en la producción de aceite y gas.

Por su parte, México concentra la mayor parte de su PIB en tres estados: el Distrito Federal, Nuevo León y Baja California Sur. Por el contrario, los menos competitivos son Oaxaca, Chiapas y Guerrero. Dentro del primer grupo, Nuevo León y en menor medida Baja California Sur, destacan por ser polos industriales dentro de la federación. Mientras que, por su parte, la mayor parte del PIB del Distrito Federal proviene del sector servicios. Escenario bastante diferente al presentado por Oaxaca, Chiapas y Guerrero, donde la mayor parte de su actividad se concentra en el sector primario. En conjunto, las mayores aportaciones al PIB nacional provienen del sector terciario, donde los servicios y la actividad comercial se han posicionado como actividades punteras en el país. Tras analizar los datos relativos al PIB regional, en la Tabla 5.4. se muestran los correspondientes al PIB per cápita. Al igual que en el caso anterior, y con el objetivo de poder establecer comparaciones entre países que muestran diferencias en sus economías, los datos se han presentado en tres categorías: a) las regiones que cuentan con un PIB per cápita inferior a la media, b) los que tienen uno próximo a la media y c) los casos en los que es superior.

La Tabla 5.4. muestra que la pauta general es que la mayoría de las regiones cuentan con una renta per cápita inferior a la media, localizándose los valores superiores en los principales ejes de desarrollo del país. Sin embargo, Canadá supone una excepción fruto, en gran medida, de la diversidad y competitividad de su economía. Así, los únicos casos en los que la renta per cápita es inferior son Nueva Escocia, Nuevo Brunswick y la Isla del Príncipe Eduardo, las cuales tienen una mayor dependencia de la industria pesquera. En el resto, el valor es próximo o superior a la media al concentrarse en el sector servicios y en la industria energética.

Tabla 5.4. Distribución de las regiones en función de PIB per cápita de las regiones respecto a la media de cada país en 1998(%)

	Alemania	Argentina	Brasil	Canadá	España	México
Inferior a la media	56,3	66,6	59,3	30,0	42,1	56,3
Próximo a la media	12,5	16,7	7,4	10,0	21,1	15,6
Superior a la media	31,2	16,7	33,3	60,0	36,8	28,1
(N)	16	24	27	13	19	38

Fuente: elaboración propia a partir de datos oficiales de los Institutos Nacionales de Estadística de cada país.

A partir de esta distribución de la renta per cápita, es interesante medir la desigualdad, por lo que se ha optado por incluir en el análisis el Índice de Gini (Tabla 5.5.). En este caso se mantienen las mismas tendencias detectadas en las tablas anteriores: Alemania, Canadá y España muestran bajos niveles de desigualdad, lo que invita a concebirlas como sociedades igualitarias donde, por lo general, no existen diferencias notables entre regiones en el nivel de bienestar medido en términos de renta. Por el contrario, Brasil y México aparecen en el extremo contrario, con elevados coeficientes de desigualdad entre regiones.

Tabla 5.5. Distribución de las regiones en función del Índice de Gini en 1998(%)

	Alemania	Argentina	Brasil	Canadá	España	México
< 0,20	0,38	0,0	0,0	100,0	100,0	0,0
0,20-0,40	0,62	100,0	0,0	0,0	0,0	0,0
0,41-0,60	0,0	0,0	0,88	0,0	0,0	100,0
>0,60	0,0	0,0	0,11	0,0	0,0	0,0
(N)	16	24	27	13	19	38

Fuente: elaboración propia a partir de datos oficiales de los Institutos Nacionales de Estadística de cada país.

Para explicar estas diferencias, el primer argumento son las características de los bloques regionales. Así, en los últimos cincuenta años, la reducción del Índice de Gini en Europa ha duplicado la de América Latina. Mientras que la evolución de la concentración de la riqueza en Latinoamérica ha mostrado un descenso casi imperceptible, en Europa se evidencia una mayor redistribución de la renta en las últimas décadas. No obstante, la mayor diferencia entre ambas regiones se identifica al comparar los niveles de pobreza. Los niveles de pobreza absoluta son considerablemente inferiores en Europa que en América Latina.

Por último, la Tabla 5.6. recoge la tasa de desempleo de los casos estudiados, las cuales aportan un dato relevante; incluso en aquellas economías en las que existe una mayor capacidad de generación de riqueza y menos desigualdad, es posible encontrar elevadas tasas de desempleo. Así, los datos muestran que en general, es elevado el porcentaje de regiones que cuentan con tasa de desempleo que oscila entre el 10% y el 15%. Dato que es explicado, en primer lugar, por las diferencias en la estructura productiva de cada región, existiendo sectores que son capaces de absorber mayor cantidad de mano de obra que otros. Y, en segundo lugar, por su impacto en los diferentes grupos de la población, existiendo contextos y actividades que pueden dificultar la inserción en el mundo laboral de grupos como los formados por mujeres, jóvenes o personas con menor nivel de estudios. Las principales excepciones las constituyen Brasil y México, donde las tasas de desempleo son mayoritariamente inferiores al 5%.

Tabla 5.6. Distribución de las regiones en función de la tasa de desempleo a nivel regional en 1998 (%)

	Alemania	Argentina	Brasil	Canadá	España	México
>15	31,2	25,0	0,0	10,0	68,4	0,0
10-15	25,0	54,2	18,5	40,0	31,6	0,0
5-10	43,8	16,7	74,1	50,0	0,0	0,0
<5	0,0	4,1	7,4	0,0	0,0	100,0
(N)	16	24	27	13	19	38

Fuente: elaboración propia a partir de datos oficiales de los Institutos Nacionales de Estadística de cada país.

Variables identitarias

El último grupo de variables contextuales analizadas son las relacionadas con cuestiones identitarias. En primer lugar, se ha tomado como indicador el número de lengua habladas en cada región. El criterio de selección ha considerado tres supuestos: la oficialidad, su conocimiento por más del 25% de la población del lugar y/o su arraigo cultural. En ese sentido, la lengua es un vehículo para la creación de identidad y su inclusión en el análisis responde a observar si la existencia de una comunidad lingüística tiene algún tipo de influencia en un mayor porcentaje de carreras horizontales a nivel subestatal.

De esta manera, la Tabla 5.7. muestra la distribución lingüística de las regiones que constituyen cada uno de los seis países estudiados. Dentro de la categoría "sólo una" se incluyen los territorios en los que sólo se habla la lengua oficial de todo el Estado, mientras que en las otras dos categorías se contemplan aquellas regiones en la que existen lenguas cooficiales, con arraigo histórico o compartidas por al menos una cuarta parte de la población. Esta variable, por sí sola, puede ser insuficiente para explicar la articulación política de las identidades en las carreras, ya que la existencia de segundas lenguas no se transforma necesariamente en una reivindicación identitaria en el ámbito de la competición política. No obstante, permite conocer mejor la realidad de los territorios y establecer relaciones entre la existencia de varias lenguas, la aparición de partidos de ámbito no estatal y el desarrollo de carreras horizontales o regionalizadas.

Tabla 5.7. Número de lenguas habladas a nivel regional en 1998 (%)

	Alemania	Argentina	Brasil	Canadá	España	México
Sólo una	81,30	100,0	88,9	53,8	63,2	53,1
Dos	12,50	0,0	7,4	46,2	36,8	28,1
Más de dos	6,20	0,0	3,7	0,0	0,0	18,8
(N)	16	24	27	13	19	32

Fuente: elaboración propia.

La Tabla 5.7. permite distinguir dos grupos de países. Por un lado, se encuentran Argentina, donde sólo se habla español, y Alemania y Brasil, las cuales cuentan con regiones en las que mayoritariamente se habla una sola lengua. En Alemania, el alemán es la lengua predominante y las únicas otras lenguas habladas en el país son el Sorbio —Brandemburgo y Sajonia—, y el frisón y el danés en Schlewig-Holstein. El primero es hablado por una minoría nacional de origen eslavo, la cual no se organizó políticamente hasta 2008, año en la que se presentó en elecciones obteniendo poco éxito electoral. Por su parte, el frisón —de origen neerlandés— y el danés son hablados por la proximidad territorial de Alemania con los Países Bajos y Dinamarca. Caso muy parecido al brasileño, donde se habla Pomerana en el Estado de Espirito Santo y Talián en Santa Catarina y Rio Grande del Sur. La primera, de origen alemán y la segunda, italiano, llegaron a Brasil por procesos migratorios en el siglo XIX y se consolidaron como comunidades linguisticas minoritarias en estos territorios.

Por otro lado, el segundo grupo de países lo conforman Canadá, España y México. En el primero la principal dicotomía se da entre los francófonos y los anglófonos, aunque junto con estas dos grandes lenguas conviven otras de origen nativo americano. Estas últimas van a ser especialmente habladas en los territorios de Canadá: Nunavut, territorios del noroeste y Yukon. Por su parte, España cuenta con el español y las siguientes lenguas cooficiales: gallego, catalán/valenciano, vasco y aranés. Asimismo, pese a su condición de no oficiales, el aragonés y el asturleonés son hablados en partes del territorio. Por último, en México existe una amplia variedad lingüística debido a la multiplicidad de lenguas amerindias que, aun sin ser oficiales, son habladas en diferentes estados. Debido a que es complicado establecer una clasificación sistemática se han contabilizado las lenguas con un mayor porcentaje de hablantes o mayor arraigo histórico y/o cultural.

No obstante, la existencia de otras lenguas no siempre se ha materializado en la aparición de reivindicaciones identitarias a través de partidos políticos. Así, en Alemania, Brasil y México las diferentes comunidades lingüísticas no se han organizado políticamente[41]. Situación contraria a la que ocurre en España y Canadá, donde la existencia de lenguas autóctonas, unido a otros rasgos de identidad, han dado lugar a la formación de partidos de ámbito no estatal.

De este modo, para incidir en la esfera pública, los lazos compartidos —como puede ser la lengua— deben materializarse en partidos políticos. Si se toma el clásico trabajo de Lipset y Rokkan (1967), las fracturas latentes en cada sociedad solo adquieren relevancia política a través de los partidos. Estos toman esas divisiones ya existentes previamente en la sociedad y las estructuran dentro de la competencia política. Ahora bien, como señala Ferrara y Herron (2005), estructuras de clivaje similares pueden producir sistemas de partidos muy diferentes. Y, por ende, la existencia de fracturas no es condición suficiente. Es necesario que el partido modele los clivajes para activar de manera estratégica aquellos que le permitan lograr un rédito electoral.

En ese sentido, la Tabla 5.8. recoge la existencia o no de partidos de ámbito no estatal que compitieron en los comicios en los que resultaron electos los políticos estudiados. En los casos de Alemania, España y Canadá, la mayoría de estos partidos se articularon bajo una lógica identitaria. No obstante, esta no siempre va ligada a la existencia de una segunda lengua, como es el caso de la Unión Social Cristiana de Baviera. Por el contrario, en México y Argentina presentan partidos de ámbito no estatal que encuentran su razón de ser el desarrollo de proyectos concretos para sus regiones pero que, por lo general, no cuentan con ese componente identitario.

---

[41] Para el caso brasileño, además, hay que tener en cuenta que la legislación prohíbe partidos asentados en un único estado.

Tabla 5.8. Regiones con presencia de partidos de ámbito no estatal en 1998 (%)

	Alemania	Argentina	Brasil	Canadá	España	México
Regiones con PANE	6,3	58,3	0,0	15,4	94,7	15,8
(N)	16	24	27	13	19	32

Fuente: elaboración propia a partir de la consulta de los organismos electorales.

Esta diferencia entre la base o no identitaria parece tener un efecto en el porcentaje de voto recibido por los partidos. Así, Alemania, España y Canadá son los países en los que partidos de ámbito no estatal consiguen el mayor porcentaje de votos. Pese a que Argentina cuenta un porcentaje próximo, si se observa con detalle, existen variaciones sustantivas en la distribución de voto de los PANE entre provincias. Así, el 61,5% logran porcentajes de voto menores al 25%. Por último, México es el caso donde el porcentaje de voto de estos partidos es menor (Tabla 5.9.).

Tabla 5.9. Distribución del voto a partidos de ámbito no estatal a nivel regional en 1998 (%)

	Alemania	Argentina	Brasil	Canadá	España	México
% Regiones donde los PANE tiene menos del 25% de los votos	0,0	61,5	—	0,0	55,5	100,0
% Regiones donde los PANE tiene más del 25% de los votos	0,0	23,1	—	100,0	27,8	0,0
%Regiones donde los PANE tienen más del 50% de los votos	100,0	15,4	—	0,0	16,7	0,0
(N)*	1	13		2	18	6

* N= número de regiones en los que presentaron candidaturas partidos de ámbito no estatal para las elecciones en las que resultaron electos los miembros del universo de estudio.

Fuente: elaboración propia a partir de la consulta de los organismos electorales.

Por último, para completar el puzzle de la identidad, y una vez vistas las características de la población y de los partidos, el último paso es ver cómo estas particularidades se trasladan al ámbito institucional. En ese sentido, la Tabla 5.10. muestra el porcentaje de regiones que cuentan con un estatus diferenciado dentro de la propia diversidad regional, los cuales pueden ser de diferente índole. Para el caso de Alemania, Argentina, Brasil y México, responden a la existencia de ciudades autónomas dentro del territorio.

Tabla 5.10. Estatus diferenciado a nivel regional en 1998 (%)

	Alemania	Argentina	Brasil	Canadá	España	México
Sí	18,8	4,2	3,7	30,8	21,1	2,7
No	81,2	95,8	96,3	69,2	78,9	97,3
(N)	16	24	27	13	19	32

Fuente: elaboración propia a partir de la consulta de los organismos electorales.

Sin embargo, para Canadá y España las razones son otras. En el primer caso la particularidad es de Quebec, la cual fue reconocida como una nación dentro de Canadá. Después de la celebración de dos referéndums por la separación, en 2006 el Parlamento aprobó la citada moción gubernamental. Por su parte, en España presenta la mayor variedad de fórmulas. Por un lado, cuenta con dos ciudades autónomas y, por el otro, País Vasco y Navarra cuentan con un régimen foral. Por último, el reconocimiento de Galicia, País Vasco y Cataluña como comunidades históricas les permitió encabezar la transferencia de competencias.

IMPACTO DE LAS VARIABLES CONTEXTUALES EN LA TIPOLOGÍA DE CARRERAS

Si bien el contexto es común para todos los individuos que compiten en un mismo ámbito territorial, lo cierto es que dentro de un mismo escenario pueden encontrarse perfiles de carrera heterogéneos. Ello llevaría a pensar que el contexto no ejerce una influencia determinante en el patrón de trayectoria. No obstante, esta investigación parte de la hipótesis de que el contexto en el que se compite puede ser un incentivo o desincentivo para diferentes ambiciones. Esto es, dadas las dificultades ya enumeradas para medir la ambición, una alternativa es identificar los escenarios en los que son más o menos idóneos para el desarrollo o materialización de la ambición.

En ese sentido, la Tabla 5.11. muestra, en primer lugar, que las variables económicas sí que parecen incidir en los patrones de carrera. De hecho, en los casos en los que las regiones cuentan con el mayor porcentaje de PIB y donde la renta per cápita es superior a la media, predominan las trayectorias estáticas, lo que puede explicarse dado que, a medida que aumenta la riqueza y los recursos disponibles, el político tiene más incentivos para no moverse de nivel. En primer lugar, porque cada vez que se incrementan los recursos también lo hacen los mecanismos para realizar políticas públicas y una buena gestión que facilite su reelección. Y, en segundo lugar, porque puede repercutir positivamente en el atractivo de su cargo en términos de poder, visibilidad o remuneración. Sin embargo, los valores recogidos para las variables de desigualdad y tasa de desempleo no muestran especial variación entre las carreras estáticas y de escalera, lo que apunta a un menor peso relativo.

Asimismo, resulta destacable cómo las variables económicas se comportan en las carreras "de aparato" e "instrumentales". En estos casos, la mayor parte del universo de estudio se sitúa en los valores más bajos, lo que puede ser interpretado como que, para aquellos que compatibilizan su carrera con otra actividad o son principalmente personas de aparato, quizás es más estratégico desarrollar su carrera en regiones menos "codiciadas" por políticos profesionales cuya trayectoria se articula en la lógica de los cargos de elección popular o designación. Tendencia que se reproduce al analizar las variables de desigualdad —medida a través del índice de Gini— y desempleo.

Estos datos permiten corroborar una parte de la hipótesis 5.1. y refutar otra. Así, si bien se confirma que las carreras estáticas se dan mayoritariamente en las regiones que cuentan con un PIB más elevado y una renta per cápita superior a la media, para el caso del Índice de Gini y la tasa de desempleo, la relación no es tan evidente.

Respecto al último grupo de variables, las relativas a la identidad, se verifica a partir del universo de estudio la hipótesis 5.2. la condición de que se hable una segunda lengua y existan partidos de ámbito no estatal no favorecen necesariamente el desarrollo de carreras estáticas. Es necesario que, además, estos partidos cuenten con un elevado apoyo electoral. Cuando estos partidos reciben menos del 50% de los votos, se da una distribución muy similar entre las carreras estáticas y de escalera. Ello corrobora que, en aquellos ámbitos en los que estos partidos gozan de éxito electoral, no existen demasiados incentivos para los *incumbent* para cambiar de nivel. Sin embargo, los miembros de aquellos partidos que tienen presencia en los diferentes niveles de gobierno y cuentan con probabilidades de victoria, tienen más incentivos para moverse de nivel si se generan estructuras de oportunidad.

Finalmente, también en este caso cabe resaltar que las carreras de aparato e instrumentales se desarrollan fundamentalmente en lugares donde las características identitarias se manifiestan con menos fuerza en términos electorales. En principio, los miembros de partidos nacionalistas periféricos tienen más incentivos para competir por un cargo público que para únicamente ejercer un puesto en el partido dado que se incrementan las opciones de ser electo por el porcentaje de voto recibido por sus organizaciones.

Tabla 5.11. Variables contextuales según el patrón de carrera (%)

	Estáticas	De escalera	De aparato	Instrumentales
% Población sobre el total del país	<5%: 72,2 5%-15%:16,7 15%-25%:5,6 >25%:5,6	<5%:74,4 5%-15%:18,6 15%-25%:5,8 >25%:1,2	<5%:77,8 5%-15%:22,2 15%-25%:0,0 >25%:0,0	<5%:100,0 5%-15%:0,0 15%-25%:0,0 >25%:0,0
PIB Regional (% sobre el total del país)	<1%: 27,8 1%-4,9%:38,9 5%-14,9%:16,7 15%-25%: 11,1 >25%:5,6	<1%:17,4 1%-4,9%:58,1 5%-14,9%:18,6 15%-25%: 4,7 >25%:1,2	<1%: 22,2 1%-4,9%:55,6 5%-14,9%: 22,2 15%-25%: 0,0 >25%:0,0	<1%:25,0 1%-4,9%: 75,0 5%-14,9%:0,0 15%-25%: 0,0 >25%:0,0
PIB per capita (respecto a la media)	**Inferior:** 43,8 **Próximo:**18,8 **Superior:** 37,5	**Inferior:**57,0 **Próximo:** 10,5 **Superior:**32,6	**Inferior:** 55,6 **Próximo:**33,3 **Superior:**11,1	**Inferior:** 50,0 **Próximo:** 25,0 **Superior:**25,0
Gini	**<0,20:** 100,0 **0,20-0,40:** 0,0 **0,41-0,60:** 0,0 **>0,60:** 0,0	**<0,20:** 92,9 **0,20-0,40:**7,1 **0,41-0,60:** 0,0 **>0,60:** 0,0	**<0,20:**0,0 **0,20-0,40:** 0,0 **0,41-0,60:** 100,0 **>0,60:** 0,0	**<0,20:** 0,0 **0,20-0,40:**0,0 **0,41-0,60:** 100, **>0,60:**0,0
Tasa de desempleo	<5%:6,3 5%-10%: 75,0 10%-15%: 18,8 >15%: 0,0	<5%: 23,3 5%-10%: 53,5 10%-15%: 20,9 >15%: 2,3	<5%: 77,8 5%-10%: 22,2 10%-15%: 0,0 >15%: 0,0	<5%: 50,0 5%-10%: 50,0 10%-15%: 0,0 >15%: 0,0
Lenguas habladas	**Sólo una:** 72,2 **Dos:** 22,2 **Más de dos:** 5,6	**Sólo una:** 74,4 **Dos:** 20,9 **Más de dos:** 4,7	**Sólo una:** 77,8 **Dos:** 11,1 **Más de dos:** 11,1	**Sólo una:** 75,0 **Dos:** 25,0 **Más de dos:** 0,0
Presencia de PANE	**Sí:** 33,3% **No:**66,7%	**Sí:**33,7 **No:**66,3	**Sí:** 0,0 **No:** 100,0	**Sí:**0,0 **No:**100,0
% Voto PANE	<25%:62,1 25%-50%: 17,2 >50%:20,7	<25%:66,7 25%-50%: 33,3 >50%: 0,0	<25%: 100,0 25%-50%:0,0 >50%: 0,0	<25%: 100,0 25%-50%: 0,0 >50%: 0,0
Estatus diferenciado	**Si:** 16,7 **No:** 83,3	**Si:** 7,0 **No:** 93,0	**Si:**0,0 **No:**100,0	**Si:**0,0 **No:**100,0

Fuente: elaboración propia.

RECAPITULACIÓN Y CONCLUSIONES

El análisis de los datos ha permitido aportar evidencia empírica para verificar la hipótesis central de este capítulo y aportar datos que vinculan el desarrollo de carreras estática con elementos económicos e identitarios. Con el propósito de prestar atención al entorno incluyendo variables no sólo institucionales, la selección de ambas dimensiones ha permitido observar como la economía o la configuración de sentimientos identitarios tiene su repercusión en la carrera política.

Para ello, este capítulo ha partido de supuestos teóricos sobre la posible influencia de los factores citados para posteriormente ponerlos en relación con datos empíricos. En este proceso, se ha hecho uso de datos procedentes de institutos estadísticos y organismos gubernamentales, logrando recopilar datos para cada una de las 131 regiones contenidas en el estudio.

Mediante este ejercicio descriptivo se ha constatado, asimismo, que el ejercicio de la política no sólo se realiza en contextos diferentes en función del país en el que se desarrolle, sino también en el interior de este. Así, los seis países contienen, en mayor o menor medida, diferencias interregionales que dan lugar a diferentes itinerarios de carrera. Además, los datos recogidos para cada entidad subestatal han permitido establecer ciertos vínculos entre las propias variables. De este modo, por lo general, aquellos lugares en los que toman fuerza los partidos de ámbito no estatal suelen presentar indicadores económicos con valores elevados. No obstante, no todos los territorios con buen rendimiento económico cuentan con partidos de ámbito no estatal con fuerte apoyo electoral.

Por último, la aplicación de estas variables al marco tipológico propuesto ha permitido establecer una clara distinción entre dos grandes grupos de trayectoria: por un lado, las carreras estáticas y de escalera, vinculadas a contextos más prósperos y con mayor articulación territorial; y, por otro, las carreras de aparato e instrumentales, propias de entornos menos atractivos en términos socioeconómicos, y generalmente insertas en partidos de ámbito estatal. Este contraste sugiere que el lugar donde se ejerce el cargo no siempre es lo relevante, sino el acceso mismo al poder, particularmente en las formaciones centralizadas. Así, se desvela cómo las condiciones del entorno influyen silenciosamente en el diseño estratégico de las carreras políticas.

No obstante, comprender las trayectorias únicamente a partir del contexto sería limitar el alcance explicativo del fenómeno. La ambición política y sus posibilidades de concreción dependen también del escenario institucional en el que se insertan los actores. Por ello, preguntas como: ¿Qué papel juegan las reglas de juego en la configuración de oportunidades realves para avanzar o mantenerse? ¿Cómo condiciona el diseño del sistema electoral, la estructura del partido o la distribución del poder territorial las decisiones individuales? Son cuestiones necesarias a responder en el siguiente capítulo, que pone el foco en las variables institucionales como motores —o barreras— de las carreras políticas, continuando así la exploración desde una dimensión estructural tan decisiva como reveladora.

Capítulo 6

Variables institucionales y de estructura de oportunidad

El político no actúa en el vacío, sino que se ve inmerso en un conjunto de normas y estructuras que configuran el diseño institucional en el que debe desenvolverse. Así, los políticos juegan con unas reglas de juego marcadas que, a la par, pueden reformarse generando nuevos incentivos. Además, el diseño institucional se configura como el marco que puede constreñir o fomentar el desarrollo de sus carreras y su consolidación como clase política (Schlesinger, 1966; Stolz, 2010).

En ese sentido, el seminal trabajo de Cox (1997), aporta luz sobre la importancia de los cálculos estratégicos. Aunque el autor focaliza la atención en los sistemas electorales, su argumento puede ser entendido desde una perspectiva amplia que concibe la coordinación estratégica en un sentido profundo, ocupándose tanto de la entrada o postulación estratégica como del voto estratégico. En esta línea, dado que la presente investigación se circunscribe al ámbito de las élites, la tesis de Cox será abordada principalmente desde el punto de vista de la postulación aun sin olvidar que, a la hora de presentarse a un cargo, el político tiene en cuenta el posible cálculo estratégico del votante.

Ello hace concebir al político como un individuo racional que toma sus decisiones realizando un análisis de coste-beneficio en función de las oportunidades de las que dispone. En ese sentido, una de las aportaciones que se desarrolló desde el institucionalismo racional al estudio de las carreras políticas fue el análisis de la existencia de incentivos y la noción de oportunidad asociada a las condiciones de competición electoral y partidaria[42].

De esta forma, el escenario genera las condiciones para el desarrollo de la carrera política, gestando estructuras de oportunidades que el político deberá tener en cuenta a la hora de tomar la decisión de cambiar a otro nivel o permanecer en el mismo. Siguiendo esta lógica, Borchert (2011) operacionalizó estos contextos de acceso atendiendo a tres elementos: apertura (disponibilidad de cargos), atractivo y accesibilidad. Dichas variables son las que, a su juicio, generan los costes y beneficios para el diseño de la carrera política.

En esta línea, es posible alegar que, aun conociendo la estructura de oportunidades, pueden manifestarse diferentes tipos de ambición que inviten a distintas estrategias. No obstante, si bien es cierto que pueden existir dificultades metodológicas para medir la ambición desde una perspectiva compleja que tome en cuenta la psicología y las preferencias internas del individuo, sí que es posible identificar los escenarios que son más favorables para la expresión de la ambición y el desarrollo de diferentes tipos de trayectoria.

A este respecto, los contextos multinivel resultan especialmente ricos en su estudio porque multiplican las opciones de carrera generando relaciones entre niveles que aún no han sido estudiados en profundidad por parte de la disciplina. Por ello, en el presente capítulo se desarrollan las variables institucionales que inciden en las opciones de carrera, tanto desde una perspectiva teórica como aplicada a los casos de estudio seleccionados para esta tesis. Posteriormente, los resultados se aplican a la tipología de carreras propuesta.

---

42 Dentro de este campo, destacan los trabajos de Fiorona y Shepsle (1989) y Shepsle y Boncheck (1997), los cuales abordan el liderazgo desde el enfoque del institucionalismo racional. En el ámbito de los incentivos estructurales, Black (1972) es uno de los primeros en ahondar en la cuestión.

EL MODELO DE ESTRUCTURA DE OPORTUNIDADES POLÍTICAS: LA ADECUACIÓN DEL MODELO AL ESTUDIO DE LAS CARRERAS EN SISTEMAS MULTINIVEL

La decisión de mantenerse en un determinado cargo o querer dar el salto a otro implica un cálculo estratégico en el que intervienen diferentes variables que han sido sistematizadas en el llamado modelo de oportunidades políticas desarrollado por Borchert (2001). Por un lado, la relativa a la oferta de cargos por ocupar. Por otro, la accesibilidad a los mismos. Por último, el grado de atractivo del cargo que se aspira ocupar.

Este modelo se complejiza aún más en contextos multinivel en el que se multiplican tanto el número de cargos a los que candidatearse como las reglas y limitaciones para el acceso de estos. Y es que cabe tener en cuenta que el salto de un nivel a otro de gobierno implica adecuarse a diferentes contextos institucionales y tomar en cuenta toda una serie de costes de oportunidad en diversos ámbitos: económicos (diferencias salariales, estar lejos del hogar parte de la semana con el coste económico asociado a la reserva de hoteles o vivienda, etc.), familiares, la pérdida de la red de relaciones políticas y sociales, la adaptación a un nuevo marco institucional, etc. (Pérez-Comeche y Oñate, 2013).

Para entender la lógica del modelo de oportunidades políticas cabe pensar en la carrera política como una sucesión de disyuntivas en las que los individuos deben tomar decisiones atendiendo tanto a sus ambiciones y preferencias como a sus opciones de éxito en función de las reglas del juego y de los recursos disponibles. El primer estadio lo constituye el momento en el que se toma la decisión de postularse a un cargo (Cox, 1997). A la hora de competir por un cargo, al igual que los votantes realizan un cálculo racional sobre las opciones de los candidatos o listas en zaga, las élites deben tener en cuenta cuántos cargos hay en juego, quiénes competirán por ellos y qué opciones serán inviables en la contienda. En ese sentido, si se asume un modelo neutral en condiciones de extrema simetría, cada político tiene tantas probabilidades de ganar como cualquier otro y compite en un contexto de expectativas establecidas sobre la viabilidad de su elección (Duverger, 1986). No obstante, esto se complejiza cuando los políticos tienen expectativas a largo plazo ya que entran en un juego de coordinaciones múltiples en el que deben tomar en cuenta futuras decisiones.

A partir de esta noción, el segundo cálculo invita a llevar a cabo una evaluación del escenario institucional en el que van a competir y las reglas que lo regulan. Si se aplica el modelo de Denzau y North (2000) para el estudio de la carrera política, el conocimiento del entorno institucional va a condicionar la toma de decisiones desde una triple perspectiva: va a permitir ordenar las preferencias en función de los recursos y oportunidades disponibles, va a reducir la incertidumbre, aportando guías para interpretar como las elecciones individuales pueden plasmarse posteriormente en el resultado real y va a proporcionar información, permitiendo identificar errores en las estrategias e introducir cambios.

Dentro del marco institucional puede identificarse un amplio abanico de variables como el sistema electoral, la articulación de la competencia partidista o la relación entre poderes. Y, en el caso de los sistemas multinivel, cabe destacar el modelo de organización territorial y las especificidades institucionales asociadas a cada nivel de gobierno. Por último, existen cuestiones vinculadas con preferencias y estrategias inherentes a la propia carrera política en sí, como pueden ser las referentes al poder, prestigio, visibilidad o expectativas de promoción.

Para desarrollar el modelo, en los siguientes epígrafes se proponen diferentes variables institucionales tomando como criterio de selección su capacidad explicativa en relación al desarrollo de la carrera política y la existencia de diferentes patrones de carrera en sistemas multinivel. Para ello, tomando como punto de partida los tres pilares recogidos por el modelo de Borchert (2001) —disponibilidad, accesibilidad y atractivo de los cargos—, se ha adoptado un enfoque amplio que parte de lo más general a lo más particular. Para ello, en primer lugar, se hará una breve alusión a la importancia de la organización territorial para continuar con la naturaleza del sistema y entrar en detalle en aspectos más específicos como los sistemas electorales o de partidos. Por último, se hará alusión al atractivo de los cargos para vincular el diseño de las reglas del juego con su efecto en la valoración de los individuos sobre los mismos.

LA IMPORTANCIA DEL DISEÑO INSTITUCIONAL EN LA CREACIÓN DE OPORTUNIDADES POLÍTICAS

Organización territorial y disponibilidad

Desde un punto de vista racional basado en cálculos de coste-beneficio, diferentes estructuras de oportunidad pueden producir diferentes patrones de carrera (Dodeigne, 2014). Este planteamiento pone en cuestión una supuesta jerarquía unidireccional en la valoración de los cargos y permite entender la regionalización de la actividad política en lugares como Escocia, Gales, Irlanda, Valonia, Cataluña o País Vasco. En ese sentido, los distintos niveles de gobierno configuran dinámicas específicas y abren trayectorias diversas, ofreciendo alternativas reales de desarrollo político. Así, lejos de ser ámbitos reservados para actores novatos, los espacios subestatales se consolidan como escenarios legítimos para la profesionalización de la actividad política (Borchert, 2001; Carter y Pasquier, 2010; Stolz, 2011).

Ello se debe, principalmente, a que la apertura de nuevos espacios para la competencia por el poder posibilita la entrada de una pluralidad de tipos de actores que ya no contarán únicamente con arraigo nacional sino también siguiendo dinámicas subestatales. Dinámicas que en ocasiones pueden reproducir el patrón nacional pero que en otros casos pueden regirse por patrones sustantivamente diferenciados. De esta forma, al multiplicarse los espacios de poder, también lo hacen las candidaturas, partidos y movimientos, así como las oportunidades y estrategias diseñadas por los individuos. En definitiva, aumenta la disponibilidad de cargos y se multiplican las opciones de carrera. Como consecuencia de ello, los actores realizan un cálculo de coste y beneficio tanto de competir a nivel local, regional o federal como de moverse entre diferentes arenas u optar por patrones más estáticos.

De hecho, también al ampliar los niveles de gobierno aumentan los espacios de poder, generándose nuevas estructuras de oportunidad al multiplicarse el número de arenas de gobierno en las que puedan ocupar un cargo. Al mismo tiempo, estos cargos se asocian con diferentes condiciones de apertura, accesibilidad y atractivo que influirán en las preferencias y estrategias de los actores. Con ello se pone en cuestión el modelo clásico "de trampolín" (Francis y Kenny, 2012) en el que se asumía que el sentido de la carrera desembocaba siempre o mayoritariamente en la arena nacional. La existencia de más arenas permite múltiples direcciones, como señala Stolz (2003,2012), con movimientos diversos que pueden ser tanto centrípetos (hacia el nivel nacional) como centrífugos (hacia el nivel regional).

No obstante, una particularidad de este tipo de sistemas es la dificultad que producen a la hora de establecer jerarquías claras entre los diferentes niveles. Mientras que en algunos casos las diferencias del cargo son fácilmente identificables, en otros no existe un orden claro. En este marco, el diseño institucional de cada sistema producirá diferentes incentivos y estructuras de oportunidad, apareciendo escenarios en los que las arenas políticas pueden ser "jerarquizados", otros en los que son independientes y otros en los que se interrelacionen (Borchert, 2011).

Para la presente investigación, los seis casos cuentan con tres niveles de gobierno: local, regional y federal. Sin embargo, presentan diferencias en términos de condiciones de elegibilidad, relación entre poderes, diseño de sus sistemas electorales y de partidos, así como en el atractivo de los diferentes cargos. Debido a esto, en los siguientes epígrafes se discutirá desde el punto de vista teórico su relevancia e influencia, para posteriormente proceder al análisis empírico de los datos.

Instituciones y accesibilidad

El indicador de disponibilidad muestra la oferta de cargos disponibles a los que los individuos pueden candidatearse. No obstante, sólo muestran una cara de la realidad al no tomar en cuenta ni la existencia de requisitos formales de acceso al cargo ni las reglas ni diseños institucionales bajo los cuales se articula la competición. Por lo que respecta a los requisitos, estos se refieren al cumplimiento de determinadas condiciones de elegibilidad o limitaciones de mandato, debidamente recogidas en el ordenamiento jurídico interno. Así, la exigencia de un determinado intervalo de edad o nacionalidad, unido a causas de incompatibilidad o limitaciones de mandato, actúan como un primer filtro en el acceso a cargos públicos. No obstante, esto sólo supone una primera criba ya que, posteriormente, serán las instituciones las que articulen las normas de la competencia y las opciones de los diferentes candidatos a acceder a diferentes puestos a lo largo de su carrera. Para desarrollar este punto, a continuación, se exponen las lógicas de interacción entre los patrones de carrera y los elementos principales de los diseños institucionales.

A) Relación entre poderes: presidencialismo vs parlamentarismo

La manera en la que se articula la relación entre el poder Ejecutivo y Legislativo, distinguiendo entre sistemas presidencialistas y parlamentarios, es otra variable para tener en cuenta a la hora de explicar los patrones de carrera. En ese sentido, cabe observar el papel que el político ejerce en cada tipo de sistema.

Bajo el presidencialismo, el presidente se convierte en el principal líder político de su país, ocupando en su misma persona un papel "ceremonial" como jefe de Estado y otro "efectivo" como jefe de gobierno. Este doble rol genera un aura diferente a la que acompaña a los primeros ministros de los sistemas parlamentarios. De hecho, en contextos multinivel, esta imagen se reproduce en cierto modo a nivel regional.

Así, en los regímenes presidenciales, la jefatura del Ejecutivo —indistintamente del nivel, ya sea nacional, regional o local— es el resultado de una elección directa que demanda altos niveles de capital político, liderazgo y autoridad (Bennister, 2012; Alcántara et al. 2016). Como señaló Linz (1994), a la hora de comparar las carreras políticas en sistemas presidenciales y parlamentarios cabe tener en cuenta la manera en la que la competición partidaria está estructurada y los modos de ejercer el poder.

A este respecto, en un trabajo anterior, el mismo Linz (1990) señaló que el presidencialismo hace disminuir el control del partido sobre el candidato. Es decir, la llegada al cargo depende en mayor medida del apoyo de los votantes mientras que en los sistemas parlamentarios está más íntimamente relacionado con el control de los partidos e instituciones (Pennings, 2000). En ese sentido, las elecciones bajo un sistema presidencial se caracterizan por un juego de suma cero en la que no hay lugar para un cambio de alianzas o incremento del apoyo de las bases: el perdedor deberá esperar hasta la próxima elección para ocupar un cargo en el Ejecutivo.

Por su parte, en los sistemas parlamentarios el jefe del Ejecutivo es elegido por el parlamento y su permanencia en el poder depende de la confianza de la mayoría parlamentaria. Por ello, la disciplina partidaria, así como la relación con el partido adquiere especial importancia a la hora de generar oportunidades en el diseño de la carrera. A este respecto, estudios sobre parlamentarismo muestran que, por lo general, aquellos que ocupan cargos importantes suelen contar con una notable experiencia dentro del Legislativo (Gallagher et al. 2001). Es decir, el parlamentarismo parece trazar una ruta en la que el acceso a cargos Ejecutivos relevantes pasa por la adquisición de experiencia y capacidades en el seno del poder Legislativo.

Junto a esto, también cabe prestar atención a la cuestión de la reelección. Como señalan Mainwaring y Shugart (1997), mientras que los sistemas parlamentarios no establecen restricciones a la reelección de los jefes del Ejecutivo, los sistemas presidenciales no sólo establecen mayores obstáculos para la destitución del presidente, sino que también imponen limitaciones constitucionales a la reelección presidencial. En esta línea, pese a que a nivel subestatal los supuestos para la reelección son más flexibles, las limitaciones de mandato son una variable a tener en cuenta a la hora de entender el desarrollo de las carreras políticas y los plurales itinerarios posibles para llegar a la presidencia del Ejecutivo en los diferentes niveles de gobierno.

Por último, otro aspecto a tener en cuenta a la hora de vincular los patrones de carrera con el tipo de sistema es el papel ejercido por los líderes. En ese sentido, la fuerte personalización del poder dentro de los sistemas presidenciales permite hablar de un liderazgo más marcado que en los sistemas parlamentarios. Aunque cada vez se hace más patente una "presidencialización"[43] de los sistemas parlamentarios (Picarella, 2015), la relación directa que se establece entre representantes y representados dota de especial importancia a las características y acciones del propio político, más allá de las variables partidarias.

Ello invita a pensar que, mientras que en el parlamentarismo los líderes que lleguen al Ejecutivo habrán ido trazando una trayectoria previa en el Legislativo y dentro de sus propios partidos, en el caso del presidencialismo la posesión de ciertas capacidades como el liderazgo o el carisma pueden sobreponerse a la experiencia. Es decir, el presidencialismo dota al individuo de mayor autonomía frente a las estructuras partidarias y se muestra más flexible en los diferentes estadios por los que transitar hasta la presidencia en los distintos niveles de gobierno. En ese sentido, y siguiendo a Laswell (1974), los líderes acaban siendo aquellos que logran el apoyo de las masas.

Este primer eje parlamentarismo-presidencialismo se contempla en esta investigación como una variable potencialmente influyente en los patrones de carrera. El tipo del sistema marcará el

---

[43] Para Poguntke y Webb (2004), la presidencialización es el proceso por el cual algunos régimenes se convierten, en la práctica, en más presidenciales sin que se produzcan cambios formales en su estructura.

patrón de carrera en la medida en que influye en el vínculo entre representantes, representados y partidos, así como en las posibles limitaciones en el acceso a cargos derivadas de la reelección.

B) Sistemas electorales

La relación entre los poderes Legislativo y Ejecutivo actúa como un paraguas general bajo el que articular el sistema. No obstante, de este marco general se derivan normas y prácticas que rigen la dinámica política. Dentro de ellas destacan los sistemas electorales, dado que son el mecanismo para decidir quiénes ocuparán las posiciones de poder entre la oferta propuesta por los diferentes candidatos, partidos o coaliciones. Mecanismos que, por lo general, se mantienen estables a lo largo del tiempo (Shugart, 1992; Lijphart, 1995). Así, pese a que el debate sobre la reforma del sistema electoral es recurrente en muchos países, raramente se traduce en cambios sustanciales y, por lo general, termina traduciéndose en modificaciones menores que no alteran los elementos definitorios de cada sistema (Nohlen, 1998).

Además, para su estudio se derivan dos vertientes principales de análisis. La primera, centrada en los efectos mecánicos, focaliza la atención en el impacto del sistema electoral en el reparto de escaños entre los partidos (Duverger, 1954; Rae, 1967; Taagpera y Shugart, 1989; Lijphart, 1995). Aquí deben englobarse todos los trabajos e investigaciones sobre el impacto de elementos como la fórmula electoral, el tamaño del distrito o la barrera electoral en el reparto de escaños. Y, en este mismo enfoque, ese es el ámbito en el que se recogen discusiones sobre posibles reformas constitucionales, por ejemplo, para corregir la proporcionalidad del sistema. Por ello, el conocimiento de los efectos mecánicos del sistema es necesario para entender las reglas en torno a las cuales se articula la competencia.

La segunda dimensión, por su parte, tiene que ver con los efectos psicológicos de los sistemas electorales tanto para votantes como candidatos y partidos. De este modo, como señalan Carey y Shugart (1995), el diseño del sistema electoral también influye en la manera en la que los candidatos acceden a las listas y la manera en la que el partido los coloca, incidiendo directamente tanto en el acceso de los candidatos a las listas como en su posición dentro de ellas, lo que implica una adaptación del comportamiento de las élites partidistas y del electorado a las lógicas que dicho sistema imprime en la dinámica interna del sistema de partidos (Shugart, 1985; Gunther y García-Pardo, 1989). Élites y electores se contemplan, desde esta perspectiva, como actores racionales que buscan maximizar su utilidad, realizando cálculos en función de la información disponible, la experiencia anterior y las propias expectativas sobre el comportamiento de los demás actores. Esto se traduce en que los partidos y candidatos no compitan cuando no tengan expectativas de lograr representación y que los votantes apoyen aquellas candidaturas con opciones efectivas de victoria, aún en detrimento de sus opciones preferidas, haciendo uso de un voto "útil".

Tal como sostienen Montero et al. (1992), el efecto psicológico sirve como un refuerzo del mecánico, en la medida en que acrecienta sus tendencias. No obstante, pese a la estrecha relación entre ambos, cada efecto cuenta con una naturaleza diferenciada: mientras que el efecto mecánico afecta a la asignación de escaños, el psicológico lo hace a la presentación de candidaturas y a la distribución del voto. Asimismo, mientras que el mecánico se produce desde la primera elección, el psicológico necesita al menos dos procesos electorales para manifestarse (Taagepera y Shugart, 1989).

Todo ello evidencia que el diseño del sistema electoral condiciona las estrategias tanto de partidos como de candidatos. En primer lugar, en la presentación y reparto de candidaturas, así como en la distribución de escaños. Partidos y candidatos adaptan sus decisiones al contexto en el que se desenvuelven y tratan de optimizar sus recursos, tales como la experiencia, las redes establecidas o su relación con el partido. Consecuentemente, pueden beneficiarse de su reputación o de su aprobación entre el electorado. Ello, a su vez, crea incentivos a los políticos para buscar un voto que sea de naturaleza personalista o partidaria en función de su situación particular (Carey y Shugart, 1995; Mainwaring y Shugart, 1997; Shugart, 2001).

Pero, para que esto funcione, es necesario que estas estrategias estén conectadas con los elementos formales del sistema electoral. En este último sentido, cabe tener en cuenta, por ejemplo, variables como el tipo de fórmula electoral, la mayoría requerida, o el calendario electoral. Elementos cuyas lógicas serán desarrolladas en el apartado metodológico de este capítulo y que deberán ser tenidos en cuenta en la medida en que incidirán directamente en la forma en la que se articula la competencia política en torno al sistema de partidos. Ello se traduce, por ejemplo, en la sobrerrepresentación o subrepresentación de algunos partidos y, dada la existencia de los efectos psicológicos ya mencionados, lo que deriva en el diseño de diferentes estrategias en función de las posibilidades efectivas de victoria. No obstante, esto, junto a otros puntos, se abordará con mayor detalle en el siguiente epígrafe, dedicado a los partidos y sistemas de partidos.

C) Partidos y sistemas de partidos

Aproximarse al estudio de los partidos políticos requiere realizar una distinción previa: la del análisis de los partidos como organizaciones con dinámicas internas propias y la de su condición de partes de un sistema. Si se pone en relación con el estudio de las carreras, el estudio de los partidos permite, entre otras cosas, abordar procesos como los de socialización política, la selección de candidatos y su formación o la distinción entre incentivos selectivos y de la organización. El sistema de partidos, por su parte, permite abordar aspectos más estratégicos tal como se ha señalado, a la vez que vincula candidatos y partidos con las preferencias de los electores a través del sistema electoral.

El análisis de los partidos amerita concebirlos como organizaciones con una doble cara: por un lado, son un reflector social que intermedia entre el Estado y la sociedad civil que fija estrategias en función del medio social en el que deben operar y, por otro, actúan como estrategias competitivas que miran hacia el poder (Alcántara, 2004). La primera dimensión está estrechamente vinculada con las funciones de representación y legitimación ejercidas por los partidos. De este modo, la consecución del poder está ligada a la realización de un proyecto político y al apoyo explícito de las reglas democráticas. Con ese fin, agregan preferencias, articulan intereses y se convierten en intermediarios entre la sociedad civil y el Estado.

Con ello, los partidos dotan de operatividad al sistema y garantizan su continuidad. Y esto lo hacen, en gran medida, debido a su capacidad para formar y seleccionar élites, constituyéndose como un ámbito importante de socialización política, generación de redes y capitalización política. No obstante, estas funciones se desarrollan en un escenario en el que se combinan incentivos colectivos y selectivos (Panebianco, 1990). Desde una perspectiva colectiva, se persigue la perpetuación en el poder del partido tratando de agregar las preferencias de los actores de una manera más satisfactoria que el resto de los partidos. Pero, por el otro, las élites buscan satisfacer sus propias ambiciones. Así, la teoría de los incentivos selectivos sirve para explicar cómo las élites compiten entre sí dentro del partido por el control de los cargos y el desarrollo de sus carreras dentro de la organización, en la Administración o en otros cargos de representación (Carey, 2000).

Esta disyuntiva entre incentivos colectivos y selectivos da lugar a un juego en el que la organización filtrará, de entre los candidatos disponibles, a aquellos que muestren opciones y desechará a los que tengan menos oportunidades para lograr la victoria. En este punto cabe hacer alusión a dos aspectos: la selección de candidatos y los vínculos entre individuos y partidos. El primero se refiere a los mecanismos formales, pero también a las dinámicas informales (Barragán, 2012), por medio de los cuales la organización selecciona a los candidatos que lanzará para la consecución de cargos públicos. El grado de centralización o apertura del proceso, el cual puede ir desde la selección por parte de la directiva del partido a la celebración de primarias, influirá en las estrategias y opciones de los individuos. En ese sentido, deberán adecuarse a contextos en los que sea más relevante estar bien posicionado frente a la cúpula del partido que respecto a los militantes, o viceversa.

Este aspecto liga con la segunda cuestión, dado que aún cuando la decisión última se ponga en manos de los militantes en unas elecciones primarias, los avales partidarios son valiosos para los candidatos ya que, en gran medida, conllevan la adhesión de los seguidores fieles a la organización, lo que es especialmente relevante en los sistemas parlamentarios, donde la elección del Ejecutivo se realiza de manera indirecta a través del Legislativo. En ese sentido, cabe resaltar que una parte del electorado emite su voto basándose en preferencias ideológicas o programáticas, minimizándose los costes de información de los votantes (Downs, 1957) y vinculando a los candidatos con valores, creencias y modos de entender la sociedad que pueden incrementar sus opciones de ser electos.

Por último, aproximarse al estudio de los partidos para vincularlos con las carreras políticas requiere abordar la cuestión de la financiación. En esta línea, los partidos políticos ponen al servicio de los candidatos recursos como fondos para la campaña o espacios publicitarios, pero, en todo caso, el origen de la financiación podrá ser público o privado. La primera se compone, en primer lugar, de las cuotas de los afiliados y de los donativos de afiliados o simpatizantes. Los donativos presentan un riesgo que no se contempla para el caso de las cuotas, y es que aquellos que los realizan puedan ejercer algún tipo de control sobre el partido. Otra forma de financiación privada son los beneficios que los partidos obtienen de la gestión de empresas o negocios y de la explotación de su propio patrimonio. Por último, existen los préstamos y créditos de entidades bancarias. Por el otro lado, existe la financiación pública mediante subvenciones estatales que pueden ser fijas o estar condicionadas a los resultados electorales.

En este contexto, la cuestión de la financiación es importante desde una triple perspectiva. Uno porque el monto disponible dará cuenta de cuan abundantes o escasos son los recursos con los que cuenta el partido para la financiación de campaña. En segundo lugar, la manera en la que se regule el uso de esos recursos aportará información sobre aspectos como el porcentaje dedicado a la campaña electoral o el grado de equidad de la distribución entre los candidatos en caso de existir más de uno por la celebración de unas primarias. Pero quizá la más relevante sea el origen de esos fondos y la manera en que puede influir en el desarrollo de las campañas o las estrategias de los actores. Así, en el párrafo anterior ya se ha subrayado que existe el riesgo de que algunos donativos puedan estar condicionados a algún tipo de control sobre el partido. Junto a esto, también cabe atender a la situación de partida de los diferentes candidatos y su capital previo, existiendo la posibilidad de que algunos de ellos estén más próximos a determinados grupos de presión que puedan proporcionar recursos y los sitúen en una situación de ventaja respecto a otros candidatos.

No obstante, hasta el momento se ha analizado a los partidos desde el punto de vista individual, considerándolos unidades que poseen unas característica y dinámicas propias que los definen. Sin embargo, la razón de ser de los partidos es que operan dentro de una lógica sistémica dentro de la cuál coexisten, actúan conjuntamente y establecen relaciones de competencia conformando un sistema de partidos (Caminal Badía, 2006).

Por tanto, para analizar la influencia de los sistemas de partidos en el desarrollo de las carreras políticas, conviene comenzar con una breve delimitación conceptual. De acuerdo con Sartori (1976), un sistema de partidos es aquel conjunto de organizaciones políticas que interactúan por vías pautadas y conocidas. A pesar de ello, para que dicha interacción adquiera carácter sistémico, deben darse tres condiciones necesarias. La primera exige la existencia de, al menos, dos partidos. En segundo lugar, debe existir cierta regularidad en la distribución del apoyo electoral a largo plazo, aun cuando pueda haber variaciones. Y, por último, implica cierta continuidad en los componentes que conforman el sistema, lo que permite identificarlo como una estructura reconocible y persistente.

Respecto a sus principales indicadores, existe un consenso generalizado dentro de la literatura. Pese a la existencia de múltiples dimensiones, la fragmentación, la concentración, la volatilidad y la polarización constituyen las principales variables de análisis (Ocaña y Oñate, 1999). La fragmentación es especialmente importante en la medida en que indica si el poder político está concentrado o fragmentado. Información que se hace aún más precisa al conocer el porcentaje de concentración del voto entre los dos partidos o candidatos más votados. Estos dos indicadores aportan información sobre cómo se articula la competencia y es relevante a la hora de estudiar la construcción de una carrera política en la forma en que arroja luz sobre las posibilidades efectivas de acceder al poder. Así, en sistemas muy concentrados, las opciones se reducen para las fuerzas minoritarias, auxiliando estrategias más conservadoras que favorezcan el inmovilismo para los *incumbents* y mayores costes de oportunidad para los que no están en el ejercicio de un cargo.

El tercer indicador, la volatilidad, informa sobre las transferencias de voto entre dos elecciones sucesivas indicando cuanto cambian las preferencias de los electores. En ese sentido, a medida que disminuye la volatilidad se incrementa la capacidad de predicción de los resultados y, por tanto, la incertidumbre en el momento de decidir presentarse o no a unas elecciones. Por último, la polarización da cuenta de la distancia ideológica entre las fuerzas políticas situadas en los extremos del espectro izquierda-derecha. Ello puede generar un efecto de retroalimentación entre el propio sistema y sus partes ya que, a medida que la polarización sea más alta, los partidos tenderán a ubicarse en posiciones más extremas para conservar su electorado o llegar a nuevos grupos, lo que a su vez aumentará de nuevo la polarización sistémica. Sea como fuere, el grado de polarización puede servir como guía a partidos y candidatos a la hora de definir sus discursos y programas, adecuándolos a las circunstancias en el momento en el que decidan competir en unas elecciones.

La interrelación de estas dimensiones, a su vez, incide en las opciones de carrera en tanto en cuanto favorecen un voto más programático o personalista. En ese sentido, la literatura señala que cuanto más inestable sea el sistema de partidos y cuanto mayor sea su volatilidad electoral, mayores dificultades experimentarán las fuerza para cohesionar ideológica y programáticamente a sus miembros (Freidenberg et al., 2006). Por consiguiente, favorecerán dinámicas más personalistas en las que priman las características de los candidatos frente a la ideología y principios del partido. Por el contrario, sistemas estables con baja volatilidad favorecen partidos más fuertes e ideologizados.

Asimismo, la configuración del sistema de partidos y, en particular, su nivel de fragmentación —sobre todo dentro de los sistemas parlamentarios—, también aporta información sobre el grado de apertura del sistema a la aparición de nuevas fuerzas. De esta manera, a medida que se incrementa la distribución del poder, se favorece la aparición de nuevos partidos que sirvan como plataforma para políticos que no habían logrado posicionarse en partidos ya existentes o que, aun habiéndolo hecho, opten por lanzarse en nuevas plataformas con el fin de lograr la consecución de nuevas metas en su carrera política.

En suma, los partidos y los sistemas de partidos, al igual que el diseño electoral, el tipo de régimen o la disponibilidad de cargos, configuran las condiciones objetivas que delimitan el escenario institucional en el que los actores políticos construyen sus trayectorias. Sin embargo, este enfoque estructural sería incompleto sin considerar una dimensión igualmente relevante: la subetividad del cálculo individual. En ese sentido, resulta fundamental incorporar las preferencias personales, las expectativas de éxito y los niveles de ambición que orientan la toma de decisiones estratégicas. Así, el atractivo de los distintos cargos no responde únicamente a su ubicacación formal en el organigrama institucional, sino también a cómo son percibidos por quienes aspiran a ocuparlos. De este modo, la carrera política emerge como el resultado de una interacción compleja entre incentivos estructurales y valoraciones subjetivas, lo que exige abordar su estudio desde una perspectiva integral que combine estructura con ambición y atractivo del cargo.

Preferencias, expectativas y ambiciones: el atractivo del cargo

A la hora de estudiar las carreras políticas, la literatura especializada parte de la premisa de que los políticos son individuos ambiciosos que buscan progresar en sus trayectorias (Schlesinger, 1966). Por ello, la toma de decisiones relativas al desarrollo de su carrera tiene un fuerte componente racional que lleva a los actores a realizar cálculos estratégicos. Estos cargos vienen condicionados, en gran medida, por el diseño institucional en el que están inmersos.

No obstante, junto con estas condiciones formales deben tenerse en cuenta factores subjetivos vinculados con la valoración de los actores sobre el atractivo de los diferentes cargos. En ese sentido, Borchert (2011), dentro de su modelo de oportunidades políticas distingue cinco dimensiones: a) poder, b) prestigio, c) visibilidad, d) posibilidades de promoción y e) remuneración. El poder, dentro de este modelo, es entendido como una jerarquía en términos de influencia y recursos. El prestigio se concibe como un sinónimo de fama, reputación o buen crédito. Por su parte, la visibilidad es entendida como relevancia o fama. La posibilidad de promoción se relaciona con la mejora en las condiciones o ascenso de categoría (en términos de valoración de cargo). Por último, la remuneración es operacionalizada como el salario percibido por el desempeño del cargo público.

La naturaleza de estas variables plantea un desafío para el análisis. Así, aunque algunas como el salario pueden ser objetivadas, otras como la posibilidad de promoción pueden ser más complejas de operacionalizar dado que pueden existir diferentes lógicas a la hora de establecer una jerarquía de cargos y priorizar incentivos. Y esta tarea aún se complejiza más al abordar aspectos como el prestigio o la visibilidad. No obstante, ello no es óbice para ser incluidos en el análisis. En ese sentido, la valoración por parte de los actores de cada una de las dimensiones que configuran el atractivo del cargo permite trazar un perfil de la ambición de cada uno de ellos. Así, pese a que resulta complejo medir la ambición como variable en sí misma, las variables contenidas en el modelo permiten identificar los cargos por los cuales los políticos mostrarían más interés.

En contextos multinivel, el hecho de que cargos subestatales sean valorados positivamente en términos de atractivo permite, a su vez, verificar empíricamente la superación del clásico modelo de carrera política "de trampolín" (Francis y Kenny, 2012). Aparecen nuevos escenarios que pueden ser lo suficientemente atractivos como para mantenerse en ellos y no intentar saltar a la arena nacional. En definitiva, las ambiciones individuales y los diseños institucionales conforman la estructura de oportunidades políticas que cada político debe tener en cuenta a la hora de tomar decisiones vinculadas con su carrera.

Sin embargo, junto con estos factores, el político también toma en cuenta variables de corte individual que en muchas ocasiones se ignoran en el estudio de las carreras. Por ejemplo, dado que el político va a moverse continuamente entre una esfera pública y otra privada, pueden ponderar los costes familiares de las diferentes opciones entre las que puede optar. Del mismo modo, puede tener en cuenta el uso del tiempo en el caso de que tenga que desplazarse, los costes económicos si se traslada a otra ciudad o el proceso de adaptación a nuevos contextos institucionales y sociales (Pérez-Comeche y Oñate, 2013). La complejidad de obtener respuestas generalistas a estas cuestiones, derivada de la especificidad asociada a cada caso, impide incluirlas en una investigación como la presente. No obstante, abren una futura agenda de investigación, de carácter cualitativo, que permita explicar, por ejemplo, por qué frente a estructuras de oportunidad idénticas o muy similares, algunos políticos optan por competir en una arena y otros en otra.

A partir de este desarrollo teórico, en el siguiente epígrafe se especifica la metodología empleada en este capítulo. Esta servirá como guía para el posterior análisis descriptivo de los datos y la posterior búsqueda de relaciones entre los patrones de carrera y los diferentes escenarios de oportunidad política presentes en las regiones y ciudades estudiadas.

METODOLOGÍA APLICADA

El presente capítulo constituye uno de los ejes fundamentales de la investigación, abarcando un número importante de cuestiones que se agruparán siguiendo el modelo de estructura de oportunidades desarrollado desde el punto de vista teórico en los epígrafes anteriores. Debido al amplio número de variables e indicadores recogidos, así como por el amplio volumen de datos que se derivará de estos, el análisis de los datos se estructurará, en primer lugar, en tres grandes bloques: a) disponibilidad, b) accesibilidad y c) atractivo (Tabla 6.1.).

Tabla 6.1. Variables institucionales y de estructura de oportunidad

Dimensiones	Variable (s)
Disponibilidad	Número de cargos
	Limitación de mandato
Accesibilidad*	Condiciones de elegibilidad
	Condición de incumbent
	Relación entre poderes (presidencial/parlamentario)
	Sistema electoral
	Partidos y sistema de partidos
Atractivo	Poder Prestigio Visibilidad Posibilidades de promocionar Remuneración

Fuente: elaboración propia basado en Borchert (2011)

Estas dimensiones contienen, a su vez, las variables que han sido discutidas desde el punto de vista teórico a lo largo del capítulo con el objetivo de verificar o refutar los argumentos esgrimidos. Con el fin de simplificar el análisis y presentarlo de manera parsimoniosa, se han seleccionado las variables sobre las que desde la literatura existe un consenso en torno a su relevancia. De este modo, se busca una visión compleja de las condiciones y reglas sobre las que se articula la competencia, a la vez que se evita una sobreabundancia de datos que den lugar a conclusiones difusas o poco consistentes.

Medición de la disponibilidad de los cargos

Desde estas premisas, la disponibilidad se mide a partir del número de cargos disponibles y las limitaciones de mandato. Para la operacionalización de la primera variable, se contabilizan los cargos de elección popular existentes en cada nivel de gobierno, tanto a nivel Legislativo como Ejecutivo. El hecho de recoger las dos arenas responde a que aquellos que ocuparon cargos en el Ejecutivo no sólo podían moverse entre niveles de gobierno, sino también entre poderes. Esto es especialmente relevante en el caso de existir limitaciones de mandato, ya que, frente a la imposibilidad de presentarse a la reelección para presidente regional o municipal, se presentan dos opciones: aspirar a un cargo Ejecutivo en otro nivel de gobierno o candidatearse para uno de naturaleza legislativa en el mismo nivel.

Como decisión metodológica se han excluido del cómputo los cargos de designación o confianza dado que son de una naturaleza diferente[44]. Puesto que el objetivo de esta investigación es analizar los patrones de carrera en entornos competitivos, y dado que la mayor parte de los cargos representativos son de origen electoral, se ha optado por no contabilizar los resultantes de mecanismos de designación. Asimismo, la naturaleza de estos últi-

---

44 La única excepción la constituyen los miembros del Senado alemán, elegidos por los gobiernos de los Länder, y los del Senado canadiense, escogidos por el gobernador general a propuesta del Primer Ministro. No obstante, se ha mantenido en el análisis porque en el resto de casos los senadores son electos mediante sufragio.

mos responde a lógicas distintas a las de los cargos de elección popular y, como consecuencia, requieren de diferentes estrategias y recursos por parte de los actores (Alcántara, 2012). Respecto a la segunda variable, la limitación de mandato, se utilizará como indicador la existencia o no de reelección y, en el caso de permitirse, su naturaleza: indefinida o inmediata.

A) Medición de la accesibilidad a los cargos

La segunda dimensión del modelo, la accesibilidad a los cargos, contempla cinco variables: a) condiciones de elegibilidad, b) condición de *incumbent* c) relación Ejecutivo-Legislativo, d) sistema electoral y e) partidos y sistemas de partidos. La primera de ellas responde a la posible existencia de requisitos formales y causas de incompatibilidad en el acceso a cargos públicos. Las otras tres restantes, por su parte, constituyen el núcleo duro de los diseños institucionales en las democracias contemporáneas. Debido a que cada una de las variables contiene múltiples indicadores, en la Tabla 6.2. se presenta la información de manera sistematizada.

Tabla 6.2. Variables e indicadores de accesibilidad

Variable	Indicador (es)
Elegibilidad	Requisitos formales e incompatibilidades
Incumbent	Reelecto en el cargo
Relación Ejecutivo/Legislativo	Tipo de sistema: presidencial/parlamentario
Sistema electoral	Elección directa/indirecta
	Tamaño de la Cámara
Sistemas parlamentarios	Tipo de lista
	Fórmula electoral
	Barrera electoral
Sistemas presidenciales	Mayoría requerida
	Existencia o no de doble vuelta Elecciones concurrentes o no concurrentes

Variable	Indicador (es)
Partidos	Ubicación ideológica
	Procedimiento de selección de candidatos
	Financiación
Sistema de partidos	NEP y fragmentación
	Volatilidad electoral
	Concentración del voto

Fuente: elaboración propia.

La primera variable, la elegibilidad, requiere de la revisión de los ordenamientos jurídicos de cada uno de los casos, tanto para el nivel federal como para el regional y el municipal. Para su operacionalización, se recogerá la existencia de requisitos formales para el acceso a un cargo público —tales como las relativas a edad o nacionalidad—, así como los posibles supuestos de incompatibilidad. En segundo lugar, se distingue entre *incumbents* y *no incumbents*. Para ello, se toma como indicador si los presidentes municipales y regionales en el ejercicio del cargo en 1998 habían sido reelectos de manera inmediata. Es decir, si ocuparon el mismo puesto justo en la legislatura anterior.

Para la tercera variable, la relación entre poderes se distinguirá entre sistemas presidenciales y parlamentarios. Este indicador se toma a la luz de la diferencia existente entre la elección directa propia del presidencialismo y la indirecta de los sistemas parlamentarios. Al contrario que el resto de las variables recogidas, esta se mantiene constante en los tres niveles para cada caso debido a que a nivel subestatal se replica la relación entre poderes que se da en la arena federal. De este modo, Argentina, México y Brasil aparecen como casos presidenciales mientras que Alemania, Canadá y España se identifican como parlamentarios. No obstante, pese a que no muestre variación entre niveles, se ha optado por introducirla en el análisis ya que el tipo de sistema actúa como un paraguas general bajo el que se desarrollan otros elementos institucionales como el sistema electoral o de partidos.

Por último, para esta variable se ha optado por no incluir ningún índice que mida la fortaleza de cada uno de los poderes, tales como el Índice de Potencia Legislativa de García Montero (2004), debido a la imposibilidad de contar con los datos necesarios a nivel subestatal. No obstante, para una futura agenda de investigación se contempla la posibilidad de incluir un indicador de esta naturaleza para observar, al igual que se hace en la arena federal, las posibles asimetrías entre ambos poderes y su posible influencia en el atractivo de estos.

El cuarto grupo de indicadores se corresponde con los sistemas electorales. En ese sentido, y conectando con la variable anterior, la diferenciación entre países presidenciales y parlamentarios —con elección directa e indirecta de los jefes el Ejecutivo respectivamente— requiere la utilización de distintos indicadores para cada caso. Tras una revisión de la literatura, se han seleccionado los componentes más relevantes del sistema electoral asociados a cada tipo de sistema. En el caso de los parlamentarios, se toma el tamaño de la Cámara, el tipo de lista —cerrada y bloqueada, cerrada y desbloqueada o abierta—, la fórmula electoral —proporcional o mayoritaria— y la barrera electoral.

Mientras que el tipo de lista va a dar cuenta de si se promueve un voto más personalista (listas abiertas) o programático (listas cerradas), el resto de las variables inciden sobre la proporcionalidad del sistema. Así, a medida que aumenten los efectos mayoritarios del mismo se incrementará la lógica de suma cero, mientras que, por el contrario, mayor proporcionalidad incrementará las posibilidades de las fuerzas minoritarias de aspirar a un puesto de representación. Para simplificar el modelo se ha excluido el tamaño de los distritos electorales pese a su influencia en la proporcionalidad del sistema, midiéndose esta a partir del resto de indicadores recogidos.

Para el caso de los sistemas presidenciales, dada la elección directa del jefe del Ejecutivo, se han tomado como indicadores la mayoría requerida, la existencia o no de doble vuelta y el calendario electoral, diferenciando entre elecciones concurrentes o no concurrentes. Los dos primeros indicadores son relevantes en la medida en que influyen en la ordenación de preferencias de los votantes y sus cálculos estratégicos. Así, los electores darán prioridad a una u otra preferencia en función de la mayoría requerida y las probabilidades de victoria de cada candidato. Respecto al calendario electoral, cabe tener en cuenta que la existencia de elecciones concurrentes puede tener un "efecto arrastre" por parte de las elecciones regionales o locales respecto a las federales, animando a los electores a votar por los candidatos regionales de su candidato presidencial. Por el contrario, elecciones separadas pueden dar lugar a un voto de control y disminuye el efecto arrastre (Negretto, 2009). Es decir, el ciudadano tiene más espacio para poder dar un voto de castigo con relación a la labor del partido de gobierno a nivel federal.

En cuanto a los partidos, para la parte analítica se vuelve a adoptar una visión que los concibe tanto como intermediarios entre el Estado y la sociedad civil, así como organizaciones con dinámicas internas propias. Para la primera dimensión, se clasificará a los partidos según su ideología. Para ello, se ha hecho una revisión de los estatutos de los partidos o, en su defecto, bancos de datos especializados, utilizando las ubicaciones ideológicas propuestas en estos para su clasificación. Respecto a las variables relacionadas con la organización del partido, se contemplan los mecanismos de selección de candidatos —distinguiendo entre procesos centralizados en la cúpula o la celebración de primarias en sus distintas vertientes— y los medios de financiación disponibles. Debido a la imposibilidad de acceder a datos sobre los montos económicos recibidos por cada partido, únicamente se recogerán las fuentes de financiación, distinguiendo entre públicas y privadas.

Por último, para el sistema de partidos se han seleccionado los indicadores clásicos recogidos por la literatura especializada (Ocaña y Oñate, 1999). Esto es: la fragmentación y el NEP, la volatilidad electoral y la concentración del voto. Dado que existen sistemas presidenciales y parlamentarios en la muestra, y que la investigación se centra fundamentalmente en los Ejecutivos, se ha optado por calcular el NEP electoral en lugar del parlamentario. Así, el objetivo es identificar la fragmentación de la competencia electoral y no tanto de la competencia parlamentaria. Para ello, se ha utilizado el índice de Laakso y Taagapera (1979). Finalmente, no se ha incluido el indicador de polarización debido a la imposibilidad de conseguir datos de ubicación ideológica en una escala de 1 a 10 para todos los casos y las dificultades que implican calcularla a partir de valores categóricos.

ANÁLISIS DESCRIPTIVO: CARACTERÍSTICAS INSTITUCIONALES

Disponibilidad

El primer paso para estudiar patrones de carrera es identificar la oferta disponible (Tabla 6.3.). En ese sentido, los seis casos estudiados presentan una organización territorial muy similar con tres niveles de gobierno: municipal, regional y federal. Asimismo, en los seis casos los Legislativos federales son bicamerales[45].

Tabla 6.3. Cargos de elección popular disponibles

	Alemania	Argentina	Brasil	Canadá	España	México
Congreso	631	257	513	308	350	500
Senado	69	72	81	105	258	128
Gobiernos regionales (y ciudades autónomas)	16	25	28	13	19	32
Número total escaños Cámaras bajas regionales	1.937	1.016	1.060	741	1.248	1.178

[45] Para más información, consultar el capítulo 4 de esta tesis, dedicado al diseño institucional de cada uno de los casos.

	Alemania	Argentina	Brasil	Canadá	España	México
Tamaño medio Cámaras bajas regionales*	121	42	39	67	66	37
Número total escaños Cámaras altas regionales*	-	168	-	-	-	-
Tamaño medio Cámaras altas regionales*	-	24	-	-	-	-
Alcaldías	11.029	1.155	5.563	3.549	8.123	2.446

Fuentes: varias.

Esto convierte a los países estudiados en escenarios con múltiples opciones de carrera para los políticos profesionales, lo que se traduce, siguiendo la clasificación de Stolz (2003, 2012), en la posibilidad a optar entre movimientos centrípetos (hacia el nivel nacional) o centrífugos (hacia el regional). Pero, junto con los movimientos de naturaleza geográfica, también existe la posibilidad de transitar entre arenas dentro de un mismo poder, de alternar cargos de elección popular y designación, o incluso combinar cambios geográficos e institucionales.

No obstante, pese a compartir una estructura multinivel, los seis casos presentan especificidades que permiten establecer diferencias entre países. Así, aunque los seis casos cuentan con Cámaras bajas relativamente grandes, pueden apreciarse diferencias para el caso del Senado. Por su parte, Alemania, cuyo Senado constituye un caso paradigmático de cámara territorial, cuenta con la Cámara alta más pequeña tanto en términos absolutos como relativos. Por el contrario, España, donde el Senado es una cámara de "enfriamiento" o segunda lectura (García-Escudero, 2015), cuenta con un tamaño mayor. Por esta razón, a la hora de establecer generalidades con los otros casos, resulta difícil extraer conclusiones ya que, por ejemplo, el Senado canadiense también es considerado una cámara territorial y su tamaño tanto en términos absolutos como relativos es superior. Sin embargo, resulta interesante señalar las diferencias entre dos casos que pueden ser prototípicos, como es el caso de Alemania (cámara territorial) y España (cámara de segunda lectura).

Una segunda diferencia respecto al Senado es el origen de los miembros que lo componen. De esta forma, mientras que en el caso alemán son designados por los gobiernos de los länder y en el canadiense son escogidos por el gobernador general a propuesta del primer ministro, en los casos argentino, brasileño y mexicano son electos por sufragio universal. España constituye un caso mixto, donde se combinan senadores designados por las cámaras legislativas de cada comunidad autónoma y otros electos por sufragio universal. Estas diferencias en la composición dan cuenta de dos aspectos relevantes a la hora de estudiar las carreras dentro del Legislativo en los diferentes países.

En primer lugar, la existencia de diferente naturaleza de trayectorias: unas meramente electorales y otras que combinan la designación con la elección popular. Así, pese a que la designación se asocia generalmente con los cargos Ejecutivos, la experiencia muestra que también puede darse dentro del Legislativo. Y, en segundo lugar, la existencia de escenarios que favorecen una mayor "regionalización" de la política (Borchert, 2001; Stolz, 2002). De este modo, el hecho de que en el caso alemán y canadiense los senadores sean designados invita a pensar en perfiles de políticos con fuertes vínculos con los territorios que representan. Estas dos condiciones abren la posibilidad de posicionarse en la arena federal a partir del establecimiento de vínculos territoriales y una regionalización de la política.

Una segunda diferencia hace referencia al diseño institucional a nivel regional. En ese sentido, únicamente algunas provincias argentinas cuentan con cámaras altas mientras que, en el resto de los casos, los Legislativos regionales son unicamerales. Así, aunque por lo general los niveles subestatales reproducen en gran medida los diseños institucionales del nivel superior, el número de cámaras supone una de las excepciones a la norma. Por lo que respecta al tamaño medio de las cámaras estaduales parece existir un clivaje regional, siendo más pequeñas en los casos latinoamericanos. Esto puede responder al hecho de que la descentralización política no ha sido tan profunda en América Latina debido a la resistencia de los poderes centrales y en algunos casos con los partidos políticos nacionales, lo que ha derivado en burocracias controladas y la existencia de obstáculos para el empoderamiento subestatal (Whitford, 2002).

La última cuestión que resaltar en términos de la oferta de cargos está vinculada con el nivel local. En este aspecto, lo más destacable es el fuerte inframunicipalismo de Alemania y España, lo cual convierte la arena local en un espacio con múltiples oportunidades para desarrollar una carrera política o, al menos, para tomarlo como punto de inicio para una trayectoria que puede desembocar en otros niveles de gobierno (Rodríguez Gonzalez, 2012). De este modo, pese a existir un debate abierto sobre la necesidad de reducir el número de municipios, la renuencia de las autoridades locales a perder sus cargos, la resistencia de las regiones a alterar sus mapas y la existencia de una fuerte identificación territorial de carácter local han actuado como frenos al cambio (Simon, 2013).

Para el caso de los Legislativos, la reelección indefinida es una constante en todos los países estudiados para sus tres niveles con la salvedad de México, donde no estaba permitida hasta la reforma aprobada por el Congreso en 2013 y que entrará en vigor en 2018. En esta línea, es menester advertir que la generalización de la reelección dentro del ámbito Legislativo ha sido explicada por la literatura a partir de diferentes argumentos. Por un lado, porque permite una mayor especialización y conocimiento del trabajo Legislativo, así como una mayor profesionalización (Escamilla, 2016). Ligado a esto está el fortalecimiento de la responsabilidad de los legisladores y la rendición de cuentas, siendo la reelección un incentivo para cumplir diligentemente con su mandato (Lujambio, 1993, 2001). Y, por último, porque permite que el político pueda establecer vínculos más cercanos con el elector y su carrera dependa menos de la promoción dentro de su partido (Dworak, 2003).

De entre todos estos argumentos, el de la profesionalización es el más relevante para esta investigación. Así, el hecho de ser reelecto permite una acumulación de capital —medido, por ejemplo, en términos de experiencia, contactos y establecimiento de redes o visibilidad— que a su vez puede ser reinvertido para aumentar las probabilidades de continuar en el cargo tras una nueva elección. En ese sentido, existe un consenso dentro de la literatura sobre las ventajas electorales de los *incumbents* (Botero, 2011). Y esto se puede traducir en la generación de incentivos para el desarrollo de carreras estáticas.

Ahora bien, ¿qué ocurre para el caso del poder Ejecutivo? Si bien el atractivo de los cargos se desarrollará de forma empíricamente más adelante, de manera tentativa se puede apuntar que ocupar el Ejecutivo puede ser más ambicionado por un político que un cargo en el Legislativo debido a la visibilidad y poder que llevan asociados. De este modo, de manera hipotética se podría afirmar que la mayoría de los políticos tendrían como primera opción candidatearse a un cargo Ejecutivo. No obstante, existen dos obstáculos: la oferta de puestos es menor y las limitaciones de mandato son más frecuentes.

En este punto, no obstante, cabe realizar dos distinciones: la primera es entre países parlamentarios y presidenciales, y la segunda entre niveles de gobierno. Respecto a la primera, en los sistemas parlamentarios la elección del Ejecutivo es indirecta a través del Congreso, con lo que rige la misma norma de reelección ilimitada. No obstante, la elección directa propia del presidencialismo deriva en que la candidatura al Ejecutivo se rija por normas propias. En ese sentido, el establecimiento de limitaciones de mandato viene asociado a la idea de peligro que conlleva la reelección presidencial. Como señalan McConnell (2010) y Treminio (2013), esta deriva del miedo al "continuismo", entendido como la tendencia de algunos presidentes a extender su tiempo en el cargo a través de cambios constitucionales, fraude electoral o por la fuerza. Dado que la concentración de poder que se da en el Ejecutivo es mucho mayor que la que se pueda dar en un cargo Legislativo, los partidarios de la limitación de mandato aluden a que lo que en un diputado puede traducirse en experiencia derivada de la reelección, en un jefe del Ejecutivo puede convertirse en un riesgo de perpetuación en el poder.

Tabla 6.4. Limitación de mandatos para jefes del Ejecutivo en los distintos niveles de gobierno

País	Limitación de mandato a nivel local	Limitación de mandato a nivel regional	Limitación de mandato a nivel federal
Alemania	Reelección indefinida	Reelección Indefinida	Reelección indefinida
Argentina	Cada constitución provincial establece su regulación	Cada constitución provincial establece su regulación	Reelección inmediata (sólo un período). Después, reelección tras un período fuera del cargo
Brasil	Reelección inmediata (sólo por un período)	Reelección Inmediata[46]	Reelección inmediata (sólo un período)
Canadá	Reelección indefinida	Reelección Indefinida	Reelección indefinida
España	Reelección indefinida	Reelección Indefinida	Reelección indefinida
México	No reelegible de forma inmediata	No permite la reelección	No permite la reelección

Fuente: elaboración propia a partir de la legislación electoral.

Para los casos contemplados en esta investigación, la Tabla 6.4. recoge las diferentes limitaciones de mandato existentes en cada nivel. Dejando a un margen los casos parlamentarios, ya explicados, a nivel federal los tres países restantes presentan limitaciones. Para el caso de México, la reelección no está permitida pese a que, como ya se ha señalado, esto cambiará en 2018. Por

46 Hasta el año 1998 la reelección sólo estaba permitida para mandatos no consecutivos.

su parte, Argentina y Brasil la permiten sólo por un período. El esquema federal se reproduce a nivel regional para los casos de México y Brasil, mientras que para el caso argentino la regulación es más heterogénea y viene determinada por la constitución de cada una de sus provincias. Por último, resulta llamativo que, para todos los casos, el nivel local es el más flexible. Así, aunque Argentina y Brasil reproducen la normativa federal y regional, México sí que permite en este nivel la reelección, aunque no sea inmediata.

A nivel subestatal, el caso argentino es consecuencia de las reformas llevadas a cabo a principios de la década de 1990, cuando varios gobernadores llevaron adelante procesos de reforma constitucional para habilitar la posibilidad de un segundo mandato o tantos mandatos como los comicios ratificaran (Jolías y Reina, 2011). Con ello, se abría la senda para poner fin a la imposibilidad de reelección ya que hasta ese momento pocas provincias la tenían habilitada en sus constituciones. Por su parte, en el caso de Brasil, la primera década tras el regreso de la democracia estuvo marcada por la imposibilidad de la reelección. No obstante, este obstáculo era salvado a través de nombramientos de sucesores que respondieran a las órdenes del gobernador o prefecto saliente debido a la existencia de dinastías políticas y oligarquías regionales o locales. Sin embargo, esto se modificó en 1998, cuando se habilitó la reelección por un período. Por último, México fue hasta la reforma de 2013 un caso paradigmático de no reelección, principio heredado de Revolución de la Noria de Porfirio Díaz (1857) y vigente hasta 2018.

En cualquier caso, más allá de las causas o especificidades de cada proceso, la existencia de limitaciones de mandato obliga a los actores a buscar diferentes itinerarios que les permitan seguir ocupando cargos de poder aun en contextos donde no pueden capitalizar de manera ilimitada su paso por un determinado puesto. Asimismo, les fuerza a tomar decisiones sobre sus movimientos, debiendo decidir si apostar por carreras "regionalizadas" en los que los movimientos se realicen entre poder o si optar por cambios centrífugos o centrípetos entre niveles de gobierno manteniéndose dentro del Ejecutivo. No obstante, estas decisiones se verán supetidatas indudablemente por las condiciones de accesibilidad a los cargos.

Accesibilidad

La existencia de cargos públicos por los que competir es una condición necesaria pero no suficiente para el acceso a los mismos. Una vez identificada la oferta disponible, se requiere conocer las reglas del juego bajo las cuales se articula la competencia. Estas se dividen en dos grupos: requisitos formales de elegibilidad e instituciones formales. Por lo que respecta a la primera cuestión, la legislación de los diferentes países es relativamente uniforme, exigiéndose ser mayor de edad —o en algunos casos, superar un umbral de edad— y nacional del país. Asimismo, para elecciones subestatales en ocasiones se exige residencia.

Por último, otra de las condiciones de la disponibilidad es no entrar en supuestos de incompatibilidad con otros cargos. No obstante, ante estos últimos supuestos el individuo tiene la opción de elegir entre puestos con base a sus preferencias y cálculos estratégicos. De este modo, los requisitos mínimos son poco restrictivos y abren la oportunidad al grueso de la población a ser elegible para el acceso al cargo público.

El segundo elemento a tener en cuenta para analizar la accesibilidad a los cargos es identificar la condición o no de *incumbent* entre los individuos que componen el estudio. Así, la literatura señala que, en principio, aquellos que ya han ocupado el cargo con anterioridad parten con ventaja a la hora de volver a lanzarse como candidatos pata el mismo puesto (Erickson, 1971; Ferejohn, 1977; Borchert, 2011). A este respecto, la Tabla 6.5. muestra que, en términos agregados, casi la mitad de los que presidieron el Ejecutivo municipal o regional cumplían con la condición de *incumbent*.

Tabla 6.5. Porcentaje de incumbent entre los que ocuparon la presidencia municipal y regional en 1998

	Alemania		Argentina		Brasil		Canadá		España		México		Total	
	P. M.	P. R.	P. M.	P. R.	P. M.	P. R.	P. M.	P. R.	P. M.	P. R.	P. M.	P. R.	P. M.	P. R.
Sí	37,5	60,0	56,3	40,9	52,0	24,0	66,7	25,0	45,2	33,3	0,0	1,0	50,5	36,0
No	62,5	40,0	43,8	59,1	48,0	76,0	33,3	75,0	54,8	66,7	0,0	6,0	49,5	64,0
(N)	26	16	46	24	53	27	26	13	34	19	32	32	246	131

* Se excluye México para no distorsionar los resultados ya que tiene prohibida por ley la reelección para el caso de la gubernatura y la reelección inmediata para los presidentes municipales.

Fuente: elaboración propia.

Del mismo modo, al segmentar los datos para seleccionar sólo a los que ocuparon la presidencia municipal se observa que el porcentaje de *incumbent,* a excepción del caso de Alemania, es ligeramente superior al recogido en términos agregados (Tabla 6.6.). Esto apunta que, en principio, el ámbito local proporciona mayores estructuras de oportunidad para mantenerse en el cargo.

Por su parte, el porcentaje de *incumbents* entre los que ocuparon la presidencia regional es ligeramente inferior. En ese sentido, el Ejecutivo regional parece presentarse como un estadio intermedio dentro de la carrera política, la cual continúa en otros cargos tanto a nivel regional como en otras arenas de Gobierno.

Una vez expuestas las condiciones de elegibilidad y la condición de *incumbent,* a continuación, se desarrollan las reglas formales sobre las que se articula la competencia. Para abordar su análisis, en este trabajo se han distinguido tres tipos de variables: tipo de sistema, sistema electoral y partidos y sistemas de partidos.

A) Tipo de sistema

A la hora de explicar las normas bajo las cuales se articula la competencia cabe identificar la relación entre los poderes, distinguiéndose entre sistemas presidenciales y parlamentarios. Las diferencias entre ambos, señaladas en la discusión teórica de este capítulo, y su impacto en el desarrollo de las carreras ha sido utilizado como un criterio para la selección de los casos. De este modo, como se muestra en la Tabla 6.7., para esta investigación se han escogido tres países con un sistema parlamentario —Alemania, Canadá y España— y tres con uno presidencial —Argentina, Brasil y México—. A este respecto, cabe subrayar que los del primer grupo son europeos o de clara influencia europea[47], mientras que los del segundo se localizan en América Latina.

Tabla 6.7. Tipo de sistema

	Alemania	Argentina	Brasil	Canadá	España	México
Presidencial		X	X			X
Parlamentario	X			X	X	

Fuente: elaboración propia.

En ese sentido, el parlamentarismo surge en Inglaterra tras las revoluciones del siglo XVII y se consolida tras la Revolución Gloriosa de 1688. Con ello se limitó el poder de las monarquías y se sembró el embrión del sistema que acabaría rigiendo en Europa. Sus líneas teóricas, planteadas por John Locke, justificaban el surgimiento de las sociedades en un contrato entre hombres que garantizara la protección de sus derechos. Con él surgía un Estado cuya legitimidad residía en el pueblo y que era susceptible de ser destituido en caso de no defender o violar los derechos.

Dentro del Estado se diseñó una separación de poderes en la que se estableció cierta supremacía del Legislativo sobre el Ejecutivo. Así, se fijaron mecanismos de control de la Cámara sobre

47 Cabe señalar que Canadá es un miembro de la Commonwealth, una organización compuesta por cincuenta y tres países soberanos que comparten lazos históricos con Reino Unido.

los poderes del monarca. Con el paso del tiempo, el parlamentarismo se consolidó como el principal sistema de gobierno de las democracias europeas, caracterizándose por poseer una única legitimidad directa, la del parlamento; un gobierno colegiado en el que el jefe de gobierno es elegido por el Legislativo y por la existencia de mecanismos de control entre ambos poderes. En ese sentido, cabe destacar que una de sus principales características es que el Ejecutivo necesita la confianza del Legislativo, estableciéndose mecanismos de control como la moción de censura.

Por su parte, el presidencialismo latinoamericano bebe del modelo de separación de poderes surgido de la Constitución Americana de 1787. Fundado en el concepto republicano de constitución mixta, introdujo respecto al modelo inglés una rígida separación de poderes apoyada en un sistema de frenos y contrapesos que tenía como objetivo evitar la usurpación de funciones entre poderes (Negretto, 2003). Para James Madison, padre de la constitución, la única forma de hacer efectiva la separación de poderes era otorgar a cada autoridad una jurisdicción parcial sobre las funciones de las otras.

Ello se tradujo en la independencia de los poderes Ejecutivos y Legislativos, un Senado que representara de manera igualitaria a las identidades federadas y un cuerpo judicial independiente. Por lo que respecta a su impacto en el desempeño de la actividad política, la estrategia de división de poderes consistió en otorgar a los representantes de cada rama de poder una motivación distinta: el presidente debía representar a la pluralidad de intereses del electorado nacional, los senadores serían los representantes de las legislaturas estatales y los diputados representarían de forma directa e individual a los electores de su distrito (Manin, 1995).

Su implementación en América Latina se produjo en la segunda mitad del siglo XIX, cuando después de décadas de experimentación con diferentes formas de organización constitucional se adoptó el modelo norteamericano. Sin embargo, debido a la ineficacia del modelo tradicional en su aplicación a la realidad latinoamericana, varias constituciones se han diferenciado del modelo original en dos aspectos: han evitado que surjan gobiernos divididos con representación de diferentes intereses en la presidencia y el Congreso y otorgan al presidente fuertes poderes para promover cambios Legislativos, aun sin contar con un apoyo mayoritario del Congreso (Negretto, 2003).

Ambos sistemas fueron puestos en discusión en el clásico trabajo de Linz (1987), así como en obras compiladas como la de Nohlen (1991) y Linz (1994). En ellas se teorizó sobre las diferencias y su impacto sobre la estabilidad democrática[48]. No obstante, debido a la amplitud del debate y dada la naturaleza de esta investigación, el aspecto más relevante que aquí atañe es la relación entre presidente, electores y partidos. En este contexto, y tal como ya se ha señalado, la elección directa del presidencialismo permite dotar al individuo de una independencia mayor respecto al partido y acercarse más al elector que en el caso del parlamentarismo.

Esto, a la vez, se traduce en diferentes tipos ideales de carrera. En el presidencialismo es más habitual encontrar carreras fulminantes en las que personas con escasa experiencia política, e incluso *outsiders*, llegan a la presidencia —nacional o subnacional—. Sin embargo, en el parlamentarismo los que aspiran al liderazgo gubernamental normalmente pasan años en el Legislativo acumulando experiencia y ofreciendo a la opinión pública la oportunidad de que sean conocidos por su gestión (Linz, 1990).

No obstante, ambos sistemas son consecuencia de las características institucionales de los espacios en los que operan. El parlamentarismo necesita para funcionar de partidos disciplinados e institucionalizados (Sartori, 1991). Condición que se cumple generalmente en Europa y Canadá y que, sin embargo, no es tan patente en América Latina. Sin embargo, la distinción entre parlamentarismo y presidencialismo puede resultar excesivamente

48 En este sentido, Linz (1987) sostiene que el presidencialismo es una fuente de inestabilidad debido a la legitimidad doble (parlamento y presidente), la rigidez del mandato presidencial y la lógica de "ganador único" en los comicios para el Ejecutivo.

genérica. Por ello, para profundizar en las características específicas de cada caso, en los siguientes epígrafes se prestará atención a los sistemas electorales, partidos y sistemas de partidos de cada país en sus niveles subestatales[49].

B) Sistema electoral

A la hora de abordar la cuestión de los sistemas electorales a nivel subestatal, cabe hacer una precisión. Mientras que, por lo general, el contenido de la legislación electoral regional es accesible y relativamente homogénea entra regiones, el mapa electoral municipal aún continúa siendo algo difuso para la investigación. Ello se debe, en gran medida, a la mayor heterogeneidad que presenta, estableciéndose diferencias dentro de las propias entidades subestatales de cada país. En cualquier caso, en la Tabla 6.8. se recogen las pautas generales para la elección de presidentes municipales en los seis países estudiados.

Tabla 6.8. Sistema electoral a nivel municipal para cargos Ejecutivos

País	Sistema electoral
Alemania	Dependiendo del Estado, el alcalde es electo de manera directa o a través del Legislativo municipal.
Argentina	Elección directa de intendente de la opción más votada. Concejales electos de forma proporcional.
Brasil	Reproduce la fórmula de elección para el Presidente de la República. En municipios de menos de 200.000 electores, se aplica la mayoría simple.
Canadá	En las elecciones municipales se vota por un concejal, la persona que representará a su distrito electoral, y un alcalde o presidente, el jefe de su municipio.

[49] En esta parte del análisis se excluyen las características a nivel federal ya que han sido desarrolladas en el capítulo, dedicado al diseño institucional de cada uno de los casos.

País	Sistema electoral
España	Son elegidos por los concejales. Se reproduce el modelo nacional y autonómico, con la única salvedad es que la circunscripción electoral es el municipio. Para el caso de las localidades con menos de 250 habitantes se utilizan listas abiertas.
México	Elección por el mecanismo de la lista cerrada y bloqueada. Prevalece el sistema mixto con predominante mayoritario.

Fuente: legislación electoral. Elaboración propia.

En el caso de Alemania no existe una ley única que regule los procesos electorales municipales. En virtud de su modelo federal, cada región o ciudad-Estado cuenta con su propia regulación. No obstante, en doce de los Estados los alcaldes son elegidos de manera directa por mayoría absoluta y, en caso de que ninguno de los candidatos obtenga ese resultado, los dos más votados van a balotaje y se aplicará la mayoría simple. En los cuatro estados restantes, los alcaldes son elegidos por los Parlamentos locales.

En el caso argentino, también pese a la heterogenidad dominante, la pauta general es que los intendentes sean elegidos de manera directa y a la vez encabecen la lista para concejales con el fin de garantizarle un cargo. Por su parte, los concejales son elegidos mediante un sistema mixto haciendo uso del siguiente sistema de distribución de escaños: al partido que obtiene la mayoría de los votos se le asigna la mitad más una de las bancas para asegurar la mayoría al partido del intendente. El resto de los escaños se distribuyen de manera proporcional.

Para los casos de Brasil y España se reproducen las fórmulas de elección vigentes a nivel federal y regional. En ese sentido, las únicas modificaciones rigen para los municipios que cuentan con menos población. Así, en el caso de Brasil, las localidades que cuentan con menos de 200.000 habitantes son electos por mayoría simple sin celebrase segunda vuelta al no lograrse mayoría absoluta. Para el caso de España, en los municipios de menos de 250 habitantes se sustituyen las listas cerradas y bloqueadas por las abiertas.

En Canadá vuelven a encontrarse diferencias en la legislación electoral municipal. Sin embargo, la pauta general es que los electores voten directamente por un concejal que represente a su distrito y por un alcalde que ostente la presidencia municipal. Por último, en el caso mexicano la elección del presidente municipal presenta una diferencia respecto al proceso vigente en el resto de los niveles de gobierno: la elección del titular no se hace por separado del Legislativo. Así, en la esfera local se presenta una lista única y aplicando el principio de mayoría relativa.

Para el caso de los sistemas electorales a nivel regional, las diferencias entre la lógica presidencial y la parlamentaria se hacen patentes. Debido a que mientras que en los primeros la elección del Ejecutivo es directa y en la segunda directa, en el presente apartado los casos se agruparán en dos grupos (ver tablas 6.9. y 6.10.). En primer lugar, se presentan los sistemas electorales que rigen a nivel regional en Alemania, Canadá y España. En segundo lugar, se hace lo mismo para los casos de Argentina, Brasil y México. Dadas las diferencias entre ambos sistemas, las variables para cada grupo presentan algunas diferencias siguiendo las premisas expuestas en el apartado metodológico de este capítulo.

Respecto a los sistemas parlamentarios, la característica común es la elección indirecta de sus jefes de gobierno, reproduciendo el modelo que rige a nivel federal. Asimismo, predominan las listas cerradas y bloqueadas, así como el uso de fórmulas proporcionales y el establecimiento de barreras electorales. Sin embargo, existen particularidades en cada caso.

Tabla 6.9. Sistemas electorales a nivel regional en sistemas parlamentarios

	Alemania	Canadá	España
Elección directa	No	No	No
Tipo de listas	Cerradas y bloqueadas	Uninominal	Cerrada y bloqueada
Fórmula electoral	Sistema mixto mayoritario -roporcionales (Sainte-Lague, Hare/Niemeyer y D´Hondt)	Mayoritaria (first-past-the-post)	Fórmula D´Hondt
Barrera electoral	5%	—	3-6% (según lo dispuesto en cada Estatuto de Autonomía)

Fuente: elaboración propia a partir de legislación electoral.

En el caso alemán, a nivel regional se produce el sistema de representación proporcional personalizada vigente en la arena federal. Así, cada elector tiene dos votos: uno en el que elige a un diputado de su distrito y otro en el que vota una lista partidaria. Para ello, se diseñan listas cerradas y bloqueadas en las que se vota en bloque al partido sin opción de establecer preferencias en la selección y el orden de los candidatos. De este modo, existen dos tipos de circunscripción, dos tipos de candidaturas (individuales y la lista del partido) y dos tipos de voto. Mientras que para el primer voto se aplica la lógica uninominal, para la distribución de los escaños de las listas únicamente se toman los partidos que han conseguido el cinco por ciento de los votos válidos emitidos en el territorio electoral o que hayan logrado al menos un escaño en tres distritos electorales. La única excepción a esta barrera electoral son las listas presentadas por partidos de minorías nacionales.

Para las elecciones provinciales en Canadá, rige el sistema de pluralidad de un solo miembro. Esto es, en cada distrito electoral el candidato que tiene un mayor número de papeletas electorales marcadas a su favor resulta elegido para ser miembro del Parlamento provincial. Así, cada partido registrado debe proporcionar un candidato para cada distrito electoral. El partido que obtenga más escaños forma gobierno y su líder preside el Ejecutivo. De este modo, se aplica la fórmula mayoritaria del *first-past-the-post* en la que rige la lógica de suma cero: al ser distritos uninominales, sólo puede ganar un candidato mientras que los otros son descartados. A este respecto, en Canadá se hace patente sus fuertes lazos con Reino Unido, reproduciendo el sistema electoral mayoritario inglés.

Por último, España presenta un tercer modelo de sistema electoral. Pese a ser más cercano al sistema alemán que al diseño mayoritario canadiense, se diferencia del primero en que no presenta una estructura mixta sino únicamente proporcional matizada por el tamaño de los distritos electorales. De este modo, las candidaturas se presentan en listas cerradas y bloqueadas y, para la transformación de los votos en escaños se utiliza una fórmula proporcional. Sin embargo, el predominio de distritos electorales medianos y pequeños dota al sistema de un sesgo mayoritario que sobrerrepresenta a las dos fuerzas más votadas. Por último, existe un umbral electoral que oscila entre el 3% y el 6% (vigente en las Islas Canarias) que viene determinado por cada Estatuto de Autonomía y leyes electorales autonómicas.

Por su parte, el segundo grupo está integrado por Argentina, Brasil y México con sistemas presidenciales. Para el caso argentino, el mecanismo de elección de los gobernadores es de voto directo, aunque presenta diferencias a nivel provincial. En términos generales, la mayoría requerida puede ser relativa, superior al 45% o al 50%. En concreto, Chaco y Corrientes se exigen el 45% de los votos o el 40% siempre y cuando haya una diferencia de diez puntos porcentuales respecto al siguiente candidato. En caso de no lograrse, se va a segunda vuelta. En cuanto a la Ciudad Autónoma de Buenos Aires y Tierra de Fuego requieren una mayoría del 50% o se celebra una segunda vuelta. Para la segunda vuelta sólo compiten las dos candidaturas más votadas en la primera ronda y para resultar electo será necesaria únicamente una mayoría simple. Respecto al calendario electoral, este es variable pudiendo ser concurrentes con los Legislativos provinciales y, en ocasiones, con las federales.

Tabla 6.10. Sistemas electorales a nivel regional en sistemas presidenciales[50]

	Argentina	Brasil	México
Elección directa	Sí	Sí	Sí
Mayoría requerida	Mayoría relativa/ >45% / >50%*	Mayoría absoluta	Mayoría relativa
Doble vuelta	Sólo en las que no se emplea un sistema de mayoría simple	Sí	No
Calendario electoral	Concurrentes con los Legislativos provinciales y, en ocasiones, con las nacionales (ejecutivas y legislativas)	Concurrentes con la de los Legislativos estaduales y las federales	Concurrentes con los Legislativos estatales

Fuente: elaboración propia a partir de legislación electoral.

En el caso brasileño, hasta 1988 el candidato vencedor era aquel que lograba una mayoría relativa de votos. No obstante, tras la reforma electoral de ese año pasó a exigirse una mayoría absoluta. En el caso de no lograrse, se celebra una segunda vuelta en la que compiten las dos candidaturas más votadas y es electa la que logre el mayor porcentaje de votos. Por último, el calendario electoral establece elecciones concurrentes con los Legislativos estaduales y las federales, favoreciendo un posible "efecto arrastre".

Por último, la elección de gobernadores en México presenta un criterio uniforme en todos los estados de la República, exigiéndose una mayoría relativa sin que se celebren segundas vueltas.

---

50 Para un análisis sistemático más completo, se recomienda el trabajo de Barragán (2015).

Este tipo de sistema presenta tres ventajas en términos de simplicidad ya que el candidato que recibe más votos gana. Ello provoca que los electores deban hacer uso de un voto estratégico desde el principio, sin que exista una segunda oportunidad para ordenar sus preferencias en función de los resultados de la primera vuelta. Por último, las elecciones a gobernador son concurrentes con los comicios de los Legislativos estaduales.

No obstante, al igual que se ha apuntado en el epígrafe destinado al tipo de relación entre poderes, lo cierto es que los componentes que configuran el diseño institucional de una sociedad no pueden ser tomados como elementos aislados (Nohlen, 1998). De este modo, la configuración de los sistemas electorales incide directamente en la organización de la competencia y, por ende, en el sistema de partidos.

C) Partidos y sistema de partidos

Abordar la competición requiere entender a los partidos como organizaciones y como parte de sistemas de partidos. Respecto a la primera cuestión, en esta parte del análisis la atención se va a focalizar, por un lado, en su ubicación ideológica y, por otro, en la selección de candidatos y en las fuentes de financiación.

Así, debido a la imposibilidad de conseguir la ubicación ideológica de los diferentes partidos para cada caso, se ha optado por una clasificación categórica de los mismos en seis categorías: extrema izquierda, izquierda, centro izquierda, centro, centro derecha, derecha y extrema derecha. Los partidos contenidos para cada país cumplen dos requisitos: fueron los que se presentaron a las elecciones en las que resultaron electos los gobernadores y alcaldes del estudio y fueron clasificados en estas categorías en bases de datos especializadas o ubicados a partir de la tendencia ideológica declarada en sus estatutos.

Para el nivel municipal (Tabla 6.11.), cabe hacer dos apreciaciones. La primera es que no existen datos para Canadá ya que, para las elecciones municipales de este país, la competencia se articula entre candidatos y no entre partidos. Respecto a Argentina, no se encontraron datos para esos comicios. Una vez hechas estas aclaraciones, el primer dato a resaltar es la diferencia entre la oferta partidista de cada caso: México cuenta con el número más bajo (9), mientras que España se sitúa a la cabeza con 65. En cuanto a la distribución de los partidos en el espectro ideológico, la oferta partidaria no se ubica en los extremos, dando lugar a sistemas poco polarizados con tendencias centrípetas. Sin embargo, México y España se caracterizan por tener una mayor oferta de partidos de izquierda. No obstante, cuando se atiende al porcentaje de votos recibido por todos estos partidos, puede observarse que una parte considerable de ellos finalmente no obtiene representación y, como consecuencia, se produce un equilibrio entre las fuerzas de izquierda y derecha.

En cambio, respecto a la ubicación ideológica de los partidos a nivel regional no se aprecian diferencias sustantivas respecto a los datos recogidos en la esfera local. Nuevamente se observa una tendencia a evitar los extremos en la oferta partidista. Se mantiene la mayor oferta de partidos en los casos de México y España, aunque los resultados electorales de estos partidos disminuyen el número de organizaciones de izquierda con representación. Por último, hay que señalar que a nivel regional se incrementa ligeramente la oferta partidaria lo que puede indicar dos cosas. Por un lado, dado que los recursos son limitados, algunos partidos decidan concentrar sus activos en el nivel regional-y posiblemente nacional— y dejar de lado la esfera municipal al resultar menos atractiva para sus intereses. Lo cual, a su vez, se podría extender a las preferencias de los individuos. Y, por el otro, que aun queriendo competir en la esfera local, los partidos de carácter minoritario no logren conseguir candidatos y recursos para las elecciones municipales.

Tabla 6.11. Ubicación ideológica de los partidos a nivel municipal y regional (%)

	Alemania		Argentina		Brasil		Canadá		España		México	
	N. M.	N. R.	N. M.	N. R.	N. M.	N. R.	N. M.	N. R.	N. M.	N. R.	N. M.	N. R.
Extrema Izquierda	8,3	7,7	—	11,1	9,5	9,5	—	0,0	13,8	6,5	11,1	30,8
Izquierda	16,7	7,7	—	36,1	19,1	19,0	—	0,0	55,5	45,4	41,4	30,83
Centro Izquierda	25,0	19,2	—	19,4	14,3	9,5	—	57,1	6,1	9,1	0,0	0,0
Centro	8,3	11,5	—	8,3	14,3	19,0	—	0,0	12,3	13,0	18,2	15,4
Centro Derecha	16,7	23,1	—	8,3	19,0	19,0	—	28,6	13,8	10,4	0,0	0,0
Derecha	16,7	15,4	—	16,7	23,8	24,0	—	14,3	9,2	11,7	18,2	15,4
Extrema Derecha	8,3	15,4	—	8,4	0,0	0,0	—	0,0	3,1	3,9	11,1	7,6
(N)	26	16	—	24	53	27	—	13	34	19	66	34
(N part.)	12	26	—	36	21	11	—	7	65	77	9	13

Fuente: varias. Elaboración propia.

Una vez identificada la distribución de la oferta partidaria, a continuación, la atención se centrará en aspectos vinculados con la organización interna de los partidos (Tabla 6.12.). En primer lugar, se desarrollarán los mecanismos de selección de candidatos y, a continuación, las fuentes de financiación. Con el fin de sistematizar la información, en esta parte se proporcionará una visión genérica de cómo funcionan ambas dimensiones en cada país. No obstante, para la regresión se asignará a cada político el mecanismo de selección de candidatos vigente en su partido y la forma de financiación.

Tabla 6.12. Mecanismos predominantes de selección de candidatos

Alemania	Argentina	Brasil	Canadá	España	México
Cúpula partido	Secciones provinciales Partidos	Heterogeneidad entre estados	Falta de regulación. Heterogeneidad	Cúpula partido	Mixto

Fuente: varias. Elaboración propia.

En el caso de Alemania los partidos políticos son el principal canal de reclutamiento político, convirtiéndose su pertenencia en un requisito prácticamente indispensable para el desarrollo de una carrera política (Borchert, 2001). Debido a que cuentan con un sistema electoral mixto, la selección de candidatos se compone de dos fases: una para los candidatos uninominales y otra para la elaboración de las listas del partido. Por lo que respecta a los candidatos uninominales en las legislaturas federales y estatales, los candidatos son seleccionados por un caucus de delegaos de los respectivos distritos. De este modo, es habitual que los políticos alemanes cuenten con las carreras a nivel regional y local con el fin de ir generando alianza y contar con el apoyo de delegados (Borchert y Golsch, 1995)[51].

Por lo que respecta a la selección de los candidatos que integran las listas del partido, el proceso es más complejo. Para su elaboración, los delegados deben reunirse en un caucus para decidir el orden de los candidatos. En el caso de los partidos grandes, junto con los delegados intervienen los jefes de partido y los líderes de facción en disputa por el control de los votos de los delegados. En el proceso de decisión entran en conflicto diferentes variables como los criterios territoriales, el género, el origen social, la relación con grupos de interés o el posicionamiento en las facciones del partido. Asimismo, los partidos tienden a situar en la cabeza de la lista al candidato uninominal para asegurarles un escaño.

En Argentina el proceso de selección de candidatos a gobernador está controlado por la estructura partidaria y, en concreto, por las secciones provinciales de los partidos (Gibson y Suárez

---

51 La carrera política en Alemania está dominada por dos elementos: la necesidad de llevar a cabo una trayectoria dentro del partido y la asunción de que, si bien no es imprescindible, sí que puede ser muy útil ocupar o haber ocupado un cargo a nivel municipal. Así, tanto los políticos que llegan a la actividad pública después de haber desarrollado su carrera en la esfera privada como los que presentan una vocación temprana, ven en el nivel local un buen punto de entrada en la política.

Cao, 2010). Ello es fruto de la combinación de variables partidarias y electorales: el monopolio partidario de las candidaturas, el control de los líderes partidarios provinciales, un sistema de financiación mixto y descentralizado, y una moderada identificación de los votantes con sus partidos. Como consecuencia de ello, generalmente los candidatos a gobernador son personas que cuentan con el apoyo de los partidos y la competición se articula más entre partidos que entre los individuos.

Respecto al procedimiento concreto, la ley establece que los partidos deben celebrar elecciones internas para la selección de sus líderes, pero no para los candidatos a cargos públicos. De este modo, los candidatos a gobernador suelen ser seleccionados según lo dispuesto por la regulación interna de cada partido. Asimismo, la candidatura de individuos que no pertenecen al partido queda a discreción de la organización. A partir de este marco general, desde el regreso a la democracia, los partidos políticos argentinos han usado diferentes fórmulas para la selección de los candidatos a los gobiernos provinciales como la selección centralizada por parte de la cúpula, la celebración de elecciones primarias directas, *party splitting* y el doble voto simultáneo.

En el primer caso, existen diferentes mecanismos que van desde la imposición de un líder por la cúpula del partido nacional a la selección por parte del caudillo provincial, pasando por fórmulas de negociación a diferentes niveles. En cuanto a las primarias, estas se celebran cuando existen dos o más candidatos en pugna, pudiendo existir diferentes grados de inclusividad en el electorado convocado para la votación. El tercero, aunque poco habitual, se realiza presentando diferentes candidatos para que el electorado general decida. Por último, en el doble voto el partido presenta una lista con los candidatos el mismo día de la elección.

En Brasil, existe un fuerte grado de heterogeneidad en el proceso de selección de candidatos con base al grado de pluralidad u oligarquía de los mismos. A este respecto, una primera diferencia se establece en función del grado de descentralización de los partidos políticos: aquellos que son centralizados muestran un mayor control sobre las candidaturas de gobernadores y prefectos, mientras que en los más descentralizados la decisión recae en mayor medida sobre las élites estaduales o locales. En cualquier caso, tal como señalan Braga y Bolognesi (2012), los líderes partidarios —ya sea a nivel nacional o subestatal— cuentan con gran influencia a la hora de decidir qué individuos integran las candidaturas. No obstante, es el ordenamiento interno de cada partido el que establece los mecanismos de selección de candidatos.

Para el caso canadiense, el rasgo más característico es la falta de regulación federal para los procesos de selección de candidatos. De este modo, cada partido cuenta con un alto grado de autonomía para decidir el mecanismo para la selección de candidaturas: pueden establecerse mecanismos centralizados en la cúpula partidaria, celebrar elecciones primarias, fijar criterios de elegibilidad para los candidatos o delegar en los niveles subestatales las condiciones del proceso. En los casos de autorizar en los comités provinciales existe el riesgo de que se presenten diferencias significativas entre regiones aún dentro del mismo partido.

En consecuencia, ello genera diferencias en los candidatos nominados en los diferentes partidos, pero también dentro de la misma organización en diversas provincias. No obstante, esta heterogeneidad responde en gran medida a las propias características del país. Así, la fuerte descentralización del Estado canadiense, la regionalización de los partidos y la existencia de diferentes grupos culturales y lingüísticos derivan en la existencia de diferentes fórmulas que permitan captar esta diversidad en el proceso de selección de candidatos.

Al igual que Canadá, los partidos españoles tienen potestad para desarrollar en sus estatutos sus propios mecanismos para la selección de candidatos (Barragán, 2012). Asimismo, en el interior de los partidos tampoco existen procedimientos relevantes para seleccionar a los líderes, ocurriendo que en la mayoría de los casos el líder de la organización suele ejercer como líder electoral (Rodríguez Teruel, 2010). Sin embargo, existen dos excepciones: en algunos casos puede que el líder de la organización no es el líder electoral, produciéndose una dirección bicéfala no exenta de conflictos o supuestos en los que se forman alianzas en los que el líder suele ser el cabeza del partido preminente.

Respecto a las cláusulas de elegibilidad, por lo general son poco restrictivas estableciéndose como requisitos básicos estar afiliados al partido y estar al corriente de las obligaciones económicas. En términos más concretos, algunos partidos pueden fijar condiciones adicionales como un mínimo de años de afiliación. Por último, en cuanto a los mecanismos concretos, la celebración de elecciones primarias no es una práctica muy extendida, centralizándose en la mayor parte de los casos la selección de los candidatos en las cúpulas partidarias. Ello ha favorecido prácticas oligárquicas en la selección de candidatos y, en particular, de los líderes. Así, la mayor parte de los partidos han mantenido como cuerpo básico los congresos para la selección de líderes sin incrementar la inclusividad de los electores en el proceso.

Por último, en el caso mexicano resulta importante destacar como en las últimas décadas los procesos de selección de candidatos a nivel subestatal han dejado de ser vistos como meros trámites partidistas para convertirse en momentos decisivos en el funcionamiento interno de las organizaciones (Langston y Díaz-Cayeros, 2003). Así, a partir del año 2000 los partidos se han visto obligados a buscar fórmulas de selección de candidatos que permitieran nominar a candidatos populares sin que ello fuera óbice para mantener la estructura jerárquica de los partidos.

El incremento de los niveles de competitividad dentro del sistema político mexicano ha sido fundamental para introducir cambios internos en los mecanismos de selección. De este modo, se incrementó la competencia intrapartidista apareciendo un mayor número de candidatos. No obstante, pese al incremento de la inclusividad del cuerpo electoral y la celebración de primarias en algunos partidos, hasta la actualidad se mantiene la ausencia de procesos completamente institucionalizado en el seno de cada organización.

Por último, la fuente de financiación de los partidos políticos constituye un aspecto relevante a la hora de entender la dinámica partidista. Así, la regulación existente en torno a sus fuentes de ingresos determinará los recursos disponibles a los cuales partidos y candidatos pueden acceder para el desarrollo de las campañas y de la actividad política, así como reflejará las relaciones entre lo público y lo privado. Es decir, sobre los límites establecidos a la posible influencia de grupos de presión en la financiación de los partidos o el grado de restricción a las donaciones percibidas. Para ello, en la Tabla 6.13. se recogen las principales fuentes de financiación de los partidos en los casos estudiados.

Tabla 6.13. Fuentes de financiación de los partidos políticos

	Alemania	Argentina	Brasil	Canadá	España	México
Cuotas afiliados	X	X	X	X	X	X
Aportaciones del Estado	X	X	X	X	X	X
Donaciones	X	(nunca anónimas)	X	X	X	X
Contribuciones especiales	X	—	—	—	—	—

Fuente: varias. Elaboración propia.

En el caso de Alemania, los partidos cuentan con cuatro formas de financiación: las cuotas de los afiliados, las aportaciones del Estado, las donaciones y las contribuciones especiales[52]. No obstante, existen algunas limitaciones y cláusulas que todos los partidos deben cumplir. La primera de ellas está relacionada con la transparencia: la ley de Partidos obliga a las formaciones a comunicar de forma inmediata al Parlamento todas las donaciones que superen los 50.000 euros. Por su parte, las que oscilen entre

52 Estas consisten en una especie de impuesto de partido que es pagada por los cargos electos del partido.

los 10.000 y los 50.000 euros deben contabilizarse en los informes anuales de los partidos políticos. Por último, la financiación del Estado está limitada a cubrir los gastos electorales y se calcula en función de los resultados obtenidos, sin poder superar en ningún caso el 50% de la financiación total del partido. Con ello, se pretende limitar la injerencia o influencia mutua entre el Estado y las organizaciones partidarias.

En Argentina, el financiamiento público constituye una parte importante de las fuentes de ingresos de los partidos. El artículo 38 de la Constitución dispone la obligación del Estado de financiar a los partidos tanto para su normal funcionamiento como para su capacitación. Con ello, se persigue dotar de transparencia al sistema y ofrecer igualdad a la competencia entre partidos. El monto recibido se realiza en función de los votos obtenidos. Aunque el aporte por voto sólo está previsto para dólares.

En España, el sistema de financiación es mixto y combina la vía pública —con subvenciones que provienen de los Presupuestos Generales del Estado y de Comunidades Autónomas y Ayuntamientos—, con las aportaciones privadas —cuotas, donaciones y condonaciones bancarias de préstamos—. En el caso de la financiación pública, no existe un límite en la cantidad otorgada, calculándose el monto en función del porcentaje de votos recibidos. Estos fondos se distribuyen en: subvenciones para gastos electorales, subvenciones anuales para gastos de funcionamiento, subvenciones extraordinarias para campañas extraordinarias en caso de referéndum y aportaciones aprobadas por las cámaras parlamentarias para hacer frente a los gastos de los grupos parlamentarios. Respecto a las donaciones privadas, se establece un límite de 100.000 euros para personas físicas o asociaciones y 150.000 para las que provengan de fundaciones. En ningún caso se permiten donaciones anónimas.

Por último, en México la financiación pública fue aprobada en 1987 y, posteriormente, en 1993 se reguló la financiación privada. Los tres principios rectores para esta cuestión son: que las aportaciones sean equitativas, que rija el principio de transparencia y reducir la independencia respecto a instituciones públicas, agentes privados, recursos provenientes del extranjero o actividades ilícitas. Para garantizar estos principios, la legislación dispone que el financiamiento público deba prevalecer sobre el resto, y en búsqueda de la equidad se asigna un 30% por igual a todos los partidos y un 70% se distribuye de acuerdo con la fuerza electoral de cada partido. Respecto a las donaciones privadas, se prohíben las aportaciones de personas anónimas y se establece un límite a la financiación de los simpatizantes, la cual no puede superar el 10% del total del financiamiento público percibido por el partido.

En esta línea, las diferentes formas de financiación son relevantes para el estudio de las carreras en dos aspectos. Por un lado, porque la existencia de limitaciones al monto recibido influye en la existencia de campañas más o menos austeras. Los recursos disponibles condicionan tanto las opciones de los partidos como de sus candidatos, que deberán buscar diferentes fórmulas para obtener visibilidad, promocionar o posicionarse dentro del partido y, posteriormente, en la contienda electoral. Y, por otro, porque la regulación sobre financiación privada condicionará la relación entre partidos y candidatos con grupos de presión. De tal modo que, en escenarios flexibles o permisivos, los candidatos que cuenten con un mayor apoyo del sector empresarial o grupos estratégicos cuenten con ventajas comparativas respecto al resto.

Una vez descritas las dinámicas internas de los partidos, en la tabla 6.14. se presentan las características principales de los sistemas de partidos a nivel local y regional. A este respecto, cabe señalar que los datos se corresponden con los resultados de las elecciones en las que fueron electos los gobernadores y alcaldes que conforman la muestra. Se toma como punto de referencia las condiciones que se daban en el momento comprendido entre la trayectoria previa a la presidencia municipal o regional y el itinerario seguido posteriormente.

Comenzando por el nivel local, en los casos seleccionados puede observarse un predominio de sistemas de pluralismo moderado, siguiendo la clasificación propuesta por Sartori (1966). No obstante, México y en menor medida Brasil muestran una tendencia al bipartidismo con un NEP cuyo valor oscila entre dos y tres. De este modo, en los casos estudiados existen entre dos y cuatro partidos con opciones de gobernar. Así, a medida que disminuye el NEP —México y Brasil—, se incrementa la tendencia al bipartidismo, con dos fuerzas que se alternan en el Gobierno y que, por lo general, no necesitan de coaliciones para ejercer el poder.

De hecho, ello también se refleja en la concentración del voto. México y Brasil son los casos en los que, a nivel local, las dos fuerzas más votadas acumulan el mayor porcentaje de votos. Por el contrario, Alemania, donde la fragmentación es mayor, muestra la menor concentración y volatilidad. Sin embargo, la mayor diferencia entre los casos se observa en términos de volatilidad. Por el contrario, Brasil muestra el valor más elevado debido a la relativamente baja institucionalización de su sistema de partidos, marcadamente volátil y con una fuerte inestabilidad partidaria. Si se comparan estos datos con los recogidos para el nivel regional, se observa una disminución del NEP, lo cual indica una mayor concentración del poder. Así, cuando se observa el dato de concentración del voto, en todos los casos esta oscila entre un 70% y 85%. Ello invita a concebir el nivel regional como un espacio menos fragmentado que el local, con una mayor concentración el voto en los principales partidos y con una tendencia al bipartidismo. Por último, en términos de volatilidad electoral, se reproduce el esquema observado en el nivel local.

Tabla 6.14. Sistema de partidos a nivel local y regional

	Alemania		Argentina		Brasil		Canadá		España		México	
	N. M.	N. R.	N. M.	N. R.	N. M.	N. R.	N. M.	N. R.	N. M.	N. R.	N. M.	N. R.
Fragmentación												
Valor Máximo	0,82	0,76	—	0,72	1	0,74	—	0,69	0,82	0,82	0,77	0,70
Valor Mínimo	0,64	0,55	—	0,30	0,48	0,43	—	0,54	0,57	0,58	0,52	0,13
Valor Medio	0,72	0,68	—	0,57	0,65	0,60	—	0,63	0,68	0,70	0,59	0,55
NEP electoral												
Valor Máximo	5,52	4,21	—	3,53	4,66	3,85	—	3,21	5,57	5,42	4,29	3,09
Valor Mínimo	2,81	2,24	—	1,43	1,94	1,56	—	2,19	2,25	2,38	2,16	1,15
Valor Medio	3,74	3,27	—	2,41	2,88	2,63	—	2,71	3,35	3,53	2,53	2,46
Concentración del voto												
Valor Máximo	81,2	88,00	—	99,63	100	96,54	—	93,8	87,8	91,00	95,89	99,50
Valor Mínimo	46,6	57,90	—	63,46	50,6	67,53	—	70,2	46,2	46,60	58,88	70,20
Valor Medio	66,98	74,37	—	85,76	78,0	82,72	—	81,3	71,6	70,73	74,93	83,17
Volatilidad electoral												
Valor Máximo	28,63	43,0	—	61,77	78,1	100,0	—	24,8	71,6	60,55	51,94	47,50
Valor Mínimo	5,5	6,60	—	4,97	33,2	12,52	—	4,89	11,2	6,40	4,79	6,00
Valor Medio	9,48	9,25	—	23,69	51,7	53,50	—	14,5	25,2	3,94	22,22	18,22

* Valores medios a partir del cálculo del NEP para cada municipio y región.

Fuente: elaboración propia a partir de los resultados publicados en organismos electorales.

Atractivo del cargo

El análisis de todas las variables recogidas en los anteriores epígrafes ha permitido conocer las reglas bajo las que se articula la competencia. No obstante, el último eslabón a la hora de realizar un cálculo estratégico sobre las opciones de carrera es tomar en cuenta la valoración por parte de los actores del atractivo de los cargos. En ese sentido, a partir de un cuestionario de expertos, se ha obtenido información sobre la percepción de políticos, académicos y profesionales vinculados a la vida política sobre los cargos más relevantes de cada país (Tablas 6.15. a 6.19.).

Para el caso argentino se observa una clara predominancia de los cargos Ejecutivos, siendo las categorías de presidente y gobernador la que obtienen un puntaje más alto. Considerablemente inferior en la mayoría de los indicadores es la valoración de los cargos Legislativos, independientemente del nivel de gobierno. Esto se explica, en gran medida, por la existencia de un sistema presidencial que otorga notables competencias al jefe del Ejecutivo y, en segundo lugar, por el fuerte peso de los gobernadores en la política debido a la descentralización del sistema político. En este contexto, la descentralización puede explicar que los intendentes sí que estén bien valorados en términos de promoción, convirtiendo al Ejecutivo en sus diferentes arenas como el espacio mejor valorado para desarrollar la carrera política. No obstante, resulta destacable la baja puntuación que todos los cargos obtienen en la variable "remuneración".

Tabla 6.15. Atractivo de los cargos en Argentina

Argentina	Poder	Prestigio	Visibilidad	Promoción	Remuneración
Presidente	8,82	7,73	9,64	7,09	6,00
Gobernador	7,36	7,27	8,00	7,45	6,18
Intendente	5,27	6,82	7,27	7,91	5,36
Diputado federal	4,64	5,36	5,36	6,64	5,82
Senador federal	5,09	6,09	5,45	6,45	6,18
Diputado provincial	3,45	4,18	3,27	5,64	5,55
Senador provincial	3,27	3,91	3,36	5,27	5,64

Fuente: elaboración propia.

La influencia del presidencialismo vuelve a hacerse patente en el caso brasileño, donde presidentes y gobernadores son las categorías mejor valoradas en todos sus indicadores. En cuanto a la remuneración, en la Tabla 6.16. se observa que, por lo general, los diferentes cargos son atractivos desde el punto de vista económico.

Tabla 6.16. Atractivo de los cargos en Brasil

Brasil	Poder	Prestigio	Visibilidad	Promoción	Remuneración
Presidente	8,73	8,64	9,91	4,80	9,22
Gobernador	7,91	8,36	9,09	8,00	8,67
Prefecto	6,55	6,91	7,73	8,40	7,44
Diputado federal	6,00	5,45	4,82	7,70	7,78
Senador federal	6,91	6,91	6,55	7,30	8,11
Diputado estadual	4,91	4,82	4,73	6,60	6,89

Fuente: elaboración propia.

España, como país parlamentario, no parece desviarse del patrón observado en los casos anteriores, lo que puede ser explicado a partir de la "presidencialización" de los sistemas parlamentarios, donde cada vez es más preeminente la figura del jefe del Ejecutivo. En muchas ocasiones el paso por el Legislativo constituye una estación de paso para, posteriormente, saltar a la arena ejecutiva. No obstante, lo más destacable del caso español es que los cargos Ejecutivos a nivel subestatal son los más atractivos en términos económicos y el de presidente de gobierno es el peor valorado de todo el listado. En ese sentido, la arena regional parece constituirse como el espacio más rentable debido a la facultad de cada Comunidad Autónoma para fijar el salario percibido.

Tabla 6.17. Atractivo de los cargos en España

España	Poder	Prestigio	Visibilidad	Promoción	Remuneración
Presidente	8,36	8,09	9,82	3,36	6,55
Presidente Comunidad Autónoma	7,55	7,36	8,18	7,45	8,27
Alcalde	6,64	6,82	7,36	7,91	7,73
Diputado	5,45	5,18	5,27	7,09	7,00
Senador	3,09	2,91	2,36	2,91	8,55
Diputado autonómico	4,55	3,18	2,27	5,73	7,18

Fuente: elaboración propia.

Por último, México reproduce las pautas observadas en Argentina y Brasil, aunque mostrando puntajes aún más elevados. Esto se hace patente sobre todo en el caso de la figura del presidente, lo cual puede ser interpretado a la luz de la centralización del poder existente en el país. Pese a contar con una estructura federal, a nivel partidario se mantiene una fuerte dependencia del centro la fuerte disciplina partidaria y la estructura de partido hegemónico a lo largo de todo el siglo XX. Todo ello ha dado lugar a presidentes fuertes y a una valoración positiva del cargo, convirtiéndose el Ejecutivo federal en un cargo muy codiciado entre los políticos mexicanos.

Tabla 6.18. Atractivo de los cargos en México

México	Poder	Prestigio	Visibilidad	Promoción	Remuneración
Presidente	10,00	9,18	10,00	5,00	9,27
Gobernador	8,36	8,00	8,73	8,27	8,64
Presidente municipal	6,55	6,09	6,91	6,18	7,18
Diputado federal	6,82	7,82	7,73	7,18	7,91
Senador federal	7,45	8,45	8,45	8,00	8,45
Diputado estatal	5,36	5,36	5,73	7,82	7,27

Fuente: elaboración propia.

Cuando los datos contenidos en las tablas se transforman, siguiendo el criterio desarrollado en el apartado metodológico, para la construcción de un índice que mida la percepción de atractivo de los cargos, el resultado es el que se observa en la Figura 6.1. En primer lugar, el hecho más evidente es la consideración de la presidencia a nivel nacional como el cargo más atractivo al que un político puede optar. El único país en el que el puntaje es más bajo es México, pero ello puede ser expresado por la baja puntuación que ha obtenido esta categoría en el indicador "posibilidades de promocionar". Así, puede entenderse que al alcanzar la presidencia se toca techo en la carrera política, sin existir ningún otro cargo que pueda resultar más atractivo.

Por otro lado, también es remarcable la elevada puntuación que recibe el cargo de gobernador, el cual rivaliza con el de presidente, sinónimo de que es un indicador del éxito de los procesos de descentralización, al menos desde el punto de vista de la profesionalización de la política. El nivel regional se convierte en un espacio ambicionado por los políticos, quienes pueden privilegiarlo en lugar de saltar a la esfera federal. Esto, al mismo tiempo, es causa y consecuencia del incremento de poder de los presidentes regionales en las últimas décadas. Por un lado, el cargo se ambiciona por las oportunidades que ofrece y, a la vez, ello puede desembocar en procesos en los que se profundice en los procesos de descentralización y los actores que se desenvuelven en este nivel persigan incrementar aún más sus competencias y potestades.

Figura 6.1. Índice atractivo de los cargos

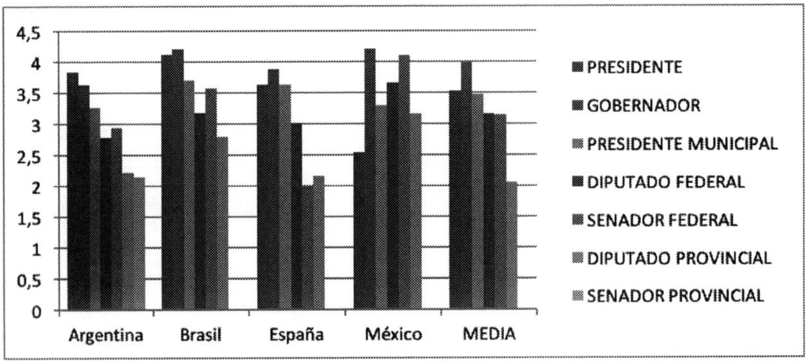

Fuente: elaboración propia.

Tabla 6.19. Valores del índice de atractivo del cargo a nivel agregado y convertidos en una escala 0-1

	Presidente	Gobernador	Presidente municipal	Diputado federal	Senador federal	Diputado provincial	Senador provincial[53]
0-5	3,54	3,99	3,48	3,16	3,15	2,07	0,43
0-1	0,71	0,80	0,70	0,63	0,63	0,41	0,08

Fuente: elaboración propia.

53 Sólo aplica para el caso de algunas provincias argentinas.

En tercer lugar, la presidencia municipal de grandes ciudades también aparece como un cargo bien posicionado en términos de su atractivo. Esto permite resaltar la preminencia del Ejecutivo sobre el Legislativo en términos de preferencias, lo cual puede venir explicado por la mayor autonomía y atribución de competencias, siendo la presidencia —en cualquiera de sus niveles— un cargo unipersonal mientras que el Legislativo está más ligado a la disciplina parlamentaria y al control del partido. Asimismo, aun en los sistemas parlamentarios en los que el presidente es elegido a través del cuerpo Legislativo, la visibilidad de los jefes del Ejecutivo y la presidencialización de la política dotan a los presidentes de un aura especial que les hace conectar directamente con el electorado, despertando simpatía o rechazo más allá de la etiqueta partidaria que le acompañe.

Por último, dentro de los cargos Legislativos existe una preferencia de los desempeñados en la arena nacional que en la subestatal. Con más de un punto de diferencia entre el puntaje otorgado a los diputados federales y a los regionales, parece existir una asimetría entre el atractivo de los cargos Ejecutivos y Legislativos entre niveles. Así, mientras que las categorías presidente y gobernador rivalizaban, en el caso del Legislativo se prima la esfera nacional.

APLICACIÓN DEL MODELO A LA TIPOLOGÍA: ESTRUCTURA DE OPORTUNIDADES POLÍTICAS Y PATRONES DE CARRERA

Cuando las diferentes variables de estructura de oportunidad se aplican a la tipología de carreras propuesta en este trabajo se corroboran algunas de las asunciones planteadas por la literatura a la par que se verifican parte de las hipótesis de investigación. El primer hallazgo que se observa parece cumplir un criterio lógico: a medida que se incrementa el número de cargos disponibles a nivel subestatal, se incrementan las carreras estáticas. No obstante, en aquellos escenarios en los que la oferta se encuentra en los valores de los intervalos medio y bajo, la distribución entre carreras estáticas y de escalera es similar (Tabla 6.20.).

Sin embargo, la condición de *incumbent* parece no ser tan relevante entre las carreras estáticas y de escalera, donde los porcentajes son similares —aunque es ligeramente mayor en el caso de las primeras—. No obstante, sí que es significativa la diferencia respecto a las carreras de aparato e instrumentales, donde no se encuentran casos de individuos reelectos. Esto vuelve a poner de manifiesto la existencia de dos grandes grupos de carreras: por un lado, las estáticas y de escalera y, por el otro, las de aparato e instrumentales. Para estas últimas, parece existir pocos incentivos para sus miembros de presentarse a la reelección.

En cualquier caso, pese a la reelección o no efectiva del *incumbent,* lo cierto es que la ausencia de limitaciones de mandato sí que favorecen notablemente las carreras estáticas, independientemente del nivel en el que se desarrollen. La diferencia entre los datos recogidos para los *incumbent* y la reelección indefinida viene determinada, en parte, por los casos de elección indirecta donde el presidente municipal o regional puede no ser nombrado de nuevo jefe del Ejecutivo por el cuerpo Legislativo pero, sin embargo, mantenerse en el mismo nivel como miembro de la Asamblea. En otros casos, la razón estriba en que puede pasar a ocupar un cargo de designación. O, como último supuesto, que sea la primera vez que el individuo se presenta al cargo y es electo.

Ahora bien, pese a la influencia de la reelección, la mayor diferencia se encuentra cuando se atiende al tipo de sistema: parlamentario o presidencial. Aquí se corrobora que, en los casos en los que los jefes del Ejecutivo son elegidos de manera directa, se cumple el patrón de carrera norteamericano: el fin último es la política federal y los políticos llevan a cabo una carrera ascendente. Ello se debe, en cierta medida, por la lógica de suma cero que se da en los Ejecutivos presidenciales: el ganador se lo lleva todo. Por ello, el resto de los candidatos acaban transitando entre diferentes niveles con el fin de ocupar un cargo.

Dado que en esta investigación se trabaja con países descentralizados y no todos los gobernadores o alcaldes pueden llegar a ser presidentes del gobierno federal, el fin último puede ser la presidencia de una región-aunque posteriormente se desempeñe algún cargo en el Senado, en el Congreso o en algún Ministerio—. En cualquier caso, se cumple el patrón clásico de carreras de trampolín. Por el contrario, los sistemas parlamentarios favorecen carreras estáticas al no regir la lógica de suma cero y poder integrarse en el Legislativo en caso de no resultar electo para el gobierno. Esta misma tendencia se corrobora al atender a la variable "elección directa/indirecta". Así, aunque existen variaciones en los porcentajes debido a que en Canadá y Alemania se elige directamente a los alcaldes, pese a ser sistemas parlamentarios, la lógica es la misma.

Por lo que respecta a la variable ideológica, no parecen identificarse diferencias sustantivas aun cuando existe un predominio de políticos de derecha en las carreras estáticas. Esto podría apuntar, de manera tentativa, que dentro de los sectores más conservadores predominan estrategias "menos arriesgadas", favoreciendo el desarrollo de carreras estáticas en un nivel de gobierno.

Tabla 6.20. Variables institucionales y de estructura de oportunidad y patrones de carrera (%)

	Estáticas	De escalera	De aparato	Instrumentales
Cargos elección disponibles	**<50:** 25,0 **50-100:** 28,6 **>100:** 46,4	**<50:** 40,0 **50-100:** 40,0 **>100:** 20,0	**<50:** 50,0 **50-100:** 50,0 **>100:** 25,0	**<50:** 50,0 **50-100:** 50,0 **>100:** 0,0
Incumbent	**Sí:** 39,7 **No:** 60,3	**Sí:** 35,1 **No:** 64,9	**Sí:** 0,0 **No:** 100,0	**Sí:** 25,0 **No:** 75,0
Limitación de mandato	**Reelección indefinida:** 81,2 **Reelección inmediata:** 0,0 **Reelección no inmediata:** 18,2 **No reelección:** 0,0	**Reelección indefinida:** 28,9 **Reelección inmediata:** 17,8 **Reelección no inmediata:** 32,2 **No reelección:** 21,1	**Reelección indefinida:** 100,0 **Reelección inmediata:** 0,0 **Reelección no inmediata:** 0,0 **No reelección:** 0,0	**Reelección indefinida:** 100,0 **Reelección inmediata:** 0,0 **Reelección no inmediata:** 0,0 **No reelección:** 0,0

	Estáticas	De escalera	De aparato	Instrumentales
Tipo de sistema[54]	**Presidencial:** 38,4 **Parlamentario:** 65,2	**Presidencial:** 61,2 **Parlamentario:** 38,2	**Presidencial:** 0,0 **Parlamentario:** 100,0	**Presidencial:** 75,0 **Parlamentario:** 25,0
Sistema electoral	**Elección directa:** 37,7 **Elección indirecta:** 62,3	**Elección directa:** 54,6 **Elección indirecta:** 45,4	**Elección directa:** 0,0 **Elección indirecta:** 100,0	**Elección directa:** 0,0 **Elección indirecta:** 100,0
Ubicación ideológica (del partido[55] de pertenencia del político)	**Extrema derecha:** 0,0 **Derecha:** 50,8 **Centro derecha:** 6,2 **Centro:** 9,2 **Centro izquierda:** 33,8 **Izquierda:** 0,0 **Extrema izquierda:** 0,0	**Extrema derecha:** 0,0 **Derecha:** 23,2 **Centro derecha:** 2,9 **Centro:** 40,6 **Centro izquierda:** 10,1 **Izquierda:** 23,2 **Extrema izquierda:** 0,0	**Extrema derecha:** 0,0 **Derecha:** 53,3 **Centro derecha:** 40,0 **Centro:** 0,0 **Centro izquierda:** 6,7 **Izquierda:** 0,0 **Extrema izquierda:** 0,0	**Extrema derecha:** 0,0 **Derecha:** 0,0 **Centro derecha:** 8,3 **Centro:** 0,0 **Centro izquierda:** 91,7 **Izquierda:** 0,0 **Extrema izquierda:** 0,0
Sistema de partidos	**Fragmentación** **0,25-0,50:** 4,1 **0,50-0,75:** 81,6 **0,75-1:** 14,3 **NEP** **2:** 50,0 **3-5:** 50,0 **6-8:** 0,0 **Concentración** **<55:** 4,1 **55-75:** 34,7 **>75:** 61,2 **Volatilidad** **<20:** 56,4 **20-40:** 28,2 **>40:** 15,4	**Fragmentación** **0,25-0,50:** 3,6 **0,50-0,75:** 88,3 **0,75-1:** 8,0 **NEP** **2:** 58,0 **3-5:** 42,0 **6-8:** 0,0 **Concentración** **<55:** 5,8 **55-75:** 31,2 **>75:** 63,0 **Volatilidad** **<20:** 40,8 **20-40:** 35,0 **>40:** 24,2	**Fragmentación** **0,25-0,50:** 6,7 **0,50-0,75:** 93,3 **0,75-1:** 0,0 **NEP** **2:** 71,4 **3-5:** 28,6 **6-8:** 0,0 **Concentración** **<55:** 0,0 **55-75:** 26,7 **>75:** 73,3 **Volatilidad** **<20:** 33,3 **20-40:** 25,0 **>40:** 41,7	**Fragmentación** **0,25-0,50:** 100,0 **0,50-0,75:** 0,0 **0,75-1:** 0,0 **NEP** **2:** 66,7 **3-5:** 33,3 **6-8:** 0,0 **Concentración** **<55:** 33,3 **55-75:** 66,7 **>75:** 0,0 **Volatilidad** **<20:** 50,0 **20-40:** 16,7 **>40:** 33,3

54 Debido a lo complicado de sistematizar todos los resultados de las variables del sistema electoral en un cuadro de esta naturaleza, los datos no se presentan en esta tabla. No obstante, serán incluidos en el modelo de regresión logística multinomial del Capítulo 10.

55 No se incluyen las variables sobre financiación y mecanismo de selección de candidatos ya que no existe variación entre las fuentes de financiación de los diferentes partidos (siendo todos modelos mixtos y al no tener acceso a las cantidades monetarias recibidas) y por la prácticamente inexistencia de celebración de primarias para ese período.

RECAPITULACIÓN Y CONCLUSIONES

El análisis de las variables de oportunidad política manifestado muestra que, pese a la existencia de regiones o ciudades con diseños institucionales similares, los patrones de carrera pueden diferir —lo que confirma, en parte, la hipótesis 1 de esta investigación—. Aunque para poder extraer conclusiones robustas sobre la significancia de estas variables es necesario realizar el análisis de regresión logística multinomial—, una primera aproximación descriptiva muestra variaciones en los tipos de carrera aún bajo reglas similares.

No obstante, los principales hallazgos de este capítulo están relacionados con las hipótesis secundarias presentadas en el apartado metodológico con relación a la disponibilidad, accesibilidad y atractivo de los cargos. Si bien, de nuevo, la significancia de las variables debe someterse a un análisis estadístico, para el caso de la disponibilidad de cargos el análisis descriptivo presenta una mayor variación entre patrones de carrera en los valores sobre posibilidad de reelección que en los de número de cargos. Con ello se confirma, de manera tentativa, el mayor peso relativo de la limitación de mandato en el tipo de trayectoria, siendo más frecuentes las carreras estáticas cuando se permite la reelección.

En cuanto a la accesibilidad, la variable que muestra una mayor variación es la del tipo de sistema. Se confirma la hipótesis número 6, la cual sostiene que mientras que los sistemas parlamentarios favorecen carreras estáticas, los presidenciales generan más incentivos para las carreras de escalera. Dato que se confirman al observar los porcentajes relativos al tipo de elección: directa o indirecta. Por su parte, las variables vinculadas con los partidos y el sistema de partidos no muestran grandes diferencias entre los diferentes tipos de carrera, con lo que en principio se refuta la hipótesis 1.2. La única particularidad es una mayor tendencia a las carreras estáticas.

Respecto al atractivo de los cargos, vuelve a identificarse una dicotomía entre, las carreras estáticas y de escalera, por un lado, y de aparato e instrumentales, por el otro. Mientras que en las primeras existe un predominio de cargos en ciudades o regiones con valores intermedios y altos en la valoración de su atractivo, los presidentes municipales y regionales que cuentan con carreras de aparato e instrumentales ejercieron el puesto en territorios con puntajes más bajos.

Sin embargo, incluso estos elementos explicativos resultan insuficientes si no se incorpora una perspectiva más relacional que considere los recursos que movilizan quienes compiten por el poder. ¿Por qué, ante condiciones similares, algunos individuos logran construir carreras políticas exitosas mientras otros quedan al margen? Esta cuestión, por tanto, nos remite a una dimensión más intangible, pero no por ellos menos determinante: el capital político.

De este modo, el siguiente capítulo invita al lector a detenerse en los recursos simbólicos, sociales y personales que los actores políticos acumulan y activan a lo largo de su trayectoria. Se trata, en suma, de explorar no solo el qué hacen los políticos, sino con qué lo hacen y quiénes los acompañan. En otras palabras, pasamos de observar las reglas de juego a comprender qué jugadores están mejor posicionados para ganarlo y el por qué. Al hacerlo, nos adentramos en un terreno necesario para el presente estudio, donde el mérito, la red de vínculos y los legados familiares o partidarios se entrelazan con el cálculo racional y la intuición estratégica. Un espacio en el que el poder no solo se disputa, sino que a veces también se hereda, se trasmite y, sobre todo, se capitaliza.

Capítulo 7

Variables relacionales: capital político y agentes de capitalización

Las características personales del universo de estudio, el escenario en el que desarrollan su carrera y la estructura de oportunidades generada por el diseño institucional constituyen variables explicativas de los patrones de carrera. No obstante, junto con estos elementos cabe prestar atención a los recursos que las élites cuentan en términos de capital político y redes. Al igual que el político no actúa en un vacío institucional y tanto la toma de decisiones como el diseño de estrategias se pueden ver influenciadas por el entorno, los recursos con los que cuenta la élite van a influir tanto en la creación de oportunidades como en el aprovechamiento de estas. Ello conlleva dotar de importancia el concepto de "capital político" y de los agentes de capitalización.

En las últimas décadas, las Ciencias Sociales han reconceptualizado una noción propia de la Economía para usarlo metafóricamente en términos de activos económicamente no convencionales. De este modo, puede hablarse de capital social, cultural, simbólico o político. Todos ellos están ligados, de una manera u otra, a la acumulación de una serie de recursos susceptibles de ser utilizados para el desarrollo de una actividad profesional o personal. No obstante, suponen un desafío para su estudio en la medida en que son difícilmente medibles o cuantificables (French, 2011). En cualquier caso, para el estudio de las carreras políticas, los desafíos metodológicos que supone medir el capital no es óbice para considerarlo una variable relevante en la medida en que se concibe a los políticos como individuos que acumulan recursos materiales e inmateriales.

Pese a que una conceptualización restrictiva de la propia noción define al capital político como la acumulación de cargos y conocimientos dentro de la actividad pública, autores como Alcántara (2012) o Joignant (2012,2015) se aproximan al estudio del capital político traspasando las fronteras de lo meramente institucional. Para este último, por capital político debe entenderse un conjunto variado de recursos que se originan tanto en el interior del campo político como fuera de él, siendo reconocidos prácticamente como valiosos por los agentes que habitan en el campo y por quienes analizan y comentan la vida política. Estos recursos pueden provenir de ámbitos muy diversos, como puede ser el origen familiar, el universitario, el partidario, el carismático o el técnico. Todas ellas no son categorías excluyentes, por lo que por lo general será frecuente en la combinación de dos o más de ellos.

Ahora bien, todo tipo de capital necesita de un agente o red que se sirva como fuente o sustento. En ese sentido, pensar en términos de redes requiere atender a una vinculación de agencia del actor con relación al contexto en el que está inmerso. Desde una perspectiva sociológica, se parte del supuesto de que todo actor es social y, por tanto, es necesario tomar en cuenta su red de lazos sociales, económicos y políticos. Serán estos lazos y el capital político acumulado los que doten al político de recursos que influyan tanto en sus oportunidades como en sus decisiones a la hora de diseñar su carrera.

En esta línea, el tipo de capital acumulado puede marcar la diferencia entre resultar o no electo. Pese a que son numerosos los estudios empíricos centrados en los mecanismos de selección y las lógicas de reclutamiento (Achin et al., 2008), son escasas las investigaciones que diferencian a los individuos seleccionados de los que son eliminados en estos procesos. Y ello se debe a que el privilegio de convertirse en representante o mandatario no se distribuye de manera equitativa entre aquellos que aspiran a ocupar el cargo (Joignant, 2012). En ocasiones, la diferencia entre ocupar o no un cargo responde, al menos en parte, a los recursos del sujeto.

Es por esta razón por lo que reflexionar sobre los patrones de carrera lleva ineludiblemente a pensar en el capital como un recurso interviniente en el cálculo estratégico de los políticos a la hora de postularse para un cargo. Este capital puede ser de una naturaleza muy variada: patrimonio económico, prestigio, fama o la existencia de familiares en política. Por último, también es importante tomar en cuenta el papel ejercido por las redes. Tanto antes de su entrada en política como a lo largo del desarrollo de su carrera, el político va estableciendo vínculos que pueden ser considerados un activo a la hora de diseñar su trayectoria en función de las opciones disponibles.

Por ello, en este contexto, para desarrollar la influencia del capital político en la carrera de los gobernadores y alcaldes incluidos en la muestra, el presente capítulo sigue el siguiente guión. Es decir, se aborda, en primer lugar, la conceptualización del capital político y su influencia en la carrera política vinculándolo con los objetivos de esta investigación. Para, a continuación, desarrollar la propuesta metodológica a fin de garantizar el análisis posterior.

EL CAPITAL POLÍTICO EN EL ESTUDIO DE LAS CARRERAS POLÍTICAS

Por lo general, los trabajos centrados en los estudios sobre el perfil y la carrera de los políticos se han centrado en cuestiones vinculadas con variables sociodemográficas o estrictamente institucionales. Asimismo, la mayoría de ellos han adoptado una estrategia cuantitativa que ha dificultado acercarse a los representantes desde un enfoque más amplio que identifique con qué recursos ha contado el político a lo largo de su carrera. Tradicionalmente, la principal excepción la han constituido los trabajos sobre dinastías políticas o capital político familiar (Dal Bo et al., 2009; Joignant, 2012). Más recientemente, se ha abierto el abanico a investigaciones que vinculan la relación entre políticos y empresa (Serna, 2013) o con organizaciones de diversa índole (Cucchetti, 2005).

No obstante, se trata de un ámbito de estudio incipiente en muchos sentidos y que, por lo general, se ha concentrado en una visión estática que no ha puesto el foco en la relación entre capital político y circulación entre posiciones o niveles de gobierno. En ese sentido, en primer lugar, resulta interesante identificar si el capital acumulado permite viajar entre niveles o en ocasiones está circunscrito a un ámbito territorial concreto. Por otro lado, si los diferentes niveles de gobierno generan distintos tipos de capital. O, por último, si el capital es rentabilizado del mismo modo en cada esfera de gobierno o, si, por el contrario, existen escenarios más proclives que otros para ello.

A este respecto, cabe tener en cuenta dos características del capital político: en primer lugar, es costoso de crear y, en segundo lugar, rápido de depreciar (French, 2011). Asimismo, resulta muy ambiguo identificar las fuentes que pueden constituir este bagaje acumulado. Esto se debe a que este recurso suele obtenerse dentro de la propia arena política y posteriormente es utilizado como fuente de permanencia o promoción. Sin embargo, también se concibe que sea adquirido en otros ámbitos y posteriormente incorporado a la actividad política. Dentro de este grupo, por ejemplo, podrían tomarse en cuenta los casos de "celebridades" que entran en política (Matichesku y Protsyk, 2011; Driessens, 2013), el proveniente del mundo de los negocios (Lallemand, 2008) o el carismático (Weber, 1918; Bernadou, 2007). Por último, también debe tenerse en cuenta que en ocasiones el capital tiende a confundirse con la posesión de determinados atributos personales e intransferibles que no son derivados del acceso a algún tipo de recurso (Joignant, 2015).

Para tratar de sistematizar los tipos de capitales y evitar ambigüedades, Joignant (2011) propone el modelo recogido en la Tabla 7.1. En concreto, el autor distingue entre seis tipos de capital con subespecies: el familiar, el universitario, el político, el tecnocrático, la notoriedad y el carisma. Su principal fortaleza reside en que permite la distinción de diferentes tipos de capital de manera objetivable. Asimismo, facilita la distinción entre el capital que deriva del desempeño de la propia actividad política y el que es adquirido en otra esfera.

Tabla 7.1. Tipos de capital político

Origen del capital	Subespecie	Agente
Familiar		Heredero
Universitario		Líder estudiantil
Político	Militante	Hombre/Mujer de partido
	Oligárquico	Político profesional
Tecnocrático	Pragmático	Tecnócrata pragmático
	Político	Político tecnócrata
Notoriedad		Celebridad
Carisma		Líder carismático

Fuente: Joignant (2015).

Estos tipos de capital, a su vez, conectan con otra literatura sobre capital político o profesionalización. En primer lugar, los supuestos de capital político se engloban bajo la lógica de Bourdieu (1986) en términos de relaciones entre agentes, recursos invertidos y acceso a los mismos. En segundo lugar, el capital de notoriedad también permite hacer alusión al autor y su concepto "calificaciones específicas". Es decir, el hecho de ser conocido permite a los sujetos beneficiarse de su reputación para la consecución de sus objetivos. Por último, el carisma permite remitirse a los trabajos de Weber y concebirlo como el resultado de algún tipo de acción excepcional que, por definición, debe realizarse en situaciones de crisis.

No obstante, dentro de este modelo no está incluido el capital económico. Así, si bien puede ser identificado de manera indirecta a través de otros tipos de capital como el familiar, lo cierto es que es suficientemente relevante como para convertirlo en una categoría autónoma. Por ejemplo, el éxito económico está vinculado al éxito político ya que el dinero permite dar a conocerse entre los electores a través de campañas u otros mecanismos de promoción (Edwards et al., 2012).

De este modo, la clasificación propuesta por Joignant —así como la literatura con la que conecta—, junto con el capital económico permiten cubrir las diferentes fuentes de adquisición de conocimientos, experiencias y recursos para el desarrollo de la carrera política y la toma de decisiones entre las opciones disponibles. Empero, el análisis de los diferentes tipos de capital va ligado a la existencia de diferentes tipos de capitalización. De su naturaleza va a depender, al menos en parte, la manera de acceder a los distintos tipos de capital y su manera de "rentabilizarlos" en política.

Tipos de capital y agentes de capitalización

La adquisición de capital, sea del tipo que fuere, es consecuencia de procesos de aprendizaje e internalizaciones. Algunos de ellos tienen lugar en estadios tempranos de la vida, generalmente mediante procesos de familiarización en el hogar o a través de la inculcación de saberes en la escuela. Otros, sin embargo, son adquiridos a lo largo del tiempo: unos dentro del ámbito político y otros en el exterior, siendo reconvertidos para ingresar o permanecer en dicho espacio ocupando posiciones de poder. De este modo, pueden establecerse diferencias entre los momentos de adquisición del capital, los agentes de capitalización y sus implicaciones en el desarrollo de la carrera política.

Respecto al primer aspecto, puede distinguirse entre las formas de acumulación primitiva y aquellas otras que se prolongan a lo largo de la vida. En el primer grupo se ubica el capital procedente de procesos de acumulación y transmisión en el ámbito del hogar y la escuela. Así, dentro de estos supuestos se encuentra la herencia de apellidos de prestigio —las llamadas dinastías políticas— o la transmisión de redes sociales y políticas. Se trata, por tanto, de tipos de capital que no son generadas por el agente sino heredadas y destinadas a ser reproducidas. Asimismo, son escasos debido a que pueden ser disfrutadas por pocos agentes y generan oligarquías.

Por su parte, las especies de capital que son adquiridas a lo largo de la vida responden, por lo general, a procesos de aprendizaje en los que suele entrar en juego una visión estratégica. Se caracterizan por seguir una lógica acumulativa y por un efecto en espiral de inversión que lleva a los agentes a rentabilizar el capital adquirido para mejorar su posición en la carrera (Black, 1972). De ello se infiere que los recursos susceptibles de ser capitalizados en la carrera política no están determinados de antemano, sino que existen infinitas combinaciones que, en gran medida, van a estar influenciadas por los contextos en los que se desarrolla la trayectoria.

Una vez establecida esta primera distinción, el siguiente paso es identificar los agentes que intervienen en la adquisición de cada tipo de capital y su posible influencia en el desarrollo de la carrera política. En concreto, se desarrollarán los tipos de capital recogidos en el epígrafe anterior. No obstante, dado que ya fueron descritos en un capítulo anterior, en esta parte serán abordados desde una óptica analítica que permita identificar tanto su lógica como sus implicaciones a la hora de desarrollar la carrera política.

Respecto al primer tipo de capital, en el capítulo seis de esta investigación ya se ha hecho mención al rol ejercido por la familia durante el proceso de socialización política. Sin embargo, resulta pertinente retomar el tema en esta parte debido a que la familia también puede concebirse como un recurso o capital para la trayectoria política. Así, la pertenencia a un determinado linaje coloca al individuo en una red de relaciones sociales y personales alrededor de una élite que le permite acceder o heredar posiciones dentro de la misma (Dronkers y Schijf, 2003, Rusch, 2007).

En ese sentido, el trabajo de Rodríguez Teruel (2011) distingue entre dos formas fundamentales de vinculación familiar: la matrimonial y la hereditaria. La primera vía puede interpretarse como un mecanismo para acceder a la élite o reforzar la posición dentro de ella, convirtiéndose en un mecanismo de selección (Putnam, 1976). Además, otra de las lecturas posibles del matrimonio entre políticos es una tendencia endogámica consecuencia del peculiar estilo de vida derivado de la militancia política. En relación a la vía hereditaria, como ya se desarrolló en el capítulo 6, la estructura familiar permite obtener información sobre la mentalidad, legado y posiciones políticas de los individuos en relación con su origen social.

El segundo tipo de capital, el universitario, otorga información sobre al menos tres aspectos: los conocimientos con los que se accede y desarrolla la actividad política, la adquisición de habilidades derivadas de la pertenencia a movimientos universitarios y la oportunidad de concebir la universidad como un espacio de socialización política para el establecimiento de redes y contactos que pueden ser capitalizados en la esfera pública. A partir del análisis de estas dimensiones se puede obtener información relevante sobre la existencia o no de cierta especialización desde los estudios académicos y el peso relativo que pueden tener determinadas instituciones o movimientos universitarios en la configuración de carreras políticas. Asimismo, en el caso de contar con información disponible, el proceso de formación puede otorgar luz de manera indirecta sobre las barreras de entrada a la política desde una perspectiva socioeconómica. De manera similar a lo que puede ocurrir en el ámbito de la familia, existen "dinastías académicas" [56] que sirven como trampolín para el desarrollo de una carrera política.

En cuanto al capital político, esta deriva de las competencias y conexiones que conllevan la pertenencia a un partido político ya sea como militante o por el ejercicio de un cargo de responsa-

---

[56] Por ejemplo, el Colegio del Pilar en Madrid ha sido la institución académica por la que han pasado numerosos empresarios y políticos en España. Algo similar ocurre con el Colegio Nacional en Buenos Aires, Argentina. De este modo, en todos los países existen instituciones académicas conocidas por ser el lugar de formación de sus respectivas élites.

bilidad. Analizar este tipo de capital puede ser complejo, sobre todo porque las primeras tomas de contacto con la política suelen ser difusas (Rodríguez Teruel, 2011). Tratar de reconstruir el capital político puede conllevar dificultades ya que en ocasiones los individuos han transitado por organizaciones políticas que intervienen de lo público sin que ello se traduzca en participar en actividades de gobierno. No obstante, constituyen el primer paso para la militancia política tradicional (Blondel, 1985), al mismo tiempo que son una fuente tanto de experiencia como de redes. Junto a esto, otra de las características de este capital es su carácter acumulativo y en continua transformación, derivado del propio devenir de la carrera política y la relación del individuo con el partido.

Dentro de estos procesos de capitalización y agentes capitalizadores, el vínculo con los partidos políticos sigue siendo especialmente relevante dado por diferentes razones. En primer lugar, porque las organizaciones partidarias tienen atribuidas una serie de funciones íntimamente ligadas con el desarrollo de la carrera política, tales como el reclutamiento y formación de cuadros o la generación de espacios de socialización política y establecimiento de redes. Y, por otro lado, porque contar con el aval de un partido permite agregar las adhesiones de los votantes, impidiendo que éstos subdividan sus votos subóptimamente entre candidatos similares (Key, 1964; Fiorina; 1977; Cox, 1997).

No obstante, los partidos políticos no son el único actor colectivo a través del cual adquirir experiencia política o establecer redes. El trabajo en organizaciones de la sociedad civil, movimientos sociales o la pertenencia a grupos de presión permite el desarrollo habilidades como el pensamiento crítico, la priorización de objetivos, el cumplimiento de compromisos, el diseño de estrategias o la adaptación a medios políticos en ocasiones complejos (Alcántara, 2012). Y esto, a su vez, puede ser utilizado como recurso para un posterior salto a las instituciones políticas. No es extraño encontrar políticos profesionales que se iniciaron en sindicatos o movimientos sociales y adquirieron toda una serie de capacidades y redes de contactos que les sirvieron como plataforma para el posterior desarrollo de su carrera.

En cuanto al capital tecnocrático, este permite abordar aquellos casos en los que se produce una politización de la actividad profesional. Por lo general, suelen identificarse perfiles con formación en actividades de alta cualificación técnica o intelectual, con experiencia en posiciones de gestión o dirección y una vinculación (aunque sea tardía o indirecta) con la política o la administración. Siguiendo la clasificación de Bottomore (1967), en estos perfiles podrían incluirse tres grupos de élite: intelectuales, managers y burócratas. Desde esta perspectiva funcionalista, intelectuales y burócratas no deben su poder a una base económica sino a ser una minoría organizada dentro de una mayoría desorganizada mientras que en el caso de los managers existe una íntima conexión con la posesión de los medios de producción.

Los tres conforman una élite debido al ejercicio de funciones específicas, gozando de prestigio y recursos que les hacen tomar conciencia de su pertenencia a un grupo específico. Uno de los elementos más resaltables de este tipo de capital es su capacidad para tender puentes entre la política y el mundo de la empresa o la administración. No obstante, estos puentes no deben concebirse tanto como un mecanismo de la elite profesional para tener presencia corporativa en el poder político, sino más bien como una cooptación de la esfera política de individuos cuya carrera profesional puede suponer un activo para el desempeño de la actividad pública (Rodríguez Teruel, 2011).

Por último, pueden identificarse el capital de notoriedad y el carismático, los cuales, por lo general, dotan al político de un bagaje diferenciado respecto a los otros recursos enunciados. Si bien el resto dotaban al individuo de una red de contactos ya sea de naturaleza familiar, académica o profesional, en estos dos últimos casos el foco se pone sobre todo en la conexión con los ciudadanos. Aunque la notoriedad y el carisma pueden ir acompañados de otros tipos de capital, su principal valor reside en las propias características del sujeto o su capacidad para adquirir visibilidad. Para el caso del capital de notoriedad, el origen del recurso suele situarse fuera de la esfera política, generalmente en el desarrollo de actividades con alta visibilidad social tales como el deporte o el mundo del espectáculo. Por su parte, el carisma viene asociado a personalidades destacadas e innatas que, generalmente, suelen adquirir relevancia en coyunturas críticas (Joignant, 2012).

Junto a estos tipos de capital, en el epígrafe anterior se subrayó la necesidad de incluir el capital económico, ya sea heredado o generado por el propio agente. Este tipo de capital opera en dos sentidos. Desde el punto de vista estrictamente material, los recursos económicos son un instrumento para obtener visibilidad y promoción —por ejemplo, en las campañas electorales— (Edwards et al., 2012). Pero, a la vez, son un medio de ingreso o permanencia en determinados círculos a los que sólo puede acceder una determinada élite.

La posesión de estos capitales no es necesariamente excluyente, pudiéndose combinar diferentes tipos a lo largo de la trayectoria. Sin embargo, hasta el momento se han presentado las diferentes especies sin ponerlas en relación con los contextos multinivel aquí estudiados. Esto es, sin abordar cómo los procesos de descentralización y la multiplicación de esferas políticas conectan tanto con la generación de capital como con el empleo de este dentro de la carrera política. Por ello, en el siguiente epígrafe se presentan algunos apuntes al respecto.

LA IMPORTANCIA DE LOS AGENTES DE CAPITALIZACIÓN EN LA LÓGICA MULTINIVEL

Como señala Cox (1997), pese a que las instituciones pueden ser más o menos constringentes, pueden describir el escenario, pero no todo lo que acontece en él. Es por ello por lo que es necesario atender tanto a los actores que intervienen en él como a los agentes de capitalización que pueden ejercer influencia sobre ellos, en la medida en que suponen un activo para el desarrollo de sus carreras como fuente de recursos materiales y/o inmateriales. Hasta el momento, en este trabajo la cuestión se ha abordado tomando el modelo territorial como una constante. Sin embargo, es necesario reflexionar sobre cómo los sistemas multinivel pueden ejercer o no influencia sobre los agentes de capitalización.

En ese sentido, del mismo modo que se habla de regionalización de la élite (Stolz, 2003), cabe preguntarse si el desarrollo de los procesos de descentralización y la multiplicación de espacios políticos subestatales han generado redes políticas o recursos diferenciados de los identificados a nivel nacional. Así, pese a que los procesos de descentralización no siempre han logrado aumentar el poder de los actores locales (Falleti, 2005), sí que han generado realidades subestatales con esquemas relativamente autónomos (Berardo y Mazzalay, 2012) y han reforzado dinámicas locales. Dentro de estos esquemas se contiene tanto la existencia de dinastías regionales o locales, como pautas de profesionalización adaptadas al contexto institucional —lo cual puede incidir sobre la adquisición de capital político— o la existencia de individuos que cuentan con notoriedad a nivel local pero no necesariamente en la esfera nacional/federal.

Aunque esta cuestión no ha sido abordada en profundidad por la literatura especializada en términos de agentes de capitalización, sí que ha sido teorizada en términos de gobernanza. De este modo, como señala Schmitter (2000), cada vez son más los actores que participan de organizaciones que se superponen en sistemas de gobernanza multinivel, lo que, consecuentemente, implica el desarrollo de negociaciones y procesos de toma de decisiones en diferentes niveles (Marks, 1993; Kahler y Lake, 2003). Si se realiza un estiramiento conceptual de la gobernanza y se traslada lo expuesto al ámbito de los agentes de capitalización, puede inferirse que los contextos multinivel pueden generar recursos que sólo operan —o al menos mayoritariamente— en un ámbito territorial concreto. Con ello, por ejemplo, puede darse la situación que la pertenencia a una dinastía política determinada pueda brindar oportunidades a nivel local pero no nacional o que el paso por instituciones subestatales suponga la adquisición de un capital político que favorezca el desarrollo de carreras regionales.

Estos procesos de interdependencia generan, en definitiva, la exponencial multiplicación de agentes de capitalización y redes políticas. Ello, por extensión, da lugar al incremento de centros de decisión y dota al territorio de especial relevancia. Se rompe, o al menos se abre la ventana de oportunidad, para quebrar la existencia de un único centro y convierte al territorio en una variable para tener en cuenta a la hora de hacer uso del capital poseídos y de realizar los cálculos estratégicos para la adquisición de nuevo capital. Esto puede incentivar, sobre todo en territorios con identidades más fuertes o especificidades, la aparición de espacios, así como de actores que generen sus propias redes y estrategias de capitalización política más allá de los esquemas generales y compartidos a nivel federal.

METODOLOGÍA APLICADA

La propuesta metodológica adoptada para esta parte del análisis va a tomar como punto de partida la clasificación de capital político de Joignant (2015), asignando indicadores a cada una de las categorías. No obstante, se han introducido una serie de modificaciones tomando en cuenta las apreciaciones realizadas al modelo en la discusión teórica y la información disponible para aplicar la clasificación a la muestra. En ese sentido, se han introducido tres modificaciones: en primer lugar, se han simplificado las categorías "político" y "tecnocrático" eliminando los subtipos, luego se ha eliminado el carisma y se ha introducido el capital económico.

Respecto a la primera modificación, se ha optado presentar categorías únicas, sin subdivisiones, para la posterior construcción de un índice (Tabla 7.2.). En cuanto a la eliminación de la categoría "carisma", el hecho de contar con un universo de 377 políticos impide hacer una reconstrucción específica de cada político reconstruyendo sus carreras e identificando coyunturas críticas en las que el líder ha mostrado su capacidad de resolución o gestión de la crisis. Por último, la introducción del capital económico responde a las razones ya expuestas: el dinero como recurso para obtener visibilidad y promoción, y como mecanismo de pertenencia a círculos elitistas. Sin embargo, debido a la imposibilidad de contar con cifras sobre las fortunas de los políticos que integran el estudio, se ha tomado como indicador su condición de grandes empresarios, su pertenencia a familias adineradas o su condición de personajes públicos con fortunas.

Tabla 7.2. Propuesta de tipos de capital a partir de Joignant (2015)

Origen del capital	Indicador
Familiar	Pertenencia a dinastía política
Universitario	Líder estudiantil
Político	Ocupación de cargos de elección popular, designación u orgánicos. Militancia
Tecnocrático	Ocupación de cargos técnicos
Notoriedad	Celebridad
Económico	Posición económica destacada (grandes empresarios, miembros de familias adineradas, celebridades con recursos económicos)

Fuente: elaboración propia.

A partir de estos seis tipos de capital, y dado que son acumulables entre sí, se ha procedido a la construcción de un índice. Al igual que para el caso del construido para medir el atractivo de los cargos en el capítulo ocho, se ha optado por no establecer ponderaciones y dotar a cada una de las especies del mismo peso.

En segundo lugar, cabe apuntar que para el puntaje se ha optado por una valoración dicotómica de cada uno de los tipos de capital en términos de posesión o ausencia de posesión de este. En los casos en los que el individuo cuente con un tipo de capital se le otorgará el valor "1" y en los casos en los que no se le asignará un "0", de tal modo que el valor máximo del índice sea seis. Posteriormente, los valores serán convertidos a una escala de 0 a 1 para utilizar una escala estándar. En ese sentido, el hecho de no graduar valores para cada uno de los componentes del índice responde a la naturaleza de los datos disponibles. Por ejemplo, no se cuentan con cifras exactas sobre los ingresos económicos de los sujetos para establecer escalas o no se cuenta con información suficiente como para establecer jerarquías entre las diferentes familias políticas. Sin embargo, para una agenda futura, se plantea crear un índice ponderado a partir de un trabajo de naturaleza cualitativa que permita un conocimiento más detallado de los casos y sus contextos.

Este índice constituye una de las cuatro variables que integran esta parte del modelo (Tabla 7.3.). Las tres restantes son el espacio en el que han desarrollado sus vínculos institucionales —local, regional o federal—, la relación con el partido y la relación con otros colectivos.

Tabla 7.3. Variables e indicadores de capital

Variable	Indicador (es)
Tipo de capital	Familiar/universitario/político/tecnocrático/ notoriedad/económico
	(En la fase explicativa, aplicación del índice)
Espacio de los vínculos institucionales	Niveles por los que ha transitado (instituciones)
Relación con el partido	Independiente/pertenencia partido
	Cambio de partido
	Número de partidos a los que ha pertenecido
	Cargos ocupados en el partido
Relación con otros actores colectivos	Pertenencia a asociación, movimiento social, sindicato o empresariado

Fuente: elaboración propia.

Por lo que se refiere al espacio en el que se desarrollan los vínculos institucionales, existen tres categorías: mayoritariamente local, mayoritariamente regional y mayoritariamente federal. La inclusión en una u otra categoría se realizará a partir del conteo de las oficinas por las que ha transitado el político en cada nivel, ubicándose en el nivel en el que haya ocupado más cargos. Pese a que en el capítulo cinco de esta investigación se ha realizado una descripción detallada de los itinerarios de la carrera, en ese momento los niveles se operacionalizaron distinguiendo entre carreras desarrolladas en un solo nivel, en dos o en más de dos, sin precisar el predominio del nivel de gobierno de cada trayectoria. El objetivo a la hora de construir la variable dependiente era reconstruir sentidos de carrera e itinerarios.

Sin embargo, en esta parte del análisis se distingue entre niveles ya que se parte de la premisa de que el desarrollo final de la carrera es fruto de las estructuras de oportunidad y de los recursos disponibles. Y, en ese sentido, Borchert (2011) señala que el paso por diferentes instituciones permite tanto la acumulación de conocimientos y experiencia, como el establecimiento de redes profesionales y personales. De esta forma, un predominio de cargos en un solo nivel puede ser un indicador de carreras regionalizadas que se sustentan, el menos en parte, en vínculos y recursos territorializados.

En tercer lugar, se incluye la relación con el partido, aspecto central a la hora de explicar una carrera política. Así, los partidos son las organizaciones que canalizan la participación y representación política en los sistemas democráticos, siendo muy difícil acceder a un cargo de elección al margen de ellos (Sánchez y Freidenberg, 2002; Siavelis y Morgenstern, 2008; Alcántara y Cabezas, 2013). En concreto se toman cuatro indicadores: si el presidente municipal o regional presentó su candidatura como independiente o bajo una etiqueta partidaria, la existencia de cambios de partido a lo largo de su carrera, el número de partidos por los que el político ha transitado y haber ocupado o no cargos en el partido. La selección de estos indicadores tiene como objetivo medir si los individuos estudiados tienen relaciones de fidelidad con un partido o si, por el contrario, los partidos son instrumentalizados como plataformas electorales; o su posición dentro de la organización —se limita a cargos directivos—, ocupando cargos relevantes o siendo únicamente militantes.

Por último, se recoge una variable vinculada con la relación del político con otros actores colectivos, ya sea una organización —cultural, religiosa, profesional, etc.—, movimiento social, sindicato u organización empresarial. Todos estos actores tienen como objetivo la voluntad de intervenir en política. De ello se deriva la posibilidad de acumular capital y/o redes, además de ser espacios en los que pueden constituirse agrupaciones políticas, incidir en el desarrollo de campañas, elecciones internas para la selección de representantes (Tissot, 2004). Así, la decisión de aproximarse a una perspectiva amplia del capital político, y en particular de los vínculos establecidos a lo largo de la carrera, aporta una visión más compleja de los recursos con los que puede contar un político y su incidencia en los posibles patrones de trayectoria. Como señala Levita (2015), el salto de la política no partidaria a la partidaria se da frecuentemente en el marco de pertenencia a actores colectivos que, en ocasiones, son fruto de instrumentalizaciones individuales con vistas a una estrategia para el desarrollo de una carrera política.

A partir de estas variables, este capítulo busca someter a verificación empírica la hipótesis número 8 de esta investigación, recogida en el capítulo metodológico. Esta dice:

> H8.: "*El tipo de carrera política está condicionada, más allá de las características sociodemográficas e institucionales por:*
> *a) por los recursos materiales de los que disponga el político,*
> *b) las relaciones que establezca con el partido,*
> *c) su capital político*
> d) su capacidad para establecer vínculos con otros agentes (empresas, asociaciones, sindicatos…)

A partir de esta hipótesis general, se plantean las siguientes hipótesis secundarias:

H8.1. *Los patrones de carreras estáticas y de escalera, al presentar un mayor grado de profesionalización, contarán con un capital mayoritariamente político, con un predominio de vínculos con el partido. Dentro de este grupo también puede ser frecuente la existencia de capital político familiar y/o universitario debido a la existencia de dinastías políticas con tradición.*

H8.2. *En las carreras de aparato el principal agente socializador va a ser el partido político, por lo que predominarán trayectorias en las que se ocupan cargos relevantes dentro de la organización y las tasas de cambio de partido son bajas.*

H8.3. *Por último, las carreras instrumentales cuentan con un capital de naturaleza tecnocrática o de notoriedad dado que, en estos casos, la política no es una profesión prolongada en el tiempo de manera constante sino que, o bien se desarrolla de manera temporal o bien se alterna con otra actividad.*

ANÁLISIS DESCRIPTIVO: CAPITAL ACUMULADO Y CARRERAS POLÍTICAS

Capital de los que ocuparon la presidencia municipal y regional

A) Tipos de capital

A nivel agregado la Tabla 7.4. muestra una serie de regularidades entre todos los individuos que componen el universo de estudio. La primera y más evidente es el predominio del capital político: prácticamente la totalidad de la muestra de estudio cuenta con él. En ese sentido, los datos muestran una joven militancia de la mayoría de los individuos estudiados y una entrada en la vida partidaria relativamente temprana.

Aún en los casos en los que el primer cargo público se ocupa más tarde, existe un vínculo con el partido desde la juventud. Esto conecta con la idea weberiana de la política como profesión y como vocación. Es decir, explicar la entrada en política debe tomar en cuenta la llamada del servicio público, el interés por lo que acontece en la sociedad y el deseo de implicarse en los procesos de cambio y toma de decisiones (Elorriaga, 2013). Pero, además, debe tenerse en cuenta que el capital político puede ser acumulado a lo largo del tiempo. Y dado que la mayor parte de los sujetos estudiados desarrollaron carreras no intermitentes y prolongadas a lo largo del tiempo, la sucesión de cargos a lo largo de su trayectoria constituyó una fuente de capitalización en términos de creación de redes y de adquisición de conocimientos y capacidades.

Tabla 7.4. Tipo de capital de los que ocuparon la presidencia municipal y regional (%)

	Alemania		Argentina		Brasil		Canadá		España		México		Total	
	P. M.	P. R.	P. M.	P. R.	P. M.	P. R.	P. M.	P. R.	P. M.	P. R.	P. M.	P. R.	P. M.	P. R.
Familiar	3,8	0,0	2,2	16,7	13,5	11,1	3,8	7,7	2,9	31,6	6,5	12,5	5,7	13,7
Universitario	19,2	25,0	17,4	41,7	7,7	18,5	3,8	28,6	2,9	31,6	4,8	12,5	8,9	24,4
Político	100,0	100,0	100,0	100,0	100,0	100,0	100,0	84,6	100,0	100,0	100,0	100,0	100,0	100,0
Tecnocrático	50,0	25,0	28,3	70,8	51,9	55,6	38,5	38,5	61,8	68,4	46,8	62,5	46,3	56,5
Notoriedad	3,8	0,0	2,2	0,0	0,0	7,4	3,8	15,4	0,0	0,0	0,0	6,3	1,2	4,6
Económico	0,0	0,0	10,9	25,0	13,5	22,2	19,2	23,1	5,9	10,5	11,3	43,8	10,6	18,2
Valor medio índice	1,8	1,4	1,8	2,5	2,0	2,0	1,7	2,2	1,7	2,6	1,7	2,0	1,6	2,1
Valor en escala 0-1	0,3	0,23	0,3	0,42	0,33	0,33	0,28	0,37	0,28	0,43	0,28	0,33	0,27	0,35
(N)	26	16	46	24	52	27	26	13	34	19	62	32	246	131

Fuente: elaboración propia.

El segundo capital predominante, pero con más de treinta y siete porcentuales, es el tecnocrático. Pese a que existen diferencias entre países, en casi todos los casos prácticamente la mitad del universo de estudio desempeñó actividades técnicas dentro del ámbito político, fruto a su vez de la posesión de credenciales académicas de alto prestigio (Centeno, 1993). En ese sentido, destacan el funcionariado, la asesoría técnica en organismos internacionales, la participación en programas de desarrollo o políticas públicas y actividades de gestión o dirección en instituciones públicas. Estas actividades, por lo general, se desarrollan antes de ocupar cargos de elección popular, lo que les dota de un perfil técnico antes de llegar al poder.

Respecto al resto de tipos de capital, se sitúan muy por debajo en términos porcentuales lo que puede ser interpretado como que tienen un carácter accesorio respecto del capital político y tecnocrático. En concreto, el capital universitario ocupa el tercer lugar en términos de porcentaje, seguido del capital económico. El primero permite la entrada en organizaciones de representación de intereses —como es el caso de las asociaciones de estudiantes—, que en muchas ocasiones se encuentran vinculadas en mayor o menor medida con partidos políticos o ideologías (Garcés Montoya, 2010). Ello permite el desarrollo de capacidades para la discusión, negociación o la oratoria, a la vez que abre la puerta al establecimiento de redes y contactos. En cuanto al capital económico, proporciona recursos materiales y la pertenencia a determinados círculos caracterizados por su carácter elitista.

Por último, el capital familiar y el de notoriedad tienen una presencia marginal, contando con porcentajes inferiores al diez por ciento en ambos casos. Respecto al caso del capital familiar, el bajo porcentaje es un indicador de la apertura y universalización en el acceso a los cargos públicos (Arrieta y Argüelles, 2015). Pese a la pervivencia de clanes o dinastías, la política se convierte cada vez más en un espacio competitivo que ya no se encuentra bajo el monopolio de un reducido número de familias. Finalmente, el hecho de que sólo un 2,4% de los gobernadores y alcaldes cuenten con capital de notoriedad habla de un universo de estudio conformado por individuos para los que la política ha sido su actividad principal a lo largo de toda su vida, sin haberse desarrollado en otros ámbitos que le dotaran de popularidad o fama.

Al agregar los diferentes tipos de capital mediante el índice construido, los valores oscilan entre 1,6 —Alemania y Canadá— y 1,9 —España— sobre 6. Esto muestra que, pese a que los diferentes tipos de capital son excluyentes, por lo general los individuos suelen concentrarse en un número limitado de agentes de capitalización. Ello permite, a su vez, generar diferentes perfiles entre políticos. Por ejemplo, se identifican casos de individuos que combinan capital familiar y capital político, lo que permitiría hablar de "herederos" de la política. En otros casos, se aúnan capital político y tecnocrático, dando lugar a "técnicos o profesionales de la política". O, por último, aquellos que acumulan capital económico y político, dando lugar a "empresarios" de la política. En cualquier caso, sea cual fuere la combinación, la idea a subrayar es que, entre todos los recursos disponible, los actores generalmente acumulan un número limitado del cual tratan de obtener beneficio en la proyección de su carrera.

B) Vínculos institucionales

Dada la importancia manifiesta del capital político en el desarrollo de la carrera, y tomando en cuenta que la investigación se centra en países multinivel, a continuación, se presentan el nivel de gobierno en el que alcaldes y gobernadores establecieron sus vínculos institucionales (Tabla 7.5.). Con ello se pretende contestar a la pregunta de si la descentralización del poder genera espacios autónomos en los que no sólo desarrollar la carrera sino también acumular capital. En ese sentido, y dado que el capital político se va incrementando a lo largo del tiempo, los datos se dividen en dos momentos: antes de ocupar la presidencia municipal o regional, y después de la misma.

A este respecto, cabe señalar como antes de la presidencia, la arena nacional fue el lugar predominante de capitalización para menos del 25% del universo de estudio. Los niveles local y regional parecen configurarse como los espacios naturales de capitalización para aquellos que ocuparan la presidencia municipal o regional, lo que permite retomar la tesis de Stolz (2003) de regionalización de la política y la configuración de espacios subestatales en el que desarrollar la carrera, establecer redes y adquirir conocimientos o experiencia. Sin embargo, cuando se atiende a los datos recogidos para la carrera posterior a la presidencia se observa, aun cuando no se produce una gran variación en los porcentajes, la tendencia contraria. Se incrementa el porcentaje de políticos que acumulan capital principalmente en el nivel nacional y disminuye el que lo hace en la arena local. Ello puede ser explicado a partir de la percepción, por parte de algunos políticos, de la alcaldía o la gubernatura como un escalón a través del cual saltar a la política nacional en una carrera ascendente. En cualquier caso, predomina el mantenimiento de vínculos en los niveles inferiores de gobierno.

Tabla 7.5. Espacio en el que se desarrollan los vínculos institucionales de los que ocuparon la presidencia municipal y regional (%)

	Alemania		Argentina		Brasil		Canadá		España		México		Total	
	P. M.	P. R.	P. M.	P. R.	P. M.	P. R.	P. M.	P. R.	P. M.	P. R.	P. M.	P. R.	P. M.	P. R.
Antes														
Predominio municipal	87,4	0,0	66,6	4,8	48,0	0,0	81,2	0,0	67,7	0,0	67,8	0,0	77,0	0,8
Predominio regional	6,3	100	6,7	14,3	52,0	92,0	12,5	83,3	9,7	94,1	14,3	61,5	19,8	65,5
Predominio nacional	6,3	0,0	26,7	80,9	0,0	8,0	6,3	16,7	22,6	5,9	17,9	38,5	3,2	33,7
Después														
Predominio municipal	68,7	0,0	66,7	0,0	27,6	0,0	81,2	0,0	64,5	5,9	35,7	0,0	55,7	0,8
Predominio regional	18,8	80,	13,3	52,4	36,4	68,0	6,5	91,7	6,5	52,9	35,7	61,5	20,6	66,4
Predominio nacional	12,5	20,	20,0	47,6	36,0	32,0	12,5	8,3	29,0	41,2	28,6	38,5	23,7	32,8
(N)	26	16	46	24	52	27	26	13	34	19	62	32	246	131

Fuente: elaboración propia.

C) Relación con el partido

Si se continúa desgranando las diferentes fuentes de capital político, el siguiente paso es abordar la relación de los individuos con el partido político. Al observar los datos, se aprecia que existe un claro predominio de alcaldes y gobernadores que llegan bajo la etiqueta de un partido. La única excepción la constituyen las candidaturas locales en Canadá, donde por ley no pueden hacerse bajo una etiqueta partidaria. Sin embargo, ello no impide que los candidatos estén afiliados a partidos. Respecto a la trayectoria dentro del partido, normalmente los individuos desarrollan toda su carrera dentro del mismo partido. La única excepción la constituye Brasil, donde es bastante común que los políticos cambien varias veces de agrupación a lo largo de su carrera.

Esto se conecta con una de las cuestiones ya abordadas en esta investigación: la oportunidad que genera el sistema político para favorecer carreras personalistas en las que no sea tan determinante el apoyo del partido. Pese a que México y Argentina también son sistemas presidenciales en los que se establece una relación directa entre electores y candidatos, cuentan con partidos más institucionalizados que derivan en que las carreras se desarrollen bajo una etiqueta partidaria. Por su lado, los cambios de partido en España y México responden a lógicas muy diferentes. Es decir, mientras que en el primer país se corresponden con casos de políticos que en sus inicios militaron en la ya desaparecida UCD, en México se identifica con aquellos que se integraron a MORENA.

Por último, se observan variaciones entre países en relación con haber ocupado cargos orgánicos. El caso más destacable es España, donde más de la mitad del universo de estudio ejerció en algún momento un puesto en el partido. En el extremo opuesto se encuentra Canadá, con un porcentaje del 17,9%, aunque existen diferencias al distinguir entre gobernadores y alcaldes. El hecho de que las candidaturas municipales sean independientes privilegia estrategias que aproximen al candidato más al elector que a la organización. En cualquier caso, el hecho de haber ocupado cargos partidarios responde a la lógica de partidos fuertes, que ejercen control sobre la selección de candidatos, y actúan como la principal plataforma para impulsar o mantener una carrera política.

Tabla 7.6. Vínculos con el partido de aquellos que ocuparon la presidencia municipal y regional (%)

	Alemania		Argentina		Brasil		Canadá		España		México		Total	
	P. M.	P. R.	P. M.	P. R.	P. M.	P. R.	P. M.	P. R.	P. M.	P. R.	P. M.	P. R.	P. M.	P. R.
Candadatura independiente	0,0	0,0	0,0	0,0	0,0	0,0	100	0,0	0,0	0,0	0,0	0,0	10,6	0,0
Candidatura partido	100	100	100	100	100	100	0,0	100	100	100	0,0	100	89,4	100
Cambio de partido	0,0	0	4,3	0,0	30,8	33,3	0,0	0,0	26,5	10,5	3,2	3,1	11,8	9,9
Número de partidos (valor medio)	1,0	1,0	1,1	1,0	2,0	1,7	1,0	1,0	1,3	1,0	1,0	1,0	1,1	1,2
Cargos orgánicos	15,4	43,8	32,6	37,5	28,8	22,2	0,0	53,8	55,9	57,9	32,3	40,6	29,7	40,6
(N)	26	16	46	24	52	27	26	13	34	19	62	32	246	131

Fuente: elaboración propia.

C) Pertenencia a organizaciones y movimientos

Por último, pese al papel destacado de los partidos en las carreras políticas, existen otros agentes de capitalización que se pueden suceder en diferentes estadios de su trayectoria. En ese sentido, el primer aspecto a subrayar es que los políticos que pertenecieron a algún tipo de organización, movimiento social, sindicato u organización empresarial, son minoritarios (Tabla 7.7.). Únicamente 58 de los 377 gobernadores y alcaldes estudiados —15,4% del universo de estudio— estuvieron vinculados a alguna de las organizaciones citadas. De entre ellas, el mayor porcentaje se corresponde con organizaciones empresariales, lo cual evidencia las conexiones entre el ámbito público y el privado, entre la política y el mundo de la empresa. En segundo lugar, se encuentran las organizaciones —ya sean sociales, culturales, religiosas, etc.—. En este caso la participación activa en las mismas se produce por lo general antes de la carrera política o, al menos, antes de ocupar la presidencia municipal o regional. De este modo, generan diferentes tipos de capital: mientras que el empresarial proporciona redes y recursos que pueden ser transferidos de manera más directa al mundo de la política, el otro interviene más en la formación de aptitudes para el posterior desarrollo de una carrera.

Tabla 7.7. Vínculos con organizaciones u otros actores colectivos de los que ocuparon la presidencia municipal y regional (%)

	Alemania		Argentina		Brasil		Canadá		España		México		Total	
	P. M.	P. R.	P. M.	P. R.	P. M.	P. R.	P. M.	P. R.	P. M.	P. R.	P. M.	P. R.	P. M.	P. R.
Pertenencia a asociación (social, religiosa, cultural...)	100	60	0,0	75	25	0,0	0,0	20	0,0	33,3	25,0	28,6	16,7	35,7
Pertenencia a movimiento social	0,0	20	0,0	0,0	0,0	0,0	14,3	0,0	0,0	0,0	0,0	0,0	3,3	3,6
Pertenencia a sindicato	0,0	20	0,0	0,0	0,0	25	0,0	0,0	0,0	0,0	0,0	0,0	0,0	7,1
Pertenencia a organización empresarial	0,0	0,0	100	25,0	75	75	85,7	80	100	66,6	75	71,4	80	53,6
(N)	1	5	4	4	8	4	7	5	2	3	8	7	30	28

Fuente: elaboración propia.

Capital de los que ocuparon la presidencia municipal y regional

A) Tipos de capital

El contraste entre quienes han ocupado la presidencia municipal y aquellos que han accedido a la regional revela diferencias sustantivas en la composición del capital que movilizan para alcanzar posiciones de liderazgo. Aunque en ambos niveles el capital político se presenta como el requisito más extendido —con una presencia del 100 % en los casos municipales y prácticamente idéntica en los regionales, salvo en Canadá—, la forma en que se combinan otros tipos de capital permite identificar perfiles claramente diferenciados.

En el ámbito local, la trayectoria institucional se impone como la principal credencial. La experiencia previa en cargos públicos o en estructuras partidarias es la vía predominante para acceder a la presidencia municipal, mientras que otras formas de capital, como el familiar, el económico o el educativo, tienen un peso mucho más reducido. Por ejemplo, el capital universitario apenas alcanza un promedio del 8,9 % en este nivel, y el económico se sitúa en torno al 10 %, con algunos países incluso registrando cifras nulas. En ese sentido, estos datos sugieren que la política municipal puede funcionar como un espacio más permeable, donde la especialización técnica o la militancia prolongada resultan suficientes para abrirse paso.

Por el contrario, el nivel regional muestra una lógica de acceso más exigente y competitiva. Aquí, la experiencia política sigue siendo indispensable, pero no es suficiente. A este perfil se suman con mayor frecuencia recursos heredados, académicos y económicos. Destaca, por ejemplo, el crecimiento del capital familiar, que se duplica respecto al municipal y alcanza promedios notables en ciertos contextos como en España, donde casi un tercio de los presidentes regionales provienen de familias con tradición política. También el capital universitario adquiere mayor presencia, superando el 24 % en el total regional, lo que evidencia una valorización más fuerte de la formación académica como aval simbólico. A esto se suma un incremento en el capital económico, que en países como México representa más del 40 % de los casos, una cifra muy superior a la registrada en sus contrapartes locales.

Esta acumulación simultánea de distintos tipos de capital convierte al ámbito regional en una arena de competencia más cerrada, en la que las trayectorias suelen ser más largas, más densas y más elitizadas. Acceder a estos cargos requiere no solo haber transitado por el campo político, sino también haber consolidado redes familiares, contar con una base educativa sólida o disponer de recursos materiales que permitan sostener campañas o alianzas estratégicas de mayor envergadura.

Así, mientras que la presidencia municipal se erige como un espacio de acceso relativamente más abierto, en el que basta con el recorrido político o técnico, el nivel regional tiende a funcionar como un campo más selectivo, donde la entrada está condicionada por la posesión conjunta de múltiples capitales.

B) Vínculos institucionales

Por su parte, el análisis de los vínculos institucionales de quienes han ejercido cargos ejecutivos en los niveles municipales y regionales permite observar diferencias estructurales en cuanto a los espacios donde se genera y proyecta el capital político. En el caso de los alcaldes, los datos muestran una clara tendencia a desarrollar su trayectoria dentro del mismo nivel en el que posteriormente alcanzan la posición de mayor visibilidad. La gran mayoría de ellos se forma y acumula experiencia en la esfera local, lo cual refuerza la idea de que el ámbito municipal funciona como un circuito relativamente cerrado, donde el acceso se encuentra principalmente reservado a actores que ya han transitado previamente por sus estructuras internas.

De hecho, una proporción cercana al 80 % de los presidentes municipales analizados establecieron sus vínculos institucionales en este mismo nivel de gobierno, lo que sugiere que existe una continuidad territorial en sus trayectorias. A partir de ello, pueden derivarse dos lecturas complementarias. Por un lado, se confirma que la arena local constituye el principal espacio de formación y ascenso de los alcaldes, reforzando su carácter autónomo como plataforma de carrera. Por otro, se observa que no suele haber una "bajada" desde instancias superiores, lo que indica una baja circulación descendente desde el ámbito regional o nacional hacia el municipal. Este último rasgo refuerza la idea de que el capital político acumulado en escalas más amplias no se traduce fácilmente en posiciones de poder en lo local, posiblemente por razones de visibilidad, incentivos o diseño institucional.

En cuanto a la etapa posterior a su paso por la alcaldía, el patrón más frecuente es la permanencia en el mismo nivel de gobierno. Más de la mitad de los alcaldes continúan vinculados a la política local, lo cual sugiere que la movilidad ascendente no es la trayectoria dominante. Sin embargo, entre quienes sí logran proyectarse más allá, el destino más habitual es el nivel nacional, por encima del regional. Este dato resulta significativo, ya que revela que los alcaldes de ciudades con mayor peso tienden a proyectar sus carreras hacia el centro del poder estatal, más que hacia los gobiernos intermedios.

Ahora bien, cuando se observa el recorrido de quienes ocuparon la presidencia regional, el panorama cambia sustancialmente. Aunque también es predominante la experiencia acumulada en este mismo nivel —lo que confirma la existencia de trayectorias territorialmente coherentes—, se detecta una proporción considerable de gobernadores que provienen del nivel nacional. Alrededor de un tercio de ellos construyeron su capital político en estructuras federales antes de trasladarse a la arena subnacional. Hecho que refuerza la idea de que el nivel regional actúa como una bisagra entre lo nacional y lo local, pero con una conexión más fuerte hacia arriba que hacia abajo. A diferencia del municipio, el gobierno intermedio parece ser un espacio atractivo para quienes ya han ocupado cargos relevantes en el centro del Estado, lo que da cuenta de una mayor permeabilidad entre estos dos niveles adyacentes.

Además, la proyección posterior de los presidentes regionales confirma esta tendencia. La mayoría permanece en el mismo nivel tras finalizar su mandato, lo que señala que el ámbito regional ofrece estructuras de oportunidad que permiten la consolidación de trayectorias prolongadas. En menor medida, aunque también de forma significativa, se registra un paso al nivel nacional, cifra que supera con claridad la observada en el caso de los alcaldes. Esta diferencia pone de relieve la existencia de una relación más directa entre las arenas regional y federal, facilitada por la posición intermedia que ocupa el gobierno subnacional en el diseño institucional y por la mayor visibilidad que otorgan estos cargos.

En conjunto, los datos permiten sostener que la política local se reproduce principalmente en su propio ámbito, sin demasiadas conexiones ascendentes ni descendentes con otras escalas, mientras que la regional opera como un espacio de articulación, tanto de entrada como de salida, entre lo nacional y lo subnacional. Así, las trayectorias de los gobernadores tienden a estar más expuestas a movimientos interescalares, lo que les otorga una mayor capacidad de adaptación y posicionamiento dentro del sistema político.

C) Relación con el partido

Por lo que respecta a la relación con el partido no existen muchas diferencias entre los resultados agregados y los correspondientes con los que ocuparon la presidencia municipal y regional. Con la salvedad de Canadá, las candidaturas municipales siempre se desarrollan bajo la etiqueta del partido en el que el político desarrolla su carrera. Como diferencia, puede subrayarse que el porcentaje de individuos que desempeñaron cargos en su partido es ligeramente inferior al recogido para el nivel agregado. Esta disminución puede deberse a que, dado que el municipal es el nivel más próximo con el elector, los políticos pueden privilegiar invertir su esfuerzo en la competición electoral y posicionarse como candidatos, que ejercer una carrera en el partido. Situación que se se refuerza aún más si se toma en cuenta que una parte importante de ellos ejerce la mayor parte de su carrera a nivel local, sin moverse de nivel. Por ello, posicionarse dentro de los órganos de poder de la organización no es tan importante en la medida en que no se busca promocionar apoyándose en el capital que puede proporcionar el partido.

D) Pertenencia a organizaciones y movimientos

Al examinar los lazos que los dirigentes políticos establecen con actores colectivos distintos a los partidos, como asociaciones, sindicatos, movimientos sociales u organizaciones empresariales, se observan diferencias notables entre quienes accedieron a la presidencia municipal y aquellos que ejercieron cargos ejecutivos a nivel regional. La primera distinción relevante radica en el grado de participación: los gobernadores, en términos generales, muestran una vinculación más intensa y diversa con la sociedad civil organizada, mientras que los alcaldes presentan trayectorias más limitadas en este sentido.

En el plano municipal, la pertenencia a organizaciones no partidarias es minoritaria y se concentra, casi exclusivamente, en el ámbito empresarial. De hecho, este tipo de entidades constituye el principal —y en muchos casos único— agente colectivo con el que los alcaldes han establecido vínculos a lo largo de sus carreras. La presencia en asociaciones culturales, religiosas o sociales es mucho más baja, y prácticamente nula en lo que respecta a sindicatos o movimientos sociales. Tan solo Canadá presenta casos excepcionales de alcaldes vinculados a experiencias de movilización social. Este patrón refuerza la idea de que la esfera local se configura como un espacio en el que las trayectorias políticas dependen, sobre todo, de capitales construidos dentro del campo político-institucional, con escasa necesidad de anclajes en la sociedad civil.

Este aislamiento relativo puede explicarse por la naturaleza misma del nivel municipal, caracterizado por su proximidad con el electorado y por un enfoque más técnico y operativo de la gestión. En este contexto, la acumulación de capital se centra en la experiencia institucional o en el posicionamiento electoral, más que en la articulación con actores externos al aparato del Estado. Además, como ya se ha señalado, muchos alcaldes desarrollan la mayor parte de su carrera dentro del mismo nivel de gobierno, sin aspirar a escalas superiores, lo que reduce la necesidad de construir redes amplias o de proyectarse a través de plataformas organizativas diversas.

En contraste, el análisis de los vínculos de los presidentes regionales revela un panorama más complejo y heterogéneo. Aunque las organizaciones empresariales siguen siendo el tipo de asociación más frecuentemente registrada, los gobernadores muestran una participación más extendida en otras formas de colectividad.

De hecho, las asociaciones culturales, sociales o religiosas tienen una presencia más significativa, y también aparecen —aunque en menor medida— referencias a sindicatos y movimientos sociales. Esta mayor pluralidad en los vínculos sugiere que la carrera regional requiere, o al menos se beneficia, de una mayor interacción con la sociedad civil organizada.

Esta diferencia puede interpretarse en clave de capital relacional: quienes acceden al nivel regional suelen transitar por trayectorias más amplias y complejas, que implican mayores exigencias en términos de alianzas, respaldos y legitimación social. La articulación con distintos actores colectivos no solo permite diversificar las bases de apoyo, sino que también contribuye a ampliar la visibilidad y la capacidad de influencia de los dirigentes. En este sentido, los vínculos con organizaciones no estatales se convierten en un recurso estratégico susceptible de ser rentabilizado en clave polític

CAPITAL POLÍTICO Y PATRONES DE CARRERA

Al observar cómo operan las variables seleccionadas en los diferentes tipos de carrera (Tabla 7.8.), la primera conclusión es que, en términos de capital, las carreras estáticas y de escalera comparten un perfil similar. De este modo, aquellos que se desempeñan como políticos profesionales en cargos de elección o designación de manera no intermitente, suelen contar con un bagaje similar, independientemente del nivel en el que se desempeñen. En ese sentido, predominan dos tipos de capital: el político y el tecnocrático. Asimismo, destaca el hecho de que el capital familiar representa un porcentaje discreto, lo que evidencia que las dinastías políticas cuentan con menos importancia relativa que en el pasado.

Por su lado, son las carreras de aparato y las instrumentales las que presentan mayores rasgos distintivos. Las carreras de aparato son las que se apartan de la afirmación sostenida sobre el capital familiar, ya que más de una cuarta parte de los individuos que se engloban bajo esta categoría contaban con familiares en política. Esto permite afirmar que, pese a la pérdida de peso como elemento de ventaja en la competición electoral, pertenecer a una dinastía política sí que dota al individuo de ventajas a la hora de posicionarse en el partido. A esto se suma la posesión de capital económico, lo que les dota de personas con medios y de las que se presupone el acceso a determinados círculos social y económicamente elitistas. Por último, las carreras instrumentales son desarrolladas principalmente por personas que cuentan con notoriedad y que, pese a que han podido contar con vocación política desde la juventud, se integran de manera profesional en ella después de haber adquirido popularidad en otros ámbitos. En este caso, también es subrayable la posesión de capital económico.

Respecto a los puntajes obtenidos en el índice, son las carreras de escalera y las de aparato las que presentan los resultados más altos. En ambos casos puede plantearse que puede deberse a que parten de una situación más ventajosa. En ese sentido, en el párrafo anterior se ha subrayado que los individuos con carrera de aparato contaban, de manera mayoritaria, con capital familiar y económico; lo cual les dotaba de recursos para posicionarse dentro del partido. Para el caso de las carreras de escalera puede inferirse que, sobre todo en los casos de aquellas que tienen un sentido ascendente, los individuos deben contar con ventajas comparativas para competir en diferentes niveles. Y ello puede traducirse en una mayor posesión de capital.

En cuanto a los vínculos con el partido, resulta notorio que en las carreras estáticas la mayor base sea local. Este nivel de gobierno es el que más favorece las carreras estáticas. Por el contrario, en el resto de los casos el predominio es regional. Para las carreras de escalera, esto puede responder a un principio de proximidad: la región es el nivel de gobierno más próximo al federal y, por tanto, el camino natural parece ser el movimiento ascendente hacia la esfera nacional. En cuanto a las de aparato, aunque predomina el nivel regional, lo más destacable es que cuentan con el mayor porcentaje a nivel nacional. Una parte importante de ellos ya estaban posicionados en el partido a nivel nacional y probablemente descienden de nivel para incrementar su poder en el partido ascendiendo en la jerarquía en un nivel de gobierno inferior. No obstante, después de ocupar la presidencia, a excepción de en las carreras estáticas, existe una tendencia en el resto de los patrones a saltar a la arena nacional. Probablemente como consecuencia de la notoriedad, redes y demás recursos adquiridos durante su paso por la presidencia del Ejecutivo local o regional.

Por último, independientemente del tipo de carrera, predominan los individuos que contaron con una relación de fidelidad al partido. Por lo general, el porcentaje de individuos que cambiaron de organización es marginal y una parte importante de todos ellos ocuparon cargos orgánicos.

Tabla 7.8. Capital político y patrones de carrera

	Estáticas	De escalera	De aparato	Instrumentales
Tipo de capital	**Familiar:** 8,7 **Universitario:** 14,5 **Político:** 100,0 **Tecnocrático:** 46,4 **Notoriedad:** 1,4 **Económico:** 8,7	**Familiar:** 8,5 **Universitario:** 19,9 **Político:** 98,6 **Tecnocrático:** 64,5 **Notoriedad:** 2,8 **Económico:** 14,9	**Familiar:** 26,7 **Universitario:** 6,7 **Político:** 100,0 **Tecnocrático:** 60,0 **Notoriedad:** 6,7 **Económico:** 20,0	**Familiar:** 9,1 **Universitario:** 27,3 **Político:** 100,0 **Tecnocrático:** 54,5 **Notoriedad:** 100,0 **Económico:** 18,2
Índice capital	**Máximo:** 5 **Mínimo:** 2 **Media:**1,8	**Máximo:** 6 **Mínimo:** 1 **Media:**2,1	**Máximo:** 4 **Mínimo:** 1 **Media:**2,2	**Máximo:** 4 **Mínimo:** 1 **Media:**2,1
Nivel vínculos institucionales antes de 1998	**Predominio local:** 64,0 **Predominio regional:** 32,0 **Predominio nacional:** 4	**Predominio local:** 36,8 **Predominio regional:** 50,4 **Predominio nacional:** 12,8	**Predominio local:** 14,3 **Predominio regional:** 64,3 **Predominio nacional:** 21,4	**Predominio local:** 42,9 **Predominio regional:** 42,9 **Predominio nacional:**14,2
Nivel vínculos institucionales después de 1998	**Predominio local:** 43,2 **Predominio regional:** 31,8 **Predominio nacional:** 25,0	**Predominio local:** 21,1 **Predominio regional:** 48,2 **Predominio nacional:** 30,7	**Predominio local:** 0,0 **Predominio regional:** 69,2 **Predominio nacional:** 30,8	**Predominio local:** 28,6 **Predominio regional:** 28,6 **Predominio nacional:** 42,9

	Estáticas	De escalera	De aparato	Instrumentales
Relación con el partido	Candidatura independiente:10,1 Candidatura con partido: 89,9 Cambio de partido: 13,0 Número de partidos: 1,22 Cargos en el partido: 31,9	Candidatura independiente:5,2 Candidatura con partido: 94,8 Cambio de partido: 11,2 Número de partidos: 1,22 Cargos en el partido: 42,7	Candidatura independiente: 0,0 Candidatura con partido: 100,0 Cambio de partido: 6,7 Número de partidos: 1,07 Cargos en el partido: 33,3	Candidatura independiente: 16,7 Candidatura con partido: 83,3 Cambio de partido: 16,7 Número de partidos: 1,33 Cargos en el partido:25,0
Pertenencia grupos	Asociaciones: 37,5 Movimiento social: 0,0 Sindicato: 0,0 Empresas: 62,5	Asociaciones: 11,8 Movimiento social: 5,9 Sindicato: 5,9 Empresas: 76,5	Asociaciones: 0,0 Movimiento social: 0,0 Sindicato: 0,0 Empresas: 100,0	Asociaciones: 50,0 Movimiento social: 0,0 Sindicato: 0,0 Empresas: 50,0

Fuente: elaboración propia.

RECAPITULACIÓN Y CONCLUSIONES

Al relacionar las variables clásicas en el estudio del capital político a la tipología propuesta se identifican algunas especificidades en los diferentes tipos de carrera política. Ello permite afirmar, en esta parte de la investigación, que en principio las variables de capital influyen en los patrones de carrera. No obstante, como su significancia se analiza en el próximo capítulo mediante un análisis de regresión logística, en esta parte las conclusiones se centran en las subhipótesis descriptivas enumeradas en el epígrafe metodológico.

Así, a partir de los datos disponibles, se corrobora la hipótesis 8.1., la cual sostiene que en las carreras estáticas y de escalera predomina el capital político y la relación con el partido: la mayoría de los individuos se presentan bajo etiquetas partidarias, por lo general no cambian de partido y han ocupado cargos en la organización—. No obstante, se refuta la frecuente existencia de capital político familiar, debido a que este sólo se da en menos del 10% para cada uno de los dos tipos de carrera. Por su parte, el capital universitario alcanza valores discretos, oscilando entre el 15% y el 20%.

A su vez, respecto a las carreras de aparato, se verifica la hipótesis 8.2.: en este tipo de perfil, predominan aquellos que mantienen una relación de fidelidad con el partido, ocupando cargos en el seno de la organización y presentando las tasas más bajas de cambio de partido. Asimismo, resulta destacable que es en este grupo en el que se da una mayor presencia de individuos que cuentan con familiares en política. Ello permite afirmar, si se atiende a los datos agregados, que, si bien es cierto que para el ejercicio de la representación cada vez es menor la influencia de los clanes o dinastías políticas, en los partidos su peso es aún mayor.

Por último, para el caso de las carreras instrumentales, se verifica un predominio del capital de notoriedad, pero no del tecnocrático. De hecho, destacable resulta también que incluso para este tipo de carrera, los individuos cuentan con un capital político acumulado. Circunstancia por la que se permite sostener que, aun cuando dentro de este perfil los individuos no hacen de la política una actividad exclusiva y prolongada en el tiempo, existe algún tipo de conexión con la actividad pública antes de presidir el Ejecutivo municipal o regional.

Sección III
PATRONES DE CARRERA EN SISTEMAS MULTINIVEL

Capítulo 8

Repensando la profesionalización. Análisis explicativo en perspectiva comparada de los patrones de carrera en países descentralizados

Una vez analizadas de manera descriptiva las características de los diferentes patrones de carrera y el comportamiento de las variables independientes seleccionadas para la investigación, esta parte tiene como objetivo identificar qué factores son significativos para explicar el patrón de carrera de los políticos profesionales y cuáles no. En segundo lugar, y dado que el estudio se centra en contextos multinivel, el capítulo se cierra haciendo especial énfasis en los patrones de carrera y los perfiles de sus élites distinguiendo entre los diferentes niveles de gobierno.

Para ello, el primer objetivo de este capítulo pretende contribuir al debate sobre qué configura finalmente el desarrollo de una carrera política: las características de los individuos, las normas institucionales que rigen la competencia, los incentivos personales e institucionales o una mezcla de todo ello. Pese a que a lo largo de esta investigación las variables institucionales han ocupado un papel importante, en el trasfondo de la tesis subyace una crítica a los modelos que únicamente explican la profesionalización a partir de variables de estructura de oportunidad. No obstante, aunque se han observado ciertas relaciones en el comportamiento de variables no institucionales con los distintos tipos de carrera, es en esta parte donde se verifica si, efectivamente, las trayectorias vienen determinadas principalmente por factores institucionales.

Respecto al segundo objetivo, a partir de los datos disponibles, se persigue obtener evidencia empírica sobre el espacio que ocupa el ámbito subestatal en la carrera política. En concreto, se pretende aportar indicadores para identificar si la esfera local y/o regional constituyen espacios de segundo orden conformados por políticos con menos experiencia o si el perfil de los que no saltan al nivel nacional es similar al de los que sí lo hacen. A partir de los resultados obtenidos se pueden extraer conclusiones sobre si la descentralización política ha convertido a los niveles subestatales en espacios lo suficientemente atractivos como para que políticos con las mejores condiciones en términos de experiencia y capital se profesionalicen exclusiva o mayoritariamente en este ámbito.

Para abordar estas cuestiones, el capítulo sigue la siguiente estructura. En primer lugar, se hace hincapié en el papel del país en el desarrollo de los diferentes patrones. Pese a ser una variable a la que ya se prestó atención en el capítulo 5, en esta parte se aborda su significancia estadística. A continuación, se presentan los análisis de regresión logística multinomial para las diferentes variables independientes. Una vez identificadas las variables significativas para cada dimensión se muestra un modelo acumulado con la significación estadística de cada dimensión. Por último, el capítulo se cierra vinculando los diferentes patrones de carrera con el ámbito territorial en el que se desarrollan.

Homogeneidad o heterogeneidad de los patrones de carrera: significación estadística de la variable "país"

Esta investigación toma como uno de sus puntos de partida que los patrones de carrera presentan heterogeneidad dentro de cada país, pese a que existan contextos que puedan facilitar que un tipo de trayectoria sea dominante sobre las otras. En ese sentido, desde un enfoque meramente descriptivo, esta asunción se confirma. Sobre todo, para las dos primeras categorías: las carreras de escalera y las estáticas se dan en los seis países estudiados. Por lo que respecta a los dos otros tipos, sí que identifican especificidades llamativas: por un lado, sólo se han identificado carreras de aparato en Brasil y México —el 80% de ellas se corresponden con éste— y, por otro, las instrumentales son desarrolladas mayoritariamente por políticos brasileños.

Figura 8.1. Distribución de los patrones de carrera en función del país

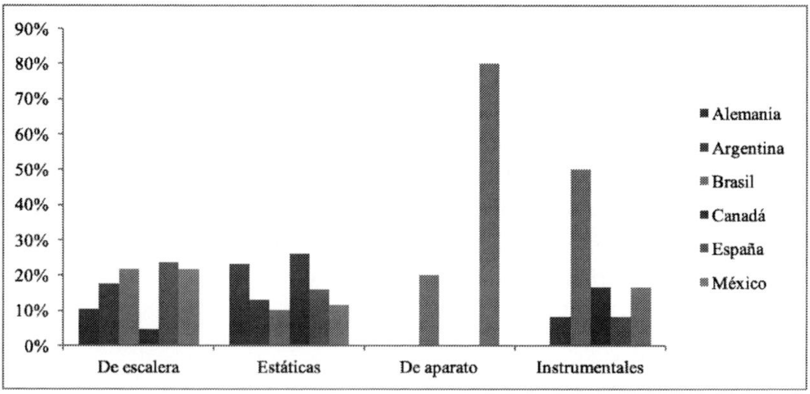

Fuente: elaboración propia.

Cuando la variable país se integra en un modelo de regresión logística, el resultado tiene significación estadística para explicar los patrones de carrera (Tabla 8.1). En concreto, la probabilidad de explicar el patrón de carrera con base a esta variable es especialmente significativo para el caso de las trayectorias estáticas y de escalera. Esto es consistente con los resultados presentados en la parte descriptiva de la investigación, donde se ha diferenciado entre dos grandes grupos de países: por un lado, Alemania y Canadá con un predominio de carreras estáticas y, por el otro, Argentina, Brasil, España y México con una mayor presencia de trayectorias de escalera.

Tabla 8.1. Análisis de regresión logística multinomial. Variable país

Significancia de las variables				
Variable	**Estáticas**	**De escalera**	**De aparato**	**Instrumentales**
País	P <0,05	P <0,05	No significativa (n.s)	n.s.

Información de ajuste del modelo			
Chi cuadrado	**Grados de libertad**	**Nivel de significancia**	**Nagelkerke**
41,781	3	P<0,05	0,307

Sin embargo, la significación de la variable país es una respuesta demasiado genérica a una cuestión compleja como son los diferentes itinerarios y tipos de carrera. Por tanto, lo que en realidad indica es que, en cada uno de los países estudiados, se dan una serie de condiciones —ya sea en las características de sus políticos, en sus diseños institucionales o en sus contextos— que posibilitan el desarrollo de diferentes perfiles de carrera. Por ello, en el siguiente epígrafe se presentan diferentes modelos estadísticos para medir la significación de las variables independientes contenidas en esta investigación.

SIGNIFICACIÓN ESTADÍSTICA DE LAS VARIABLES INDEPENDIENTES DEL MODELO

Antes de analizar la significación estadística de las variables contenidas en el modelo, cabe retomar la hipótesis central sobre la que se sostiene la primera parte de la investigación. Esta dice:

> H1.: *"Los patrones de carrera se explican superando una aproximación meramente institucional ya que el ejercicio de la política cuenta con un componente individual que puede ser medido a través de los recursos materiales e inmateriales poseídos por los individuos y sus incentivos como profesionales de la política".*

Con esta hipótesis se persigue poner en discusión una aproximación a los patrones de carrera centrada únicamente en variables institucionales[57]. Aun partiendo de la premisa de que este tipo de variables sí que ejercen una influencia sobre el diseño de las carreras políticas, el análisis se amplía a tres nuevos grupos de variables: sociodemográficas, de contexto y vinculadas con el capital político (Figura 8.2.). Con ello se pretende reconstruir una lógica general de las carreras políticas e integrar, para verificación

---

[57] Ver, entre otros, los trabajos de Best y Cotta (2000), Stolz (2003) y Borchert (2011).

empírica, las diferentes aproximaciones que desde la literatura académica se han hecho al estudio de las élites.

Figura 8.2. Variables independientes del modelo

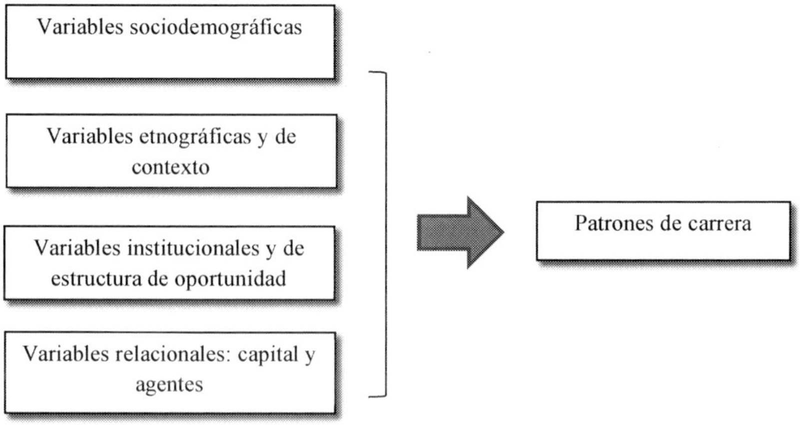

Fuente: elaboración propia.

Variables sociodemográficas

El primer grupo de variables analizado es el correspondiente a las características sociodemográficas de la élite. En la parte descriptiva de estas variables se observó que, por lo general, existía un patrón homogéneo entre los miembros que componen las diferentes categorías de la tipología. Con ello se verificaba la hipótesis de que, en principio, las variables sociodemográficas actuaban sobre todo como barrera de entrada a la política de algunos grupos de población, principalmente mujeres, jóvenes y personas con niveles inferiores de estudio. Cuando estas variables son introducidas en un modelo de regresión logística se corrobora que no tienen significación estadística para explicar los distintos patrones de carrera. Esto es, los perfiles sociodemográficos de las élites no son un indicador para calcular la probabilidad de desarrollar un tipo u otro de trayectoria. La única variable que adquiere significación en el modelo es la de lugar de nacimiento para el caso de las carreras estáticas. Este indicador mide si el municipio o región en el que se ocupó la presidencia se corresponde con el lugar de nacimiento. En ese sentido, el análisis muestra que en el caso de las carreras que se desarrollan en un solo nivel de gobierno existe un mayor vínculo con el territorio de origen, dándose en la mayoría de los casos la coincidencia entre el lugar de nacimiento y en el que se ejerce el cargo.

Variables etnográficas y de contexto

El segundo grupo de variables introducidas son las llamadas etnográficas y de contexto. Su introducción responde a dos razones: por un lado, se considera que existen características no institucionales que pueden actuar como incentivo para el desarrollo de un tipo u otro de carrera. Y, por el otro, dado que la investigación se contextualiza en países descentralizados, se pretende superar una visión centrista que no identifique las diferencias socioeconómicas e identitarias que pueden caracterizar a las diferentes regiones dentro de un mismo país.

A este respecto, la Tabla 8.3. muestra que, para el caso de los indicadores económicos no existe significación estadística. De ello se extrae que, aunque en la parte descriptiva se ha identificado cierta correlación entre las carreras estáticas y las regiones con mayor PIB y renta per cápita, las condiciones económicas no explican los patrones de carrera. En ese sentido, se retoma un argumento ya expuesto en esta investigación: pese a que un individuo puede sentir preferencias hacia un determinado cargo o lugar en el que realizar la carrera —por ejemplo, una región más desarrollada—, éstas se van a ver anuladas si no existe una probabilidad relativamente alta de resultar electo.

Tabla 8.3. Análisis de regresión logística multinomial. Variables económicas de contexto

Significancia de las variables				
Variable	**Estáticas**	**De escalera**	**De aparato**	**Instrumentales**
PIB	n.s.	n.s.	n.s.	n.s.
PIB per cápita	n.s.	n.s.	n.s.	n.s.
Índice de Gini	n.s.	n.s.	n.s.	n.s.
Tasa desempleo	n.s.	n.s.	n.s.	n.s.
Información de ajuste del modelo				
Chi cuadrado	**Grados de libertad**	**Nivel de significancia**	**Nagelkerke**	
241,770	20	n.s.	0,975	

Sin embargo, dentro de las variables de identidad, el porcentaje de votos recibidos por los partidos de ámbito no estatal sí que adquiere relevancia estadística (Tabla 8.4.). De estos datos se extraen varias conclusiones. La primera es que, tal como se apuntó, se corrobora que la existencia de lenguas cooficiales o con arraigo no es condición suficiente para incentivar las carreras horizontales. Para que esto ocurra son necesarios dos supuestos: primero, que la identidad se materialice a través de partidos políticos y, segundo, que estos cuenten con un apoyo electoral relativamente alto —en esta investigación se ha tomado como punto de corte un mínimo del 25% de los votos válidos de las elecciones—.

Tabla 8.4. Análisis de regresión logística multinomial. Variables de identidad de contexto

Significancia de las variables				
Variable	**Estáticas**	**De escalera**	**De aparato**	**Instrumentales**
Número de lenguas	n.s.	n.s.	n.s.	n.s.
Existencia de PANE	n.s.	n.s.	n.s.	n.s.
% Votos PANE	P<0.05	n.s.	n.s.	n.s.
Estatus diferenciado	n.s.	n.s.	n.s.	n.s.
Información de ajuste del modelo				
Chi cuadrado	**Grados de libertad**	**Nivel de significancia**	**Nagelkerke**	
62,212	30	n.s.	0,981	

Este dato es consistente con el hallado en el capítulo 5 donde se identificaba una relación positiva entre el porcentaje de votos recibidos por los PANE y el desarrollo de carreras estáticas. No obstante, el apoyo electoral únicamente sirve como variable predictora para este tipo de trayectorias. Para el caso de las carreras de escalera, de aparato o instrumentales no adquiere relevancia estadística.

Variables institucionales y de estructura de oportunidad

En tercer lugar, se encuentran las variables institucionales y de estructura de oportunidad. Si se atiende a los datos de ajuste del modelo, se reproduce el mismo patrón que en las variables anteriores: no tiene significación para explicar los patrones de carrera (Tabla 8.5.). Con ello, se evidencia la necesidad de incluir indicadores de otra naturaleza para explicar la lógica completa de las trayectorias políticas. Sin embargo, en el modelo sí que se identifican una serie de variables que poseen significación estadística para explicar algunos patrones de carrera.

**Tabla 8.5. Análisis de regresión logística multinomial.
Variables estructura de oportunidad**

		Significancia de las variables		
Variable	**Estáticas**	**De escalera**	**De aparato**	**Instrumentales**
Limitación de mandato	n.s.	n.s.	n.s.	n.s.
Incumbent	P<0.05	n.s.	n.s.	n.s.
Tipo de sistema	P<0.01	P<0.01	n.s.	P<0.01
Elección directa	P<0.01	P<0.01	n.s.	P<0.01
Tipo de mayoría	n.s.	n.s.	n.s.	n.s.
NEP	n.s.	n.s.	n.s.	n.s.
Concentración	n.s.	n.s.	n.s.	n.s.
Ideología	n.s.	n.s.	n.s.	n.s.
Índice atractivo	n.s.	n.s.	n.s.	n.s.

	Información de ajuste del modelo		
Chi cuadrado	**Grados de libertad**	**Nivel de significancia**	**Nagelkerke**
40,470	27	n.s.	0,962

La primera de ellas es la condición de *incumbent*, la cual es significativa nuevamente para el caso de las carreras estáticas. Ello confirma tanto lo desarrollado en la literatura académica como lo apuntado en los datos descriptivos presentados en el capítulo 8: aquellos que ya han ocupado un cargo cuentan con ventaja para ser reelectos, creando una especie de barreras informales que dificultan el acceso al cargo a nuevos individuos. No obstante, la variable con mayor significación estadística es la relativa al tipo de sistema. Con ello se corrobora que, mientras que los sistemas presidenciales favorecen las carreras de escalera —mayoritariamente en sentido ascendente—, las parlamentarias hacen lo propio con las estáticas. Estrechamente relacionado con ello está el tipo de elección donde también se corrobora que los mecanismos de elección directa explican el desarrollo de carreras de escalera, mientras que los indirectos dan lugar, en mayor medida, a trayectorias estáticas.

Variables relacionales: capital y agentes de capitalización

Por último, la Tabla 8.6. recoge la significación estadística de las variables relacionadas con el capital y los agentes de capitalización. Para este caso, los indicadores que adquieren relevancia son los que recogen la relación del individuo con el partido. En concreto, son dos las que permiten explicar patrones de carrera. La primera es la correspondiente a los cambios de organización partidaria a lo largo de la carrera: estos generan mayor probabilidad de desarrollar una carrera de escalera. En segundo lugar, se verifica empíricamente que aquellos que tienen una trayectoria de aparato por lo general ocupan cargos en la directiva de sus organizaciones.

Tabla 8.6. Análisis de regresión logística multinomial. Variables capital y agentes de capitalización

Significancia de las variables				
Variable	**Estáticas**	**De escalera**	**De aparato**	**Instrumentales**
Índice capital	n.s.	n.s.	n.s.	n.s.
Niveles institucionales antes 1998	n.s.	n.s.	n.s.	n.s.
Niveles institucionales después 1998	n.s.	n.s.	n.s.	n.s.
Candidatura partido	n.s.	n.s.	n.s.	n.s.
Cambio partido	n.s.	P<0.05	n.s.	n.s.
Cargos partido	n.s.	n.s.	P<0,05	n.s.
Número partidos	n.s.	n.s.	n.s.	n.s.
Pertenencia a organizaciones	n.s.	n.s.	n.s.	n.s.

Información de ajuste del modelo			
Chi cuadrado	**Grados de libertad**	**Nivel de significancia**	**Nagelkerke**
57,16	12	n.s.	0,631

Respecto al resto de variables, los tipos de capital acumulado, así como el puntaje obtenido en el índice creado para su medición parecen no poder explicar los diferentes tipos de trayectoria. Y lo mismo ocurre con los vínculos desarrollados con diferentes organizaciones y/o movimientos de la sociedad civil: no son determinantes para explicar las carreras. De este modo, el análisis estadístico de las variables incluidas en la investigación permite dibujar los patrones de carrera como mapas complejos que no pueden ser explicados a partir de un único enfoque o dimensión: en su configuración intervienen diferentes tipos de variables en interacción.

No obstante, los datos sí que corroboran un predominio de las variables institucionales, tanto en lo que se refiere a las reglas bajo las que se articula la competencia —tipo de sistema, elección directa/indirecta-como en la posición o relación del individuo respecto a los componentes institucionales del sistema —condición de *incumbent*, vínculos con el partido— y la manera en la que los partidos canalizan cuestiones identitarias —partidos de ámbito no estatal—. Ello lleva a reformular la hipótesis planteada al inicio y considerar que, en conjunto, el patrón de carrera es consecuencia de componentes del sistema institucional y de la manera en la que estos se adaptan a la posición y contexto de los actores.

LOS PATRONES DE CARRERA Y SU CONEXIÓN CON LOS SISTEMAS MULTINIVEL

Una vez identificadas las variables que permiten explicar el desarrollo de diferentes tipos de carrera, cabe prestar atención al segundo gran pilar que sostiene esta investigación: la vinculación de las carreras políticas con el territorio. Específicamente, en esta parte se pretende verificar empíricamente la segunda hipótesis general de esta investigación, la cual dice:

> H2.: *"Los procesos de descentralización política han convertido a las entidades subestatales en espacios atractivos para el ejercicio de un cargo, llegando a ellos individuos con perfiles muy similares a los que se encuentran a nivel federal en términos de atributos y experiencia".*

Para abordar esta cuestión, en esta parte del análisis se va a reproducir la estructura recogida en la Figura 8.3. En primer lugar, se va a distinguir entre los perfiles de la élite distinguiendo entre carreras estáticas y de escalera para identificar semejanzas y similitudes entre aquellos que se desempeñan en un solo nivel y aquellos otros que transitan por diferentes niveles de Gobierno. Las categorías de aparato e instrumentales se han excluido por ser minoritarias y, fundamentalmente, por no mostrar una vinculación tan relevante con el territorio.

A continuación, dentro de cada categoría se realizan comparaciones. En el seno de las carreras estáticas se distingue entre los que ocuparon la presidencia municipal y la regional. De esta forma, se identificará si cada esfera requiere de perfiles diferenciados o la élite es homogénea. Respecto a las trayectorias de escalera, se distingue entre los que ocuparon su último cargo en la arena estatal o en la regional, lo que permite contraponer las élites nacionales y subestatales, aportando luz sobre si los políticos con más experiencia tienen una ambición progresiva o si los procesos de descetralización han dado lugar a élites regionalizadas que no ven en la esfera nacional el fin último de su carrera.

Figura 8.3. Los patrones de carrera y su conexión con los sistemas multinivel

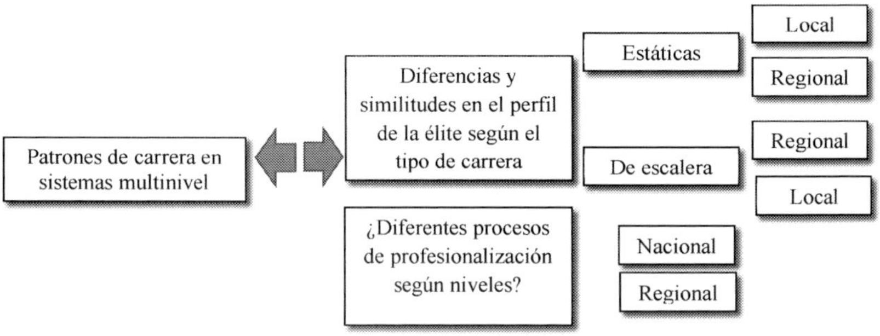

Fuente: elaboración propia.

Por último, esta parte se cierra con la discusión sobre la profesionalización de las élites subestatales, identificando similitudes y diferencias en el desarrollo de las carreras de los que ocuparon la presidencia municipal y la regional. Para ello, se retoman las dimensiones que componen cada tipo de carrera para comparar las trayectorias de alcaldes y gobernadores.

El perfil de las élites regionales

A lo largo de la investigación se han presentado las características y trayectorias de dos maneras: por un lado, distinguiendo entre los que ocuparon la presidencia municipal y la regional y, por otro, diferenciando entre patrones de carrera. A continuación, la información se presenta desde otro enfoque: dentro de las élites regionalizadas, las cuales sólo se han desempeñado en un nivel de Gobierno con carreras estáticas, se presentan por separado los resultados para los que ocuparon la alcaldía y la gubernatura. Con ello se persigue observar cómo de homogéneas son las élites subestatales.

A este respecto, la Tabla 8.7. muestra que no existen grandes diferencias en términos sociodemográficos entre los políticos que se desempeñan en el nivel local y regional, siguiendo la tendencia observada a lo largo de toda la investigación: por lo general, el perfil de la élite es relativamente homogéneo. Se trata mayoritariamente de hombres que ocupan su primer cargo público en torno a los 45 años y con estudios superiores. Sin embargo, al observar todos los datos se pueden identificar algunas especificidades que permitan establecer distinciones entre los dos grupos. En primer lugar, está la cuestión territorial. Por un lado, hay un mayor porcentaje de gobernadores que nacen en la capital de la región en la que ejercen el cargo. Si se toman las capitales, aun a nivel subestatal, como lugares en los que existe un mayor dinamismo que favorece el establecimiento de redes y contactos, así como una mayor oferta de actividades, en principio nacer allí favorece el desarrollo de una carrera a nivel regional. Por otra parte, también es mayor el porcentaje de presidentes municipales que nacieron en el mismo lugar en el que ejercieron el cargo. No obstante, la variación puede ser explicada por el hecho de que la ciudad es un espacio más restringido que la región, por lo que es más probable que un individuo se traslade de ciudad —sobre todo tomando en cuenta que el universo de estudio lo constituyen alcaldes de grandes ciudades— que de región para ocupar el cargo.

En segundo lugar, cabe resaltar que existe un porcentaje ligeramente superior de individuos con estudios de posgrado entre los que ocuparon la presidencia a nivel regional. Esto apuntaría a que, si sólo se toman las arenas local y regional, existe una tendencia a que los más preparados-al menos desde el punto de vista académico— pasen a ocupar cargos en niveles superiores de Gobierno. Asimismo, también se incrementa la cantidad de gobernadores que se formaron en Derecho. No obstante, la variación en los porcentajes es lo suficientemente discreta como para plantear estas conclusiones únicamente de manera meramente tentativa.

Tabla 8.7. Perfil sociodemográfico de las élites regionales: una comparación entre el nivel local y el regional (%)

	Nivel Municipal	Nivel regional
Género	**Hombre:** 93,9 **Mujer:** 6,1	**Hombre:**94,4 **Mujer:**5,6
Edad entrada política	**Edad media:** 45,1	**Edad media:** 44,2
Lugar de nacimiento:	**Capital país:** 2,3 **Capital región:** 14,7 **Otra ciudad:** 83,0	**Capital país:** 5,9 **Capital región:**23,5 **Otra ciudad:** 70,6
Desempeño del cargo en el lugar de nacimiento	**Sí:** 50,0 **No:**50,0	**Sí:**76,5 **No:**23,5
Nivel de estudios	**Secundarios:** 2,9 **Licenciatura:** 79,4 **Master:** 5,9 **Doctorado:** 8,8	**Secundarios:** 7,1 **Licenciatura:** 71,4 **Master:** 14,3 **Doctorado:** 7,1
Profesión	**Derecho:** 43,8 **Economía:** 6,3 **Periodismo:** 18,8 **Medicina:** 6,3 **Ingeniería:** 3,1 **Otros:**9,4	**Derecho:**58,3 **Economía:**16,7 **Periodismo:**8,3 **Otros:** 16,7
Familiares en política	**Si:** 7,5 **No:** 92,5	**Si:** 11,1 **No:** 89,9
Estado civil	**Soltero:** 5,0 **Casado:** 90,0 **Separado/divorciado:** 5,0 **Viudo:**0,0	**Soltero:** 7,1 **Casado:** 78,6 **Separado/divorciado:** 14,3 **Viudo:** 0,0

Por lo que respecta al capital acumulado y los agentes de capitalización, la Tabla 8.8. muestra algunas diferencias entre ambos grupos, aunque nuevamente las variaciones en los porcentajes no son lo suficientemente elevadas como para establecer conclusiones robustas. La primera diferencia se corresponde con los tipos de capital acumulado: por un lado, en el caso municipal tiene un carácter más tecnocrático, lo cual puede explicarse debido a que la esfera local posee un fuerte componente de gestión, superior al que se da en el ámbito regional. Y, por otro lado, los valores del capital familiar, universitario y de notoriedad es mayor entre los gobernadores que entre los alcaldes. De esta forma, si se vincula con lo anterior, pareciera que en el ámbito municipal hay un mayor porcentaje de técnicos mientras que el regional da cabida a perfiles más diversos: miembros de clanes políticos, líderes estudiantiles y personajes populares, entre otros.

Tabla 8.8. Capital político y agentes de capitalización de las élites regionales: una comparación entre el nivel local y el regional (%)

	Nivel municipal	Nivel regional
Índice capital político	**Valor medio:** 1,96	**Valor medio:** 1,83
Capital político	**Familiar:** 7,5 **Universitario:** 15,0 **Político:** 100,0 **Tecnocrático:** 58,5 **Notoriedad:** 3,8 **Carisma:** 0 **Económico:** 13,2	**Familiar:** 11,1 **Universitario:** 18,0 **Político:** 100,0 **Tecnocrático:** 50,0 **Notoriedad:** 5,6 **Carisma:** 0,0 **Económico:** 11,1
Partido	**Candidatura partido:** 100 **Cambio partido:** 5,6 **Número partidos:** 1,1 **Cargos partido:** 40,0	**Candidatura partido:** 100 **Cambio partido:** 3,6 **Número partidos:** 1,1 **Cargos partido:** 50,0
Vinculación otros grupos	**Asociaciones:** 22,2 **O.Empresariales:** 77,8	**Asociaciones:** 40,0 **O.Empresariales:** 60,0

Fuente: elaboración propia

Con relación a los agentes de capitalización, es más frecuente entre los que ejercieron la presidencia regional ocupar cargos orgánicos que entre los alcaldes. Ello permite hablar de los gobernadores como hombres de partido, ya que la mitad de ellos ocuparon cargos relevantes en sus organizaciones. Asimismo, es subrayable el porcentaje de presidentes municipales que en algún momento pertenecieron a asociaciones empresariales.

Por último, junto con el perfil sociodemográfico y el capital acumulado, a continuación, se presentan los datos relativos a la carrera. Dado que se trata de carreras estáticas, no se contempla la dimensión "sentido de la carrera" ya que es constante. Tampoco se contemplan la entrada ni la salida de la política porque en esta parte se prioriza reconstruir las pautas que modelan el desarrollo de la carrera. Una vez hecha esta aclaración, el primer dato recogido es la naturaleza de los cargos ejercidos por los que ocuparon la presidencia municipal y regional (Figura 8.4.). En ese sentido, para ambos grupos predominan mayoritariamente los cargos de elección popular. No obstante, cabe apuntar que los cargos de designación son ligeramente superiores en el caso de los presidentes regionales con relación con los municipales.

Figura 8.4. Naturaleza de los cargos ejercidos por los que ocuparon la presidencia municipal y regional

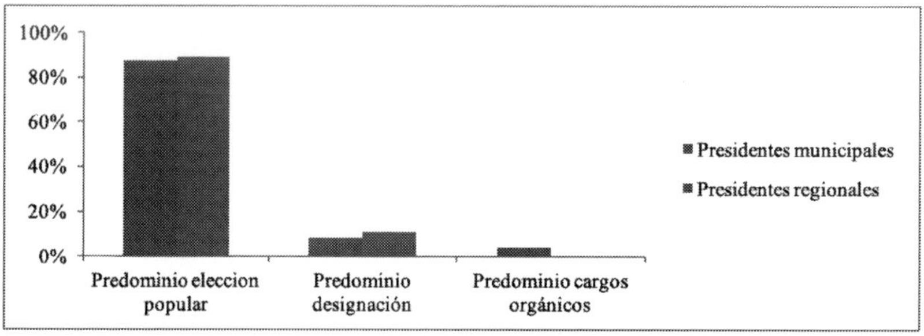

Fuente: elaboración propia

Donde se aprecian mayores diferencias es en los poderes por los que transitaron a lo largo de su carrera. Así, la Tabla 8.5. muestra que, mientras que a nivel municipal prácticamente el 90% de los individuos estudiados sólo se desempeñaron en cargos Ejecutivos, en el caso de los gobernadores cerca de un 30% en algún momento ejercieron algún puesto dentro del poder Legislativo, lo que permite hablar de los presidentes regionales, en términos generales, como individuos con mayor experiencia en diferentes esferas de poder y, por lo tanto, en principio con un mayor bagaje político.

Figura 8.5. Poderes por los que transitaron los que ocuparon la presidencia municipal y regional

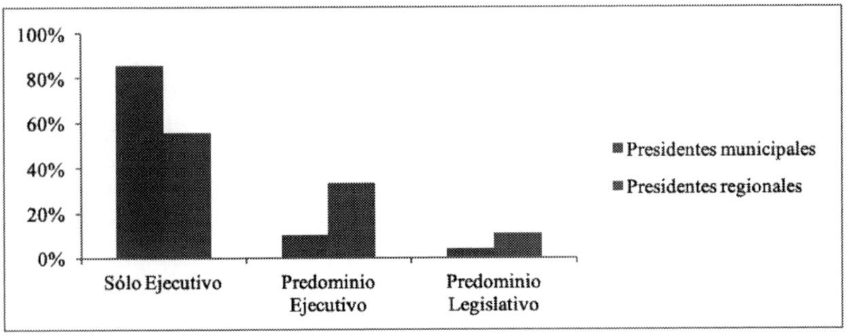

Fuente: elaboración propia

Por su parte, en términos temporales, tanto los alcaldes como los gobernadores presentan trayectorias políticas continuas, sin interrupciones significativas para dedicarse a actividades ajenas al ámbito público. Así, sus carreras muestran una clara orientación profesional, marcada por una dedicación sostenida y exclusiva a la vida política.

Figura 8.6. Continuidad en la carrera de los que ocuparon la presidencia municipal y regional

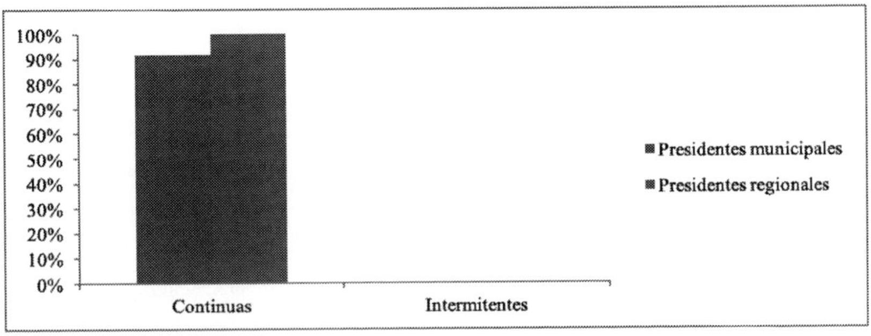

Fuente: elaboración propia

Sistemas multinivel y profesionalización política

Tras comparar el perfil de las élites en función del tipo de carrera desarrollada, vinculándolo con la dimensión territorial, en este epígrafe se lleva a cabo una última aproximación al estudio de las trayectorias en sistemas multinivel: se identifica la distribución en el tipo de carrera distinguiendo entre alcaldes y gobernadores. Aunque a lo largo de la investigación se han ido perfilando diferencias y similitudes entre aquellos que ocuparon la presidencia municipal y regional, en este apartado se sistematizan los patrones de carrera en función del cargo ocupado.

La Figura 8.11. muestra que, por lo general, los individuos que ocupan la gobernatura o la presidencia municipal de las principales ciudades desarrollan dos tipos de trayectoria: o bien carreras estáticas o bien de escalera. Por tanto, es minoritario el porcentaje de individuos que hacen de la política una actividad circunstancial o instrumental, o que se concentran fundamentalmente en la política orgánica.

Figura 8.7. Patrones de carrera de presidentes municipales y regionales

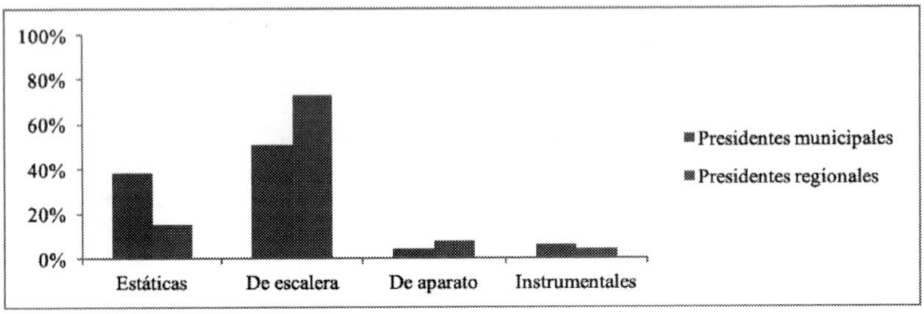

Fuente: elaboración propia

Ahora bien, existen diferencias entre ambos grupos. Pese a que tanto presidentes municipales como regionales presentan en términos agregados un mayor predominio de carreras de escalera, las trayectorias estáticas se dan con mayor frecuencia entre los que ocuparon la presidencia municipal. En consecuencia, esto habla de la esfera local como un ámbito con una mayor permanencia respecto a la arena regional en el ejercicio de la representación, afirmación que se corrobora cuando se observan los datos para las carreras de escalera: casi el 80% de ellas fueron desarrolladas por gobernadores.

RECAPITULACIÓN Y CONCLUSIONES

El presente capítulo ha permitido completar el estudio de las carreras políticas dando respuesta a las dos cuestiones centrales que han servido como motor para la tesis: primero, identificando qué variables son significativas para explicar los diferentes patrones de carrera y, segundo, vinculando el estudio de las trayectorias con la dimensión territorial para conocer las características de los procesos de profesionalización en el ámbito subestatal.

En relación al primer aspecto, se ha constatado que los diferentes patrones de carrera son fruto de una combinación de factores que no se limitan únicamente al diseño institucional. Sin embargo, sí que se ha evidenciado que otras variables relevantes, como la existencia de identidades territoriales, sólo son significativas cuando las instituciones reaccionan ante ellos mediante la configuración de partidos de ámbito no estatal con fuerte apoyo electoral. Asimismo, se ha verificado que, pese a la confirmación de muchas de las hipótesis descriptivas en vinculación al comportamiento de las variables, una gran parte de los factores incluidos en el modelo no tienen significancia estadística. Es decir, no permiten explicar el desarrollo de los diferentes patrones de carrera. Esto lleva a concebir a la política como una actividad compleja en la que se interrelacionan variables de diferente naturaleza, a la par que cuenta con componentes difícilmente medibles como el azar, la oportunidad o decisiones de tipo no racional.

Sin embargo, sí que se han podido identificar tendencias y patrones generales tanto en las características de las élites como en el desarrollo de sus carreras. Se han observado regularidades tanto a nivel general, entre carreras estáticas y de escalera, como en los diferentes subgrupos contemplados: trayectorias locales, regionales, de escalera con último cargo regional y de escalera con último puesto en la arena nacional. Esto, a su vez, ha permitido abordar de manera indirecta la discusión sobre hasta qué punto se diferencian las élites subestatales y nacionales, así como el debate sobre si son los individuos con más experiencia y formación los que desarrollan una ambición progresiva o si, en un contexto multinivel, estos pueden desempeñarse exclusivamente en niveles inferiores.

Finalmente, los datos han confirmado también que, en principio, los niveles subestatales cuentan con élites con perfiles homogéneos, siendo muy puntuales las diferencias entre alcaldes y gobernadores. Asimismo, se ha verificado que los presidentes regionales acumulan capital de distinta naturaleza que les convierte en profesionales con experiencia y recursos. No obstante, la arena nacional muestra algunas características que pueden actuar como barrera de entrada al ser el espacio donde es mayor la presencia de individuos con capital político familiar, universitario y económico.

Conclusiones

Esta investigación reconstruye una lógica general de las carreras políticas en sistemas multinivel a partir del análisis de las trayectorias de 377 políticos —presidentes municipales y regionales— de seis países: Alemania, Argentina, Brasil, Canadá, España y México. A partir de un diseño de investigación que trasciende los límites del estudio de área, la primera aportación de este trabajo es la recopilación y tratamiento de una gran cantidad de datos vinculados a las biografías y hojas de vida de los individuos que componen el universo de estudio. Ello genera un conocimiento sistemático y riguroso sobre las características sociodemográficas, los agentes de capitalización política y los procesos de profesionalización de las élites subestatales.

Esto es especialmente relevante para la disciplina debido a la escasez de bases de datos sobre políticos, especialmente dentro del Ejecutivo y, más aún, en sistemas multinivel. Por lo general, la información sistematizada se centra en legisladores, por lo que los presidentes municipales y regionales han ocupado un espacio marginal en estudios de naturaleza cuantitativa. Además, la introducción de la variable tiempo también constituye un aporte interesante al permitir reconstruir la carrera completa de los individuos que componen el universo de estudio. Mediante una recopilación cronológica de todos los cargos ocupados, así como de la relación de los sujetos con los partidos y otros agentes de capitalización, se han podido describir los estadios de una carrera política: entrada, desarrollo y salida.

En ese sentido, estudiar la carrera en conjunto facilita entender la política como una profesión en la que, por una parte, la posesión de determinados recursos y la toma de decisiones influyen en las posibilidades de promocionar y las opciones de trayectoria. Al mismo tiempo, ejercer cargos políticos puede convertirse en una plataforma para proyectarse hacia otras actividades, especialmente en el sector privado. Dinámica que conecta con los debates sobre las llamadas puertas giratorias y la manera en que muchos actores continúan capitalizando su experiencia una vez fuera del servicio público. Por ello, desde esta perspectiva, es claro entender que la aproximación a los políticos ya no se limita únicamente a su condición de representantes, sino que los toma como profesionales que tienen incentivos y preferencias comparables con las poseídas por los individuos que se dedican a otra actividad.

Por otra parte, la información sobre las carreras de los presidentes municipales y regionales es complementada con un análisis profundo de los casos, atendiendo a variables relacionadas tanto con el contexto institucional en el que se desenvuelven los políticos estudiados, como con la economía y cuestiones identitarias de cada una de las entidades subestatales contenidas en la investigación. El resultado es un trabajo de naturaleza comparada en el que se combinan dos dimensiones de análisis, el individual y el contextual, que permiten identificar similitudes y diferencias tanto entre los sujetos como entre los escenarios en los que desarrollan sus carreras.

Todo ello, sumado al hecho de utilizar distintos tipos de fuentes —información institucional, trabajos académicos, cuestionarios de expertos, entrevistas y biografías—, así como el uso de diferentes herramientas de análisis —estadística descriptiva, regresión logística multinivel e historias de vida— da como logro una investigación que aporta una visión poliédrica de las carreras: posibilita describir a las élites, identificar qué variables inciden en las trayectorias y cómo se comportan; y, por último, abordar de manera cualitativa algunos casos prototípicos.

La investigación también contiene una propuesta metodológica original para clasificar los diferentes patrones de carrera en países descentralizados, superando una visión centralista del estudio de las élites, al introducir la dimensión territorial como factor relevante en el desarrollo de las carreras. Esta tipología contribuye a la disciplina en dos aspectos: primero, permite la comparación de patrones de carrera entre países y niveles de gobierno y, segundo, se convierte en un instrumento de medición para abordar el debate de cómo la descentralización política afecta a los procesos de profesionalización. Fruto de todo ello, este trabajo aporta nuevas evidencias a la literatura sobre élites.

Por otro lado, el análisis de los datos ha permitido extraer evidencias empíricas sobre las tres preguntas de investigación que han estructurado este trabajo. En primer lugar, como ya se ha señalado, se recoge información sistemática sobre quiénes componen la élite y cómo son sus carreras. Estos datos corroboran que no existe un patrón homogéneo de carrera en cada país, pese que a sí que se han detectado dos grandes grupos: por un lado, Canadá y Alemania muestran una mayor tendencia a las carreras estáticas mientras que, por su parte, los cuatro restantes tienen un mayor porcentaje de carreras de escalera.

En segundo lugar, el análisis de las variables incluidas en el modelo revela que las trayectorias políticas no responden únicamente a factores institucionales o individuales. Si bien estos influyen de manera significativa, también persiste un margen de variabilidad que no puede atribuirse ni a las características personales de las élites, ni al entorno político o económico, ni siquiera a las oportunidades estructurales o al capital disponible. Esta incertidumbre sugiere que la política, al igual que otras profesiones, está atravesada por elementos imprevisibles y decisiones que no siempre obedecen a cálculos racionales o estratégicos.

En este punto también es importante subrayar que los datos obtenidos permiten entrar en discusión con literatura que se aproxima al análisis de las élites y sus carreras desde diferentes enfoques. Por un lado, aporta evidencias de la homogeneidad en el perfil de los representantes, llevando a concluir que las características sociodemográficas actúan principalmente como barrera de entrada para algunos sectores de la población pero que, sin embargo, tienen escasa o nula capacidad explicativa a la hora de definir diferentes patrones.

Asimismo, se verifica empíricamente la relevancia del clivaje centro-periferia, demostrando que la existencia de partidos de ámbito no estatal con fuerte apoyo electoral incentiva el desarrollo de carreras estáticas. Por último, también aporta evidencias sobre los límites de las explicaciones que únicamente se sustentan en modelos de estructura de oportunidades políticas, aun cuando constituyen un elemento descriptivo importante. El resultado es una investigación que concibe las trayectorias políticas como realidades complejas que deben traspasar las explicaciones meramente institucionales adoptando un modelo multicausal.

Finalmente, el trabajo ha ahondado en la relación entre la profesionalización de la política y los diferentes niveles de Gobierno. De la evidencia empírica obtenida se extraen varias conclusiones. La primera es que, por lo general, los jefes del Ejecutivo a nivel subestatal constituyen una élite profesionalizada que hace de la actividad representativa su principal actividad durante la mayor parte de su vida. De este modo, las llamadas carreras de aparato e instrumentales son minoritarias dentro del universo de estudio de esta investigación. La segunda es que, si bien es cierto que las élites que ejercen el poder en los diferentes niveles cuentan con un perfil homogéneo, sí que existen diferencias en términos de carrera. Mientras que en la arena local las trayectorias son más estáticas, los gobernadores muestran una mayor tendencia al movimiento: transitan con más frecuencia tanto entre niveles de Gobierno como entre poderes. Ello permite describirlos como individuos con mayor experiencia y capital político.

Al comparar las trayectorias de aquellos que se han mantenido en el nivel subestatal y aquellos otros que han saltado a la arena nacional, se constata que el Gobierno central sí que muestra algunas particularidades: es el espacio donde más se rentabiliza la posesión de diferentes tipos de capital, como es el caso del familiar, el económico o de notoriedad. De este modo, la arena nacional parece mostrar mayores restricciones en el acceso que los niveles subestatales, privilegiando un perfil político con más recursos y contactos.

Estos hallazgos suponen una contribución a los estudios sobre élites desde una doble perspectiva. Por un lado, concibe a los políticos profesionales como individuos cuya actividad no sólo viene definida por incentivos racionales y estructuras de oportunidad. Al mismo tiempo, aporta evidencias empíricas de que, en contextos multinivel, no sólo se da la ambición estática: la política local o regional constituye un fin en sí mismo para una parte de los políticos estudiados. Esta cuestión permite, a su vez, hacer una nueva aportación: en sistemas multinivel es complicado sostener que a la política nacional llegan los más preparados. Aunque se ha señalado que aquellos que llegan a la arena nacional muestran por lo general una mayor acumulación de capital político familiar y han transitado por un mayor número de oficinas, en términos de formación y duración de la carrera no presentan grandes variaciones.

Esto es importante porque permite concebir la arena subestatal como un espacio que genera incentivos para la profesionalización de una élite local que no ve en los municipios o regiones un simple estadio en su carrera política. Esta regionalización de la política profesional dota a los sistemas subestatales de una élite con una mayor especialización y conocimiento de las realidades concretas de cada espacio. Causa y consecuencia de ello es que la política subestatal deja de ser un reflejo o continuación de la nacional, adquiriendo dinámicas propias.

A partir de estos hallazgos, se abre una agenda de investigación futura en la que se fijan tres objetivos. En primer lugar, aplicar el modelo a nuevos casos de estudio para verificar cómo de generalizables son las conclusiones extraídas de esta investigación y la adecuación de la tipología propuesta a otros escenarios. En segundo lugar, dotar de un mayor carácter cualitativo al estudio, complementando la información de carácter cualitativo con un mayor número de entrevistas en profundidad e historias de vida. Una vez perfeccionado el modelo a partir de su aplicación a nuevos casos y con la introducción de técnicas cualitativas, a medio y largo plazo se plantea una nueva línea de análisis que vincule el tipo de trayectoria con el desempeño político. Por ejemplo, se pretende identificar si las élites regionales y las nacionales muestran diferencias sustantivas en términos de las políticas legisladas o ejecutadas, defendiendo intereses diferentes en función del territorio; o estudiar si presentan diferencias en términos de formación de alianzas o pactos de gobierno.

Con ello, se vincula el estudio de las élites con la actividad representativa, partiendo de la premisa de que las instituciones importan, pero también lo hacen los individuos que hacen de la política su profesión. Además, dada la superación del modelo del Estado-Nación y la proliferación de estudios que abordan las dinámicas subestatales —ya sea en términos de identidad, diseño institucional o desarrollo—, se considera oportuno poner el foco también en el papel de las élites. Quiénes son, cuáles son sus atributos o cómo ha sido su proceso de profesionalización puede dar cuenta tanto de cómo se configura la representación a nivel subestatal como de la manera en la que se ejerce la política en estos espacios en función de la formación, experiencia e incentivos de sus actores.

Todo ello, no obstante, sigue presentando retos. En primer lugar, las dificultades en el acceso a bancos de datos que permitan reconstruir las carreras de aquellos que se desempeñaron exclusiva o mayoritariamente en el nivel subestatal. En segundo lugar, el desafío que supone introducir información de carácter cualitativo debido a que, en muchas ocasiones, el acceso a los miembros de la élite para la realización de entrevistas no siempre es sencillo. En cualquier caso, el desarrollo de las tecnologías de la información y la comunicación, así como la cada vez mayor transparencia y publicidad relativa a las trayectorias de los representantes facilitan un estudio riguroso, sistemático y comparado de los individuos que ejercen el poder político.

Referencias bibliográficas

ACHIN, Catherine; DORLIN, Elsa y RENNES, Juliette. 2008. "Capital corporel identitaire et institution présidentielle: réflexions sur les processus d'incarnation des rôles politiques", en *Raisons politiques*, 3. pp. 5-17.

ALCÁNTARA, Manuel. 2004. *¿Instituciones o máquinas ideológicas?: origen, programa y organización de los partidos políticos latinoamericanos.* Barcelona: Instituto de Ciencias Políticas y Sociales (ICPS).

ALCÁNTARA, Manuel. 2006. *Políticos y política en América Latina*, Madrid: Siglo XXI.

ALCÁNTARA, Manuel. 2012. *El oficio del político*, Madrid: Tecnos.

ALCÁNTARA, Manuel. 2014. "Política y calidad de la democracia en América Latina. Consideraciones complementarias al análisis de Leonardo Morlino", En MORLINO, Leonardo (ed.), La calidad de las democracias en América Latina, San José de Costa Rica: Idea Internacional, pp.110-125.

ALCÁNTARA, Manuel; BARRAGÁN, Mélany y SÁNCHEZ, Francisco. 2016."Los presidentes latinoamericanos y las características de la democracia", *Colombia Internacional*, 87, pp. 21-52.

ALCÁNTARA, Manuel y CABEZAS, Lina María. 2013. *Selección de candidatos y elaboración de programas en los partidos políticos latinoamericanos*, Valencia: Tirant lo Blanch.

ALCÁNTARA, Manuel y RIVAS, Cristina. 2007. "Las Dimensiones De La Polarización En Los Parlamentos Latinoamericanos" en *Política y gobierno*, 14 (2),pp. 349-90.

ALMARAZ, María Gabriela. 2010. "Ambición política por la reelección en las provincias argentinas". en *Revista SAAP: Sociedad Argentina de Análisis Político*, 2010, 4 (2), pp. 191-226.

ALONSO, María Elisa. 2009. "El análisis del reclutamiento político desde una perspectiva de género", ponencia presentada en el *IX Congreso de la Asociación Española de Ciencia Política y Administración.*

AMES, Barry. 2009. *The deadlock of democracy in Brazil*, Michigan: University of Michigan Press.

ANDRENACCI, Luciano. 2001. "La política social de los gobiernos locales en la región metropolitana de Buenos Aires", ponencia presentada en *VI Congreso Internacional del CLAD sobre Reforma del Estado y de la Administración Pública.*

ARANA, Ignacio. 2015. *The Quest for uncontested power: how president´s personality traits lead to constitutional change in the western hemisphere,* Tesis doctoral, Universidad de Pittsburgh.

ARCHENTI, Nélida y TULA, María Inés.2007. " Los límites institucionales de las cuotas de género en América Latina" en *Iberoamericana,* 7 (27), pp. 184-190.

ARRIETA, Juan Antonio Pabón y ARGÜELLES, Alfredo Torres. 2015. "Estado Social y Democrático de Derecho, representación política y reelección inmediata en Colombia: sus efectos en el comportamiento electoral", en *Revista Justicia,* 19 (25), pp.117-139.

BALE, Tim y TAGGART, Paul. 2005. "Finding Their Way: The Socialisation of Freshmen MEPs in the European Parliament", Austin:Texas (Sin publicar).

BALMAS, Meital; RAHAT, Gedeon; TAMIR, Sheafer y SHENHAV, Shaul. 2014. Two routes to personalized politics: Centralized and decentralized personalization. *Party Politics,* 20 (1), pp. 37-51.

BARAS, Montse; COLOMÉ, Gabriel; BOTELLA, Joan y GIOL, Jordi.1988. "La formación de una élite política local", en *Revista de estudios políticos,* (59), pp.199-224.

BARRAGÁN, Mélany.2012." La selección de candidatos a la Presidencia en el PP y el PSOE: Un reflejo de la oligarquía partidaria" en *RIPS: Revista de Investigaciones Políticas y Sociológicas,* 11(4), pp.133-148.

BARRAGÁN, Mélany. 2015."Consecución de mayorías legislativas en América Latina: una revisión crítica", en *Revista de Derecho Electoral,* 19, pp. 204-237.

BASUALDO, Eduardo M.2006. *Estudios de historia económica argentina: desde mediados del siglo XX a la actualidad.* Argentina: FLACSO.

BENNISTER, Mark.2012. *Prime ministers in power: Political leadership in Britain and Australia.* Londres: Springer.

BENNISTER, Mark; HART, Paul't y WORTHY, Ben. 2014. "Leadership Capital: Measuring the Dynamics of Leadership·, disponible en *SSRN 2510241*

BERARDO, Ramiro y MAZZALAY, Víctor. 2012. "Confianza, influencia política e intercambio de recursos en arenas decisorias regionales", en *Revista de ciencia política (Santiago),* 32 (2),pp. 479-500.

BERNADOU, Vanessa. 2007. "La restauration d'une autorité politique. L'itinéraire «extraordinaire» du président Nestor Kirchner", Politix, 80, pp. 129-153.

BESLEY, Timothy y REYNAL-QUEROL, Marta. 2011. "Do democracies select more educated leaders?", en *American political science review,* 105 (3), pp. 552-566.

BEST, Heinrich y COTTA, Maurizio. 2000. "Parliamentary representatives in Europe 1848-2000", en *Legislative recruitment and careers in eleven European countries*, 2000, (95), pp.

BEYME, Klaus von. 1996. "The concept of Political Class: A New Dimension of Research on Elites?", en *West European Politics*, 19, pp. 68-87.

BEYME, Klaus von. 1997. *La Clase Política en el Estado de Partidos*, México: Alianza Universidad.

BIEZEN, Ingrid y HOPKIN, Jonathan. 2006. *Party organization in multi-level contexts*. Manchester: Manchester University Press.

BLACK, Gordon. 1972. "A theory of political ambition: Career choices and the role of structural incentives", en *American Political Science Review*, 66 (1), pp. 144-159.

BLUME, Lorenz y VOIGT, Stefan. 2011. "Federalism and decentralization— a critical survey of frequently used indicators.", en *Constitutional Political Economy*, 2011, 22 (3), pp. 238-264.

BLONDEL, Jean. 1985. *Government ministers in the contemporary world*, Londres: Sage.

BLONDEL, Jean. 1991."Cabinet Government and Cabinet Ministers", en BLONDEL, Jean y THIEBAULT, Jean Louis (eds.), *The profession of Government minister in Western Europe*, Londres: MacMillan.

BOBBIO, Luigi. 1999. "Un processo equo per una localizzazione equa", en BOBBIO, Luigi y ZEPPETELLA, Alberico (eds.), *Perché proprio qui? Grandi opere e opposizioni local*, Milan: Franco Angeli, pp. 185-223.

BOIX, Carles.1999." Setting the rules of the game: the choice of electoral systems in advanced democracies", en *American Political Science Review*, 93 (3), pp. 609-624.

BOLTANSKI, Luc. 1973. "L'espace positionnel. Multiplicité des positions institutionnelles et habitus de classe", en *Revue française de sociologie*, pp. 3-26.

BORCHERT, Jens (ed.). 1999. *Politik als Beruf. Die politische Klasse in westlichen Demokratien*. Opladen: Leske + Budrich.

BORCHERT, Jens. 2001. "Movement and linkage in political careers: individual ambition and institutional repercussions in a multi-level setting", ponencia presentada en *ECPR Joint Sessions of Workshops*.

BORCHERT, Jens. 2003. "Professional politicians: Towards a comparative perspective", en Jens Borchert y Jurgen Zeiss (eds.) *The political class in Advanced Democracies*, Oxford: Oxford University Press, pp. 1-25.

BORCHERT, Jens. 2010. "They Ain'T Making Elites Like They Used To": The Never Ending Trouble With Democratic Elitism", En *Democratic Elitism*, pp. 23-41.

BORCHERT, Jens. 2011. "Individual ambition and institutional opportunity: a conceptual approach to political careers in multi-level systems", en *Regional and Federal Studies*, 21(2), pp. 117-140.

BORCHERT, Jens y GOLSCH, Lutz. 1995. "Die politische Klasse in westlichen Demokratien: Rekrutierung, Karriereinteressen und institutioneller Wandel", en *Politische Vierteljahresschrift*, pp. 609-629.

BORCHERT, Jens y STOLZ, Klaus.2002. "Fighting Insecurity: Political Careers in the Federal Republic of Germany", ponencia presentada en *APSA Annual meeting Boston.*

BORCHERT, Jens y ZEISS, Jürgen. 2003. *The political class in advanced democracies: A comparative handbook*, Oxford: Oxford University Press.

BOTELLA, Joan; RODRÍGUEZ TERUEL, Juan; BARBERÁ, Óscar y BARRIO, Ástrid. 2011. "Las carreras políticas de los jefes de gobierno regionales en España, Francia y el Reino Unido (1980-2010)", en *Revista Española de Investigaciones Sociológicas*, pp.3-20.

BOTERO, Felipe. 2011. "Carreras políticas en América Latina. Discusión teórica y ajuste de supuestos"., en *Postdata*, 16 (2), pp. 167-187

BOTTOMORE, Tom.1967. *Elites and Society*, London: Routledge.

BOURDIEU, Pierre. 1986. "The forms of capital", en RICHARDSON, John (Ed.) Handbook of Theory and Research for the Sociology of Education, Nueva York: Greenwood, pp.241-258.

BRAGA, Maria do Socorro Souza y BOLOGNESI, Bruno. 2012. "Dimensões do processo de seleção da classe política brasileira: autopercepções dos candidatos à Câmara dos Deputados nas eleições de 2010", en. SANTOS, André (ed.), *Os Eleitos. Representação e carreiras políticas em democracias. Porto Alegre: Editora UFRGS.*

BRZINSKI, Joanne Bay; LANCASTER, Thomas D. y TUSCHHOFF, Christian. 1999. "Federalism and compounded representation: Key concepts and project overview", *Publius: The Journal of Federalism*, 29 (1), p. 1-18.

BURMEISTER, Kerstin. 1993. *Die Professionalisierung von Politik am Beispiel des Berufspolitikers im parlamentarischen System der Bundesrepublik Deutschland*, Berlin: Duncker & Humblot.

BURNS, John. M. 1978. *Leadership*, New York: Harper&Row

BUVINIC, Mayra y ROZA, Vivien. 2004. "La mujer, la política y el futuro democrático de América Latina", en *Informe del Banco Interamericano de Desarrollo*, Washington DC: Departamento de Desarrollo Sostenible, Serie de informes técnicos.

CABEZAS, Lina M. y BARRAGÁN, Mélany. 2014. "Repensando la profesionalización de los políticos", en *Iberoamericana*, 14 (54),pp. 164-168

CAMARELLES QUERALT, Gabriel. 2022. La problemática de la profesionalización de la clase política y el potencial del sorteo a través de minipúblicos deliberativos. *Veritas,* (53), pp. 35-60.

CAMINAL BADÍA, Miquel.2006. *Manual de Ciencia Política,* Madrid: Tecnos, pp. 21-41.

CAMP, Roderic. 2006. *Las elites del poder en México: perfil de una elite de poder para el siglo XXI,* Mexico DF: Siglo XXI.

CAREY, John. 2000. "Parchment, equilibria, and institutions", en *Comparative Political Studies,* 33, (6-7), pp. 735-761.

CAREY, John y SHUGART, Matthew. 1995. "Incentives to cultivate a personal vote: A rank ordering of electoral formulas", en *Electoral studies,* 14(4), pp. 417-439.

CARNES, Nicholas y LUPU, Noam. 2016. Do Voters Dislike Working-Class Candidates? Voter Biases and the Descriptive Underrepresentation of the Working Class, American Political Science Review, 110(4), pp. 832-844.

CARTER, Caitríona y PASQUIER, Romain. 2010. "The europeanization of regions as 'spaces for politics': A research agenda", en *Regional and Federal Studies,* 20 (3), pp. 295-314.

CENTENO, Miguel Angel. 1993. "The new Leviathan: The dynamics and limits of technocracy", en *Theory and Society,* 22 (3), pp. 307-335.

CODATO, Adriano; COSTA, Luiz Domingos y MASSIMO, Lucas.2014. "Classificando ocupações prévias à entrada na política: uma discussão metodológica e um teste empírico", en *Opinião Pública,* 20 (3), pp. 346-362.

COLLER, Xavier. 1999. "Circulación y conflicto en la elite política: el caso valenciano", en *Revista Valenciana de Estudios Autonómicos,* 29, pp. 193-221.

COLLER, Xavier. 2008. "El sesgo social de las élites políticas: el caso de la España de las autonomías (1980-2005)", en *Revista de Estudios Políticos,* 141,pp. 135-159.

COLLER, Xavier. 2016. "The selection of politicians after the crisis", En *the 23rd International Conference of Europeanists.*

COLLER, Xavier y SANTANA, Andrés. 2009. "La homogeneidad social de la elite política. Los parlamentarios de los PANE (1980-2005)", en *Papers: revista de sociologia,* 92, pp. 29-50.

CORNELIUS, Wayne y HANDLEY, Jane (ed.). 1999. *Subnational politics and democratization in Mexico,* San Diego: Center for US-Mexican Studies, University of California.

COSTA, Olivier y KERROUCHE, Eric. 2007. *Enquête sur des élites inconnues,* Paris: Presses de Sciences Po.

COX, Gary W. 1997. *Making votes count: Strategic coordination in the world's electoral systems*, Cambridge: Cambridge University Press.

CROWLEY, George R. y REECE, William S. 2013. "Dynastic Political Privilege and Electoral Accountability: the Case of U.S. Governors, 1950-2005", *Economic Inquiry*, 51 (1), pp. 735-746.

CUCCHETTI, Humberto. 2005. "Religión y política en Argentina y en Mendoza, 1943-1955. Lo religioso en el primer peronismo", Buenos Aires, Documento de Trabajo Nº 13, CEIL-PIETTE/CONICET.

CZUDNOWSKI, Moshe. 1975. "Political Recruitment", en IN FI Greenstein & NW Polsby (Eds.) *Handbook of Political Science: Micropolitical Theory*.

DAHL, Robert. 1961. *Who governs? Democracy and Power in an American City*, New Haven: Yale University.

DAL BÓ, Ernesto; DAL BÓ, Pedro y SNYDER, Jason. 2009. "Political dynasties", en *The Review of Economic Studies*, 76 (1), pp. 115-142.

DALOZ, Jean Pascal. 2010. *The sociology of the elite distinction. From theorical to comparative perspectives*, London: Palgrave MacMillan.

DÁVILA, Mireya; LAVADOS, Alejandro Olivares; y AVENDAÑO, Octavio. 2013. "Los gabinetes de la Concertación en Chile (1990-2010), en *América Latina, Hoy*, 64, p. 67.

DEE, Thomas S. 2004. "Are there civic returns to education?", en *Journal of Public Economics*, 88 (9), pp. 1697-1720.

DENZAU, Arthur y NORTH, Douglass. 1994. "Shared mental models: ideologies and institutions", en *Kyklos*, 47 (1), pp. 3-31.

DESCHOUWER, Kris. 2001. "Multilevel systems and political careers: the pleasures of getting lost", ponencia presentada en *Workshop on Political careers in a multilevel Europe*.

DESCHOUWER, Kris. 2003. "Political parties in multi-layered systems", en *European urban and regional studies*, 10 (3), pp. 213-226.

DESCHOUWER, Kris. 2006. "Political parties as multi-level organizations", Handbook *of party politics*, pp. 291-300.

DÉZALAY, Yves y GARTH, Bryant. 2002. *La mondialisation des guerres de palais: la restructuration du pouvoir d'Etat en Amérique latine, entre notables du droit et "Chicago Boys"*, París: Seui

DIERMEIER, Daniel; ERASLAN, Hulya y MERLO, Antonio. 2002. *Bicameralism and government formation*. Pensnsylvania: University of Pennsylvania.

DODEIGNE, Jérémy. 2014."(Re-) assessing career patterns in multi-level systems: Insights from Wallonia in Belgium", en *Regional & Federal Studies*, 24 (2), pp. 151-171.

DOGAN, Mattei. 1989.*Pathways to power: selecting rulers in pluralist democracies*, Colorado: Westview Press.

DONATELLO, Luis Miguel. 2011. "Catolicismo y elites en la Argentina del siglo XXI: individualización y heterogeneidad", en *Estudios Sociológicos*, pp. 833-855.

DOÑA, Karina. 2005. "Liderazgo femenino ¿mito o realidad", [en línea], www.agendapublica.–uchile.cl.

DOWNS, Anthony. 1957. "An economic theory of political action in a democracy". *The journal of political economy*, pp. 135-150.

DRIESSENS, Olivier. 2013. "Celebrity capital: redefining celebrity using field theory", en *Theory and society*, 42 (5), pp. 543-560.

DRONKERS, Japp y SCHIJF, Huibert. 2003. "Marriages between nobility and high bourgeoisie as a way to maintain their elite positions in modern Dutch society", en *European Sociological Association Conference*.

DUARTE, Tito A. y JIMÉNEZ, Ramón Elías. 2007. "Aproximación a la teoría del bienestar", en *Scientia et Technica*, 5 (37), pp. 305-310.

DUPOIRIER, Elisabeth.1994. "The first regional political elites in France (1986-1992): A profile", en *Regional & Federal Studies*, 4 (3), pp. 25-32.

DUVERGER, Maurice. 1954. *Politica parties: their organization and activities in the moden stat*, Londres: Methuen.

DUVERGER, Maurice.1986. "Duverger's law: Forty years later", en.*Electoral laws and their political consequences*, pp. 69-84.

DWORAK, Fernando.2003. *El legislador a examen: el debate sobre la reelección legislativa en México*, México: Fondo de Cultura Económica.

EDWARDS, John. 2009. *Un mundo de lenguas*, Madrid: Aresta.

EDWARDS, Santiago; MORALES, Mauricio y SCHUSTER, Martín. 2012. "¿El dinero da la felicidad? Efecto del gasto en campañas sobre el desempeño electoral de los candidatos a alcalde en Chile (2004-2008), en MORALES, Mauricio (ed.), *Democracia municipal en Chile (1992-2012)*, Santiago: Universidad Diego Portales, pp.329-359.

EHRENHALT, Alan. 1991. *The United States of Ambitions: Politicians, power and the pursuit of Office.* New York: Random House.

ELORRIAGA, Gabriel. 2013. *La vocación política*, E-Leer/Ibuku.

ERIKSON, Robert. 1971. "The advantage of incumbency in congressional elections", en *Polity*, pp. 395-405.

ESCAMILLA, Laura Valencia. 2016. "Rendición de cuentas y los mecanismos de transparencia legislativa en América Latina", en *Revista Iberoamericana de las Ciencias Sociales y Humanísticas: RICSH*, 5 (10), p. 2.

ESPINOSA, Vicente y MADRID, Sebastián. 2010. *Trayectoria y eficacia política de los militantes en juventudes políticas*, Santiago: Instituto de Estudios Avanzados de la Universidad de Santiago de Chile.

FALLETI, Tulia. 2005. "A sequential theory of decentralization: Latin American cases in comparative perspective", en *American Political Science Review*, 2005, 99 (3), pp. 327-346.

FARES, Celina. 2007. La Unión Federal. ¿Nacionalismo o Democracia Cristiana? Una efímera trayectoria partidaria (1955-1958), Mendoza: Universidad Nacional de Cuyo.

FAUCCI, Riccardo. 2007."Max Weber's Influence on Schumpeter",en *History of economic ideas*, pp. 111-133.

FEREJOHN, John.1977." On the decline of competition in congressional elections", en *American Political Science Review*, 71(1), pp. 166-176.

FERNÁNDEZ, Anna María. 1995."Participación social y política de las mujeres en México: un estado de la cuestión", en FERNÁNDEZ, Anna (ed.). *Participación política: las mujeres en México al final del milenio*, México: Colmex.

FERRARA, Federico y HERRON, Erik. 2005. "Going It Alone? Strategic Entry under Mixed Electoral Rules.", American Journal of Political Science, 49, pp.16-31.

FIORINA, Morris. 1977. "An outline for a model of party choice", en *American Journal of Political Science*, pp. 601-625.

FIORINA, Morris y SHEPSLE, Kenneth. 1989. "Formal theories of leadership: agents, agenda setters, and entrepreneurs" en *Leadership and politics: New perspectives in political science*, pp. 17-40.

FISCHER, Jörn y STOLZ, Klaus. 2010. "Patterns of Ministerial Careers Across Territorial Levels in Germany", ponencia presentada en la 82nd Annual Conference of the Canadian Political Science Association, Montreal: Concordia University, 1-3 junio.

FOX, Richard y LAWNESS, Jennifer. 2005. "To run or not to run for office: explaining Nascent Political Ambition", en *American Journal of Political Science*, 49 (3), pp. 642-659.

FRANCIS, Wayne y KENNY, Lawrence.2012. *Upp the political ladder. Career paths in US politics.* Oaks, CA: Sage.

FREIDENBERG, Flavia; DÍEZ, Fátima García y LLAMAZARES, Iván. 2006. "Instituciones políticas y cohesión ideológica: un análisis multinivel de la heterogeneidad ideológica en los partidos latinoamericanos", en *Políticos y política en América Latina.* Fundación Carolina, pp. 255-280.

FRENCH, Richard. 2011. "Political capital", *Representation*, 47 (2), pp. 215-230

GALLAGHER, Michael; LAVER, Michael y MAIR, Peter. 2001. *Representative Government in Modern Europe*, London: McGraw-Hill

GARCÉS MONTOYA, Ángela. 2010. "De organizaciones a colectivos juveniles: Panorama de la participación política juvenil", en *Última década*, 18 (32), pp. 61-83.

GARCÍA ESCUDERO, Piedad. 2015. "La reforma constitucional del Senado.", EN *Corts: Anuario de derecho parlamentario*, 28, Pp. 19-41.

GARCIA MONTERO, Mercedes. 2004. "El procedimiento Legislativo en América Latina", en *América Latina Hoy*, 38, pp.17-55.

GAXIE, Daniel. 2002. "Appréhensions du politique et mobilisations des expériences sociales", en *Revue française de science politique*, 52(2), pp. 145-178.

GAZMURI, Cristian. 2001. "Notas sobre las élites chilenas, 1930-1999", Documento de trabajo 3, Instituto de Historia, Pontificia Universidad de Chile.

GEISSER, Vincent; SOUM, El Yamine y FRANCO, Germán.2011. "La promoción de la diversidad en los partidos políticos: ¿una respuesta política a la discriminación?, *Foro Internacional*, pp. 205-241.

GELMAN, Andrew y KING, Gary. 1990. "Estimating incumbency advantage without bias", en *American Journal of Political Science*, pp. 1142-1164.

GENIEYS, William.1998. "Las élites periféricas españolas ante el cambio de régimen político", en *Revista de Estudios Políticos*, 102, pp. 9-38.

GENIEYS, William. 2004. "Las élites españolas ante el cambio de régimen político: lógica de estado y dinámicas centro-periferias en el siglo XX", *Monografías*.

GENIEYS, William 2011. *Sociologie des élites*, Francia: Armand Colin.

GIBSON, Edward. 2007. "Control de límites: autoritarismo subnacional en países democráticos", en *Desarrollo Económico*, pp. 163-191.

GIBSON, Edward y SUÁREZ-CAO, Julieta. 2010. "Federalized party systems and subnational party competition: Theory and an empirical application to Argentina", en *Comparative Politics*, 43 (1), pp. 21-39.

GIORGI, Guido Ignacio. 2014. "Los Factores "Extrapolíticos" de la Carrera Política: Una Aproximación a las Sociabilidades de los ministros de la nación en la Argentina (1854-2011)", en *Política. Revista de Ciencia Política*, 52 (2), pp. 241-273.

GOMEZ MENDOZA, Josefina. 2001. "Un mundo de regiones: Geografía regional de geometría variable", en *Boletín de la Asociación de Geógrafos Españoles*, 32, pp. 15-33.

GONZÁLEZ, Lucas. 2014. "El poder de los gobernadores: Conceptualización y análisis comparado de Argentina y Brasil", en *Revista SAAP: Sociedad Argentina de Análisis Político*, 8 (2), pp. 339-373.

GREENSTEIN, Fred. 2000. "The qualities of effective presidents: An overview from FDR to Bill Clinton", en *Presidential Studies Quarterly*, 30 (1), pp. 178-185.

GRINDLE, Merilee S. 1977. "Patrons and clients in the bureaucracy: career networks in Mexico", en *Latin American Research Review*, 12 (1), pp. 37-66.

GUILLEN, Mauro. 1990. "Profesionales y burocracia: desprofesionalización, proletarización y poder profesional en las organizaciones complejas", en Revista *Española de Investigaciones Scociológicas"*, 51, pp. 35-51.

GUNTHER, Richard y GARCÍA-PARDO, Natalia. 1989. "Leyes electorales, sistemas de partidos y élites: el caso español", en *Revista Española de Investigaciones Sociológicas*, pp. 73-106.

HALL, Melinda Gann y BONNEAU, Chris. 2006. "Does quality matter? Challengers in state supreme court elections", en *American Journal of Political Science*, 50 (1), pp. 20-33.

HALL, Richard y VAN HOUWELING, Robert. 1995. "Avarice and ambition in Congress: Representatives' decisions to run or retire from the US House", en *American Political Science Review*, 89 (1), pp. 121-136.

HAMIT-HAGGAR, Mahamat. 2012. "Greenhouse gas emissions, energy consumption and economic growth: a panel cointegration analysis from Canadian industrial sector perspective", en *Energy Economics*, 34 (1), p. 358-364.

HART, Paul't y WILLE, Anchrit. 2006. "Ministers and top officials in the dutch core executive: Living together, growing apart?", *Public Administration*, 84 (1), pp. 121-146.

HECLO, Hugh. 1978. "Issue networks and the executive establishment", en *Public Adm. Concepts Cases*, 413, pp. 46-57.

HELLER, Lidia. 2004. "Mujeres, entre el techo de cristal y el piso engomado"[en línea], www.lavozdelinterior.com.ar.

HELMKE, Gretc.henn y LEVITSKY, Steven. 2006. *Informal institutions and democracy: Lessons from Latin America*, Baltimore: John Hopkins University Press.

HERRICK, Rebekah y MOORE, Michael K. 1993. "Political Ambition's Effect on Legislative Behavior: Schlesinger's Typology Reconsidered and Revised", en *The Journal of Politics*, 55(3), pp. 765-776.

HERZOG, Dietrich. 1982. "New protest elites in the political system of West-Berlin: the eclipse of consensus?", Florence: European University Institute, EUI Working Papers; 038

HERZOG, Dietrich. 1993. "Politik als Beruf: Max Webers Einsichten und die Bedingungen der Gegenwart" En *Wohlfahrtsstaat, Sozialstruktur und Verfassungsanalyse*, pp. 107-126.

HIGLEY, John. 2008. *Elite Theory in Political Sociology*, Austin: University of Texas.

HOFFMAN-LANGE. 2009, "Methods of Elite Research", en Russell J. Dalton y Hans-Dieter Klingemann, *The Oxford Handbook of Political Behavior*, Oxford: OUP, pp. 910-928.

HUCKFELDT, Robert; MONDAK, Jeffrey; HAYES, Matthew et al. 2013. "Networks, indepemdence and Social influence in Politics", *The Oxford Handbook of Political Psychology*, Oxford: Oxford University Press.

HYMAN, Herbert. 1959. *Political socialization*, Glencoe: The Free Press.

INGLEHART, Ronald.2001. "Sociological theories of modernization", en *International encyclopedia of the social and behaviorial sciences*, pp. 9965-9971.

INGLEHART, Ronald y NORRIS, Pippa. 2000. "The developmental theory of the gender gap: Women's and men's voting behavior in global perspective", en *International Political Science Review*, 21(4), pp. 441-463.

INGLEHART, Ronald, NORRIS, Pippa y WELZEL, Christian. 2002. "Gender equality and democracy", en *Comparative Sociology*, 1 (3), pp. 321-345.

JEFFERY, Charlie y WINCOTT. 2010. "The challenge of territorial politics: beyond methodological nationalism" en Colin Hay (ed.) *New directions in Political Science. Responding to the challenges of an independent world*, Houndmills: Pelgrave.

JENNINGS, Kent y FARAH, Barbara. 1981. "Social roles and political resources: An over-time study of men and women in party elites", en *American Journal of Political Science*, pp. 462-482.

JEREZ MIR, Miguel. 1982. *Élites políticas y centros de extracción en España, 1938-1957*, Madrid: Centro de Estudios Sociologicos.

JOHNSTON, Michael.1991. "Historical conflict and the rise of standards", en *Journal of democracy*, 2 (4), pp. 48-60.

JOIGNANT, Alfredo. 2011. "Tecnócratas, technopols y dirigentes de partido: tipos de agentes y especies de capital en las elites gubernamentales de la Concertación (1990-2010)", en. Alfredo Joignant y Pedro Güell (eds). *Notables, tecnócratas y mandarines: Elementos de sociología de las elites en Chile (1990-2010)*, Santiago de Chile: Ediciones Universidad Diego Portales.

JOIGNANT, Alfredo. 2012. "Habitus, campo y capital: Elementos para una teoría general del capital político", *Revista mexicana de sociología*, 74 (4), pp. 587-618.

JOIGNANT, Alfredo. 2014. "El Capital Político Familiar: Ventajas de parentela y concentraciones de mercado en las elecciones generales chilenas de 2013", en *Política. Revista de Ciencia Política*, 52 (2), pp. 13-48.

JOIGNANT, Alfredo y NAVIA, Patricio. 2007. "From politics by individuals to party militancy: Socialization, political competition and electoral growth of the Chilean Udi", en Kay Lawson y Peter Merkl (eds) *When Political Parties Prosper: the Uses of Electoral Success*, Boulder: Lynn Rienner, pp. 249-272.

JOLÍAS, Lucas y REINA, Augusto. 2011. "¿Gobernadores eternos? Un análisis comparativo de las reelecciones en Argentina y Brasil", *Reconciliando Mundos.*

KAHLER, Miles; LAKE, David A. (eds.). 2003. *Governance in a global economy: Political authority in transition.* Princeton, Nueva Jersey: Princeton University Press.

KEATING, Michael. 2001. *Nations against the state: The new politics of nationalism in Quebec, Catalonia, and Scotland,* Londres: Palgrave Macmillan.

KERNELL, Samuel. 1977. "Presidential popularity and negative voting: An alternative explanation of the midterm congressional decline of the president's party", en *American Political Science Review,* 71 (1), pp. 44-66.

KERSHAW, Ian. 1993. "Working Towards the Führer.'Reflections on the Nature of the Hitler Dictatorship", en *Contemporary European History,* 2 (2), pp. 103-118.

KEY, Vladimir. 1964. *Politics, Parties, and Pressure Groups,* Nueva York: Thomas y Crowell Co.

KITSCHELT, Herbert. 1992. "The formation of party systems in East Central Europe", en *Politics & Society,* 1992, 10 (1), pp. 7-50.

KORNBERG, Allan y CLARKE, Harold (eds.). 1983. *Political Support in Canada: The Crisis Years: Essays in Honor of Richard A. Preston,* Duke: Duke University Press.

KRIESI, Hanspeter. 2011. Personalization of national election campaigns. *Party Politics,* 18 (6), pp. 825-844.

LAAKSO, Markku y TAAGEPERA, Rein. 1979. "The Effective" Number of Parties: A Measure with Application to West Europe", en *Comparative political studies,* 12 (1), p.3.

LALLEMAND, Jean-Christophe. 2008. "Les hommes d´affairs en politique dans les regions de Russie", en *Politix,* 84, pp.61-90.

LANGSTON, Joy y DÍAZ-CAYEROS, Alberto.2003. "The Consequences of Competition: Gubernatorial Nominations and Candidate Quality in Mexico, 1994-2000", *Documento de Trabajo. Mexico: CIDE.*

LASWELL, Harold. 1948. *Power and personality,* Stanford: Stanford University.

LASSWELL, Harold.1974. "Some perplexities of policy theory", en *Social research*, pp. 176-189.

LECHNER, Norbert. 1995. "La reforma del Estado y el problema de la conducción política", en *Perfiles latinoamericanos: revista de la Facultad Latinoamericana de Ciencias Sociales, Sede México,* 7, pp. 149-178.

LEVITA, Gabriel. 2015. "La política como profesión: perfiles y tipos de trayectorias de los senadores argentinos", en *Telos,* 17 (1), pp. 38-57.

LEVITT, Steven y WOLFRAM, Catherine. 1997. "Decomposing the sources of incumbency advantage in the US House", en *Legislative Studies Quarterly,* pp. 45-60.

LIJPHART, Arend.1995. *Electoral Systems and Party Systems,* Oxford: Oxford University Press.

LIJPHART, Arend y AITKIN, Don. 1995. *Sistemas electorales y sistemas de partidos: un estudio de veintisiete democracias, 1945-1990,* Madrid: Centro de Estudios Constitucionales.

LINDBLOM, Charles.1977. *Politics and markets. The world´s political economic systems,* Nueva York: Basic Books.

LINDHOLM, Charles. 1990. *Charisma,* Oxford: Basil Blackwell.

LINZ, Juan. 1987. *El quiebre de los regímenes democráticos.* Buenos Aires: Alianza.

LINZ, Juan. 1990. "The perils of presidentialism", *Journal of democracy,* 1 (1), pp. 51-69.

LINZ, Juan. 1994. *The failure of presidential democracy,* Baltimore: JHU Press

LINZ, Juan. 1999. "Democracia, multinacionalismo y federalismo", en *Revista Española de Ciencia Política,* 1, pp. 7-40.

LINZ, Juan; GÜNTHER, Richard y MONTERO, José Ramón. 2007. *Partidos políticos: viejos conceptos y nuevos retos,* Madrid: Trotta.

LIJPHART, Arend.1995. *Electoral Syatems and Party Systems,* Oxford: Oxford University Press.

LIPSET, Seymour Martin y ROKKAN, Stein (eds.). 1967. *Party systems and voter alignments: Cross-national perspectives,* Free press.

LODOLA, Germán. 2009. "La estructura subnacional de las carreras políticas en Argentina y Brasil", en *Desarrollo Económico,* pp. 247-286.

LUJAMBIO, Alonso. 1993. "Reelección legislativa y estabilidad democrática", en *Estudios, Filosofía-Historia-Letras, Primavera,* 32.

LUJAMBIO, Alonso. 2001. *Adiós a la excepcionalidad: régimen presidencial y gobierno dividido en México,* México: Clacso.

LUPU, Noam y WARNER, Zach. 2016 Mass-elite congruence and representation in Argentina. En *Malaise in representation in Latin American countries:*

Chile, Argentina, and Uruguay. New York: Palgrave Macmillan US, pp. 281-302.

LYNCH, Peter. 1996. *Minority nationalism and European integration*, Gales: University of Wales Press.

MACKENZIE, Scott. 2014. "From Political Pathways to Legislative Folkways: Electoral Reform, Professionalization, and Representation in the US Senate", en *Political Research Quarterly*.

MACKAY, Fiona. 2004. "Gender and political representation in the UK: the state of the discipline", en *The British Journal of Politics and International Relations*, 6 (1), pp. 99-120.

MAHLER, Matthew. 2006. "Politics as a vocation: Notes toward a sensualist understanding of political engagement", en *Qualitative Sociology*, 29 (3), pp. 281-300.

MAHONEY, James y GOERTZ, Gary. 2006. "A tale of two cultures: Contrasting quantitative and qualitative research", en *Political analysis*, 14 (3), pp. 227-249.

MAINWARING, Scott y SCULLY, Timothy (eds.). 1995. *Building democratic institutions: Party systems in Latin America*. Stanford: Stanford University Press.

MAINWARING, Scott y SHUGART, Matthew (eds.). 1997. *Presidencialismo y democracia en América Latina*, Buenos Aires: Paidós.

MANIN, Bernard. 1995. "La democracia de los modernos. Los principios del gobierno representativo", en *Revista Sociedad*, 6, pp. 13-38.

MANIN, Bernard. 1998. *Los principios del gobierno representativo*, Madrid: Alianza Editorial.

MARKS, Gary; HOOGHE, Liesbet y BLANK, Kermit. 1996. "European integration from the 1980s: State-centric v. multi-level governance.", en Journal of Common Market Studies, 34 (3), pp. 341-378.

MARTÍNEZ-HERRERA, Enric. 2002. "From nation-building to building identification with political communities: consequences of political decentralisation in Spain, the Basque Country, Catalonia and Galicia, 1978-2001", en *European Journal of Political Research*, 41 (4), pp. 421-453.

MARTÍNEZ ROSÓN, María del Mar. 2011. "Ambición política y lealtad: influencia sobre el comportamiento político", en *Política y gobierno*, 18, (2), pp. 231-264.

MÁRQUEZ ROMO, Cristian. 2023. *Entre la representación política y la cartelización. Élites políticas en perspectiva comparada*. Tesis Doctoral. Universidad de Salamanca, pp. 1-29.

MATLAND, Richard. 1998. "Women's representation in national legislatures: Developed and developing countries", en *Legislative Studies Quarterly*, pp. 109-125.

MATEOS DÍAZ, Araceli. 2004. "Una aproximación a las actitudes políticas de los españoles mediante una estructura dimensional inductiva", en *Estudios Socio-Jurídicos*, 2004, 6 (2), pp. 90-116.

MATICHESKU, Marius y PROTSYK, Oleh. 2011. "Political recruitment in Romania: continuity and change", en KING, Ronald y SUM, Paul (eds.) *Romania under Basescu, Lanham: Lexington Books*, pp. 65-81.

MATOZZI, Andrea y MERLO, Antonio. 2007. "Political careers or career politicians?", PIER Working Paper 07-009, Department of Economics, University of Pennsylvania.

MAYHEW, David. 1974. *Congress: The electoral connection.* New Heaven: Yale University Press.

MCCONNELL, Shelley. 2010. "The Return of Continuismo?", en *Current History*, 109 (724), p. 74.

MCGARRY, John, y KEATING, Michael (ed.). 2006. *European integration and the nationalities question*, Nueva York: Routledge.

MEDVIC, Stephen. 2013. *In defense of politicians: The expectations trap and its threat to democracy*.Londres: Routledge.

MELUCCI, Alberto. 1989. *Nomads of the present: Social movements and individual needs in contemporary society*, Nueva York: Vintage.

MESSNER, Matthias y POLBORN, Mattias. 2004. "Paying politicians", en *Journal of Public Economics*, 88 (12), pp. 2423-2445.

MICHELS, Robert. 2001 (1911). *Political parties: a sociological study of the oligarchical tendencies of modern democracy*, Kitchener: Batoche Books.

MICOZZI, Juan Pablo. 2013." Does electoral accountability make a difference? Direct elections, career ambition, and legislative performance in the Argentine Senate", EN *The Journal of Politics*, 75 (1), pp. 137-149.

MILLIGAN, Kevin; MORETTI, Enrico y OREOPOULOS, Philip.2004. "Does education improve citizenship? Evidence from the United States and the United Kingdom", en *Journal of public Economics*, 88 (9), pp. 1667-1695.

MILLS, Charles W.1956. *The power elite*, New York/London: Oxford University Press.

MODOUX, Magali.2006. "Geografía de la gobernanza:¿la alternancia partidaria como factor de consolidación del poder de los gobernadores en el escenario nacional mexicano?", en *Foro Internacional*, pp. 513-532.

MONCRIEF, Gary. 1994. "Professionalization and careerism in Canadian provincial assemblies: Comparison to US state legislatures", en *Legislative Studies Quarterly*, pp. 33-48.

MONCRIEF, Gary; SQUIRE, Peverill y JEWELL, Malcolm. 2001. *Who runs for the legislature?*, Upper Saddle River: Prentince Hall.

MONCRIEF, Gary y THOMPSON, Joel. 1992. *Changing Patterns in State Legislative Careers*, Ann Arbor: University of Michigan Press.

MONTERO, José Ramón.; GUNTHER, Richard. 2007. Introducción: los estudios sobre los partidos políticos, en MONTERO, José; GUNTHER, Richard; LINZ, Juan y MONTERROSO, Esther (eds.), *Partidos políticos: viejos conceptos, nuevos retos*, pp. 15-46.

MONTERO, José Ramón; LLERA, Francisco y TORCAL, Mariano.1992. "Sistemas electorales en España: una recapitulación", en *Reís*, pp. 7-56.

MORLINO, Leonardo. 2004."Good'and 'bad'democracies: how to conduct research into the quality of democracy", en *Journal of Communist Studies and Transition Politics*, 20 (1), pp. 5-27.

MOSCA, Gaetano. 1939 (1884). *The ruling class*, Westport: Greenwood Press.

MUMFORD, Michael; O´CONNOR, Jennifer; CONNELLY, Mary Shane y ZACCARO, Stepehn.1993. "Background data constructs as predictors of leadership", en *Human Performance*, 6 (2), pp. 151-195.

NAGLE, John.2014. *System and succession: the social bases of political elite recruitment*, Texas: University of Texas Press.

NANNESTAD, Peter y PALDAM, Martin. 1994. "The VP-function: A survey of the literature on vote and popularity functions after 25 years", en *Public Choice*, 79, (3-4), pp. 213-245.

NEGRETTO, Gabriel. 2003. "Diseño constitucional y separación de poderes en América Latina", en *Revista mexicana de sociología*, 65(1), pp. 41-75.

NEGRETTO, Gabriel. 2009. "Paradojas de la reforma constitucional en América Latina", en *Journal of Democracy en español*, 1 (1), pp. 38-54.

NIETO, Lourdes. 2000. *Notas sobre los políticos: opiniones de alcaldes y diputados españoles sobre su quehacer*, Barcelona: Institut de ciències polítiques i socials.

NOHLEN, Dieter. 1991. "Presidencialismo *versus* parlamentarismo en América Latina", en *Revista de Estudios Políticos*, 74, p. 43-54.

NOHLEN, Dieter. 1998. "*Sistemas electorales y partidos políticos*, DF: Fondo de Cultura Económica.

NORRIS, Pippa. 1993. "Through the Eye of the Needle: Comparative Legislative Recruitment in Western Democracies", ponencia presentada en *Unveröff. Mskr., APSA, Washington.*

NORRIS, Pippa. 2000. *A Virtous Circle: Political Communications in Post-Indistrial Societies.* Cambridge: Cambridge University Press.

NORRIS, Pippa y LOVENDUSKI, Joni (eds.). 1993. *Gender and party politics.* Londres: Sage Publication.

OGER, Sonia de. 2011. "Partidos nacionales en elecciones regionales:¿Coherencia territorial o programas a la carta?", en *Revista de Estudios Políticos,* 152, pp. 183-2009.

OÑATE, Pablo. 2010."The members of the Spanish Autonomic Parliaments: some features of a regional professionalized elite", en *Pôle Sud,* 33 (2), pp.1-22.

OCAÑA, Francisco A y OÑATE, Pablo. 1999. " Índices e indicadores del sistema electoral y del sistema de partidos. Una propuesta informática para su cálculo", en *Revista Española de Investigaciones Sociológicas,* pp. 223-245.

PACHECO, Carlos Américo. 2016. "Desconcentração econômica e fragmentação da economia nacional", en *Economia e sociedade,* 2016, 5 (1), pp. 113-140.

PANEBIANCO, Angelo. 1990. *Modelos de partido.* Madrid: Editorial Alianza.

PARETO, Vilfredo. 1991 (1901). *The rise and fall of the elites. An application of theorical sociology,* New Jersey: Transaction Publishers.

PARRY, Geraint. 2005. *Political elites,* Colchester: ECPR Press.

PASQUINO, Gianfranco.2000. *La clase política,* Madrid: Acento Editorial.

PAXTON, Pamela; KUNOVICH, Sheri y HUGHES, Melanie. 2002. "Gender in politics", en *Annu. Rev. Sociol.,* 33, pp. 263-284.

PENNINGS, Paul. 2000. "The Consequences of Ministerial Recruitment for the Functioning of Ministerial Cabinets in Western Europe", en *Acta política,* 35 (1), pp. 86-103.

PÉREZ-COMECHE, Jorge y OÑATE, Pablo.2013. "Patrones de Carrera en Sistemas Multi-Nivel:¿influencia de los partidos políticos o preferencias de los parlamentarios?", ponencia presentada en congreso de la Asociación Española de Ciencia Política.

PERREWE, Pamela y NELSON, Debra. 2004. "Gender and Career Success:: The Facilitative Role of Political Skill", en *Organizational Dynamics,* 33 (4), pp. 366-378.

PETROCIK, John R.1996. "Issue ownership in presidential elections, with a 1980 case study", en *American journal of political science,* pp. 825-850.

PICARELLA, Lucia. 2015. "Presidencialización y personalización en el Sistema Político Español, 1975-2008", en *Revista Enfoques,* 7(11), pp. 517-546.

PITKIN, Hanna. 1967. *The concept of representation.* California: University of California Press.

POLSBY, Nelson. 1968. "The institutionalization of the US House of Representatives", en *American Political Science Review*, 62 (1), pp.144-168.

POTGUNKE, Thomas y WEBB, Patrick (eds.). 2005. *The Presidentialization of Politics: A comparative Study of Modern Democracies*, Oxford: Oxford University Press.

PRINZ, Timothy. 1993. "The Career Paths of Elected Politicians: a Review and Prospectus", en WILLIAM, Shirley (ed.): *Ambition and Beyond: Career Paths of American Politicians*, Berkeley: Institute of Governmental Studies Press, University of California.

PUDAL, Bernard. 1989. *Prendre parti. Pour une sociologie historique du PCF.* París: Presses de la Fondation Nationale des Sciences Politiques.

PUTNAM, Robert. 1976. *The comparative study of political elites*, Englewood Cliffs: Prentice-Hall.

RAE, Douglas.1967. *The political consequences of electoral laws*, New Haven: Yale University Press, 1967.

REAL, José y JEREZ, Miguel. 2008. "Patrones de reclutamiento en los europarlamentarios españoles (1986-2008)", en MONTABES, Juan y OJEDA, Raquel (eds). *Estudios de Ciencia Política y de la Administración*, Valencia: Tirant Lo Blanch.

REISER, Marion. 2003. "From Political Amateurs to Professional Politicians? An Analysis of Councillors in four German Cities", ponencia presentada en la American Political Science Association.

REISER, Marion. 2006. "A different style of leadership? Non-partisan voter associations in East and West Germany", En *ECPR Joint Sessions, Workshop: Local political leadership in a changing context, Nicosia.*

RHODES, Rod y TIERNAN, Anne. 2014. *Lessons of governing. A profile of Prime Ministers' Chiefs of Staff.*, Melbourne: Melbourne University Press.

RÍOS, Marcela (ed.). 2008. *Mujer y política: el impacto de las cuotas de género en América Latina*, Santiago: IDEA Internacional.

RODRIGUES SILVEIRA, Rodrigo. 2011. "Élites y democracia local: marcos institucionales comunes, resultados distintos en los municipios brasileños", ponencia presentada en el X Congreso Nacional de la Asociación Española de Ciencia Política.

RODRÍGUEZ TERUEL, Juan. 2010. "¿Gobierno parlamentario sin ministros parlamentarios? La influencia de la descentralización en las carreras de la elite ministerial española1", en *Revista Española de Ciencia Política*, 24, pp. 83-105.

RODRIGUEZ TERUEL Juan. 2011. *Los ministros de la España democrática. Reclutamiento político y carrera ministerial de Suárez a Zapatero (1976-2010)*, Madrid: Centro de Estudios Políticos y Constitucionales.

RODRÍGUEZ TERUEL, Juan. 2019. ¿Se está incrementando la brecha entre representantes y representados? Una reflexión a propósito de El poder político en España. *Revista Española de Sociología*, 28(3), pp. 543-547.

RODRIGUEZ-TERUEL, Juan y DANDOY, Regis. 2015. "Gender Differences in Ministerial Careers in Subnational Cabinets. Evidences from Spain, Belgium and United Kingdom", ponencia presentada en *ECPR General Conference.*

ROMERO, Joan. 2007. *Geografía humana: procesos, riesgos e incertidumbres en un mundo globalizado*, Madrid: Ariel.

ROSENTHAL, Alan. 1996. "State legislative development: observations from three perspectives", en *Legislative Studies Quarterly*, 21 (52), pp. 169-198.

ROSENTHAL, Alan. 1998. *The decline of representative democracy: process, participation, and power in state legislatures,* Nueva Jersey: Eagleton Institute of Politics, Rutgers University

RUSCH, Michael. 2007. "The decline of nobility", en COTTA, Maurizio y BEST, Heinrich (eds.), *Democratic representation in Europa. Diversity, change and convergence,* Oxford: Oxford University Press.

SAMUELS David. 1998. "Political Ambition in Brazil, 1945-95: Theory and Evidence", ponencia presentada en el Congreso de Latin American Studies Association, Chicago.

SAMUELS, David. 2002. "Progressive ambition, federalism, and pork-barreling in Brazil", en *Legislative Politics in Latin America,* 315, p. 340.

SAMUELS, David. 2003. *Ambition, federalism, and legislative politics in Brazil,* Cambridge: Cambridge University Press.

SÁNCHEZ, Francisco y FREIDENBERG, Flavia.2002." ¿Cómo se elige un candidato a presidente?: Reglas y prácticas en los partidos políticos de América Latina", en *Revista de Estudios Políticos,* 118, pp. 321-362.

SANTANO, Ana Claudia; BARBOSA, Cláudia Maria y KOZICKI, Katya. 2015. "Problemas de la representación proporcional en el sistema electoral brasileño actual y sus reflejos en una eventual crisis de los partidos políticos", en *Estudios constitucionales,* 13 (2), pp. 351-390.

SARTORI, Giovani.1966. "El pluralismo polarizado en los partidos políticos europeos", en *Revista de estudios políticos,* 147, pp. 21-64.

SARTORI, Giovanni.1976. *Party and party systems. A Framework for Analysis,* Cambridge: Cambridge University Press.

SARTORI, Giovanni. 1991. "Comparing and miscomparing", en *Journal of theoretical politics,* 3 (3), pp. 243-257.

SARTORI, Giovanni. 1999. *Partidos y sistemas de partidos: marco para un análisis,* St. Martin: St. Martin's Press.

SCARROW, Susan. 1997. "Political career paths and the European parliament", en Legislative Studies Quarterly, 22(2), pp. 253-263

SCHALLER, Thomas y WILLIAMS, Thomas. 2003." The Contemporary Presidency: Postpresidential Influence in the Postmodern Era", en *Presidential Studies Quarterly*, pp. 188-200.

SCHLESINGER, Joseph. 1966. *Ambition in politics: Political careers in the United States*, Chicago: Rand McNally.

SCHMITTER, Philippe. 2000. *How to Democratize the European Union–and why Bother?*, Lanham: Rowman & Littlefield

SCHMITTER, Philippe. 2010. "Democracy Under Scrutiny: Elites, Citizens, Culture·, en *European political science*, 9 (4), p. 511.

SCHUMPETER, Joseph Alois.1942. *Socialism, capitalism and democracy*, Nueva York: Harper and Brothers, 1942.

SERNA, Miguel. 2013. "Globalización, cambios en la estructura de poder y nuevas elites empresariales", en *Revista de Sociologia y Política*, 2 (46) pp. 93-103.

SHEPSLE, Kenneth y BONCHEK, Mark.1997. *Analyzing Politics: Rationality. Behavior, and Institutions*, Londres: WW. Norton&Company.

SHUGART, Matthew. 1985. "The two effects of district magnitude: Venezuela as a crucial experiment", en *European Journal of Political Research*, 13 (4), pp. 353-364.

SHUGART, Matthew. 1992. "Electoral reform in systems of proportional representation", en *European Journal of Political Research*, 21 (3), pp. 207-224.

SHUGART, Matthew. 2001. "Electoral "efficiency" and the move to mixed-member systems", en *Electoral Studies*, 20 (2), pp. 173-193.

SHVEDOVA, Nadezhda. 2002. "Obstáculos para la participación de la mujer en el Parlamento", en *Mujeres en el parlamento: más allá de los números*. Internacional Institute for Democracy and Electoral Asistanse, [en línea], www.idea.int/publications.

SIAVELIS, Peter y MORGENSTERN. 2008. *Political recruitment and candidate selection in Latin America: A framework for analysis. Pathways to power*, Pennsylvania: Pennsylvania State University Press.

SIMÓN, Pablo. 2013. "La nacionalización electoral de los partidos políticos en España", en *Revista Española de Investigaciones Sociológicas*,141 (1) pp. 171-186.

SNOW, David; ROCHFORD, Burke; WORDEN, Steven y BENFORD, Robert. 1986. "Frame alignment processes, micromobilization, and movement participation", en *American sociological review*, pp.464-481.

SQUIRE, Peverill. 1988. "Career opportunities and membership stability in legislatures", en *Legislative Studies Quarterly*, pp. 65-82.

SQUIRE, Peverill. 1992. "Legislative professionalization and membership diversity in state legislatures", en *Legislative Studies Quarterly*, 17.

SQUIRE, Peverill y HAMM, Keith E. 2005. *101 chambers: Congress, state legislatures, and the future of legislative studies*, Ohio: Ohio State University Press.

SMITH, Daniel Markham. 2012. *Succeeding in Politics: Dynasties in Democracies*, Tesis doctoral, Universidad de San Diego.

STIGLITZ, Joseph E.2002. "Information and the Change in the Paradigm in Economics", en *The American Economic Review*, 92 (3), pp. 460-501.

STOLZ, Klaus. 1999. "Political Careers in Newly Established Regional Parliaments: Scotland and Catalonia", ponencia presentada en congreso de la *American Political Science Association.*

STOLZ, Klaus. 2001. "The political class and regional institution building: a conceptual framework", *Regional & Federal Studies*, 11(1), pp. 81-100.

STOLZ, Klaus. 2003. "Moving up, moving down: political careers across territorial levels", *European Journal of Political Research*, 42.

STOLZ, Klaus. 2005. "Bringing politicians back in regional democracy and political careers" ponencia presentada en 30th Joint Session of Workshops ECPR, Granada.

STOLZ, Klaus. 2010. *Towards a regional political class?: professional politicians and regional institutions in Catalonia and Scotland.* Oxford: Oxford University Press.

STOLZ, Klaus. 2011. "The regionalization of political careers in Spain and the UK", en *Regional and Federal Studies*, 21 (2), pp. 223-243.

STOLZ, Klaus. 2012. "Retorno a los politicos: carreras políticas y clase política en sistemas multinivel", en LACHAPELLE, Guy; OÑATE, Pablo y GRANT, Walter. (eds) *Handbook in New Regionalism and Multi-Level Governance*, Valencia: Tirant lo Blanch (pendiente de publicación).

STRAUS, Jacob. 2002. "Balance of Power: Amateurs and Professionals in the House of Representatives", ponencia presentada en la Annual Meeting of the American Political Science Association, Boston.

SWENDEN, Winfried y MADDENS, Bart. 2009. *Territorial Party Politics in Western Europe.* London: Palgrave

TAAGEPERA, Rein y SHUGART, Matthew.1989. *Seats and votes: The effects and determinants of electoral systems*, New Haven: Yale University Press.

THEAKSTON, Kevin y Joukc DE VRIES, Jouke (eds.). 2012. *Former leaders in modern democracies*, Londres: Palgrave Macmillan.

THORLAKSON, Lori. 2006. "Party systems in multi-level contexts", en *Devolution and electoral politics*, pp. 37-52.

TIRAMONTI, Guillermina; ZIEGLER, Sandra y GESSAGHI, Victoria. 2008. *La educación de las elites: aspiraciones, estrategias y oportunidades*, Buenos Aires: Paidós.

TISSOT,Sylvie.2004. "Les reconversions militantes", en TISSOT, Sylvie; GAUBERT, Cristophe y LECHIEN, Marie-Hélne, *Reconvrsions militantes*, Francia: Pulim.

TREMINIO, Ilka.2013. "Las reformas a la reelección presidencial en América Latina", en *Estudios sociológicos*, pp. 59-85.

TREUL, Sarah 2008. "Ambition and party loyalty in the US Senate", *American Politics Research*, 37 (3), pp.449-464.

TURNER, Stephen. 2003. "Charisma reconsidered", en *Journal of Classical Sociology*, 3 (1), pp. 5-26.

URIARTE, Edurne. 1997. "El análisis de las elites políticas en las democracias", *Revista de Estudios Políticos*, 97, pp. 249-275.

VAN HOUTEN, Pieter. 2009. "Multi-Level Relations in Political Parties A Delegation Approach", en *Party Politics*, 15 (2), pp. 137-156.

VERZICHELLI, Luca y EDINGER, Michael. 2005. "A critical juncture? The 2004 European elections and the making of a supranational elite", en *The Journal of Legislative Studies*, 2005, 11 (2), pp. 254-274.

VIVER, Carles. 1978. *El personal político de Franco (1936-1945)*, Barcelona: VicensVives.

WAGNER, Gert.; FRICK, Joachim y SCHUPP, Jürgen. 2007. "The German Socio-Economic Panel study (SOEP)-evolution, scope and enhancements".

WALLIS, Joe. 1997. "Conspiracy and the Policy Process: a Case Study of the New Zealand Experiment", Journal of Public Policy, 17 (1), pp.1-29.

WEBER, Max. 1998 (1918). *El oficio del político*, Madrid: Alianza.

WESTLAKE, Martin. 1994. *A modern guide to the European Parliament*, Londres: Pinter Pub Ltd.

WHITEHEAD, Laurence. 2009. "Fernando Henrique Cardoso: the Astuzia Fortunata of Brazil's Sociologist-President", Journal of Politics in Latin America, 3, pp.111-129.

WHITFORD, Josh.2002. "Pragmatism and the untenable dualism of means and ends: Why rational choice theory does not deserve paradigmatic privilege", en *Theory and Society*, 31 (3), pp. 325-363.

WILLIAMS, Laron K.; SEKI, Katsunori y WHITTEN, Guy D.2016. "You've Got Some Explaining To Do The Influence of Economic Conditions and

Spatial Competition on Party Strategy", en *Political Science Research and Methods,* 4 (1), pp. 47-63.

WILSON, F.M.G. 1959. "The routes of entry of new members of the British cabinet, 1868-1958", Political Studies,7 (3), pp. 222-232.

WINTER, Lieven De; CACHAFEIRO, Margarita Gómez Reino y LYNCH, Peter. 2006. *Autonomist parties in Europe: identity politics and the revival of the territorial cleavage,* Barcelona: Instituto Universitario de Estudios Europeos.